ENTRE NOUS

TOUT EN UN

AUTEURS :
Audrey Avanzi
Céline Malorey
Neige Pruvost
Caroline Venaille
Thomas Geeraert
Grégory Miras
Sylvie Poisson-Quinton

www.emdl.fr/fle

ENTRE NOUS, POUR UN APPRENTISSAGE ADAPTÉ ET RÉUSSI !

Proposer à leurs apprenants des cours de français motivants, dynamiques et qui leur permettent de progresser rapidement tout en les éveillant à la culture francophone actuelle ? Tel est le rêve de tous les enseignants de français... Or, préparer des cours de qualité suppose un travail important pour l'enseignant : une séquence didactique construite et efficace ; des documents écrits et oraux, authentiques ou semi-authentiques avec des exploitations pédagogiques de qualité ; une progression grammaticale et lexicale réussie avec un grand nombre d'exercices de systématisation ; des activités de phonétique bien pensées.

ENTRE NOUS est un outil clé en main qui facilite le travail quotidien des enseignants de français... et la vie des apprenants ! En effet, il propose des dynamiques variées (travail individuel, inter-individuel, en groupes, en groupe-classe) adaptées à tous les publics pour que la classe soit véritablement un espace de partage et de travail collaboratif.

UNE MÉTHODE NÉE D'UNE RÉALITÉ DE TERRAIN ET D'ÉCHANGES CONSTANTS AVEC LES ENSEIGNANTS

ENTRE NOUS est un manuel construit à partir de la réalité actuelle de l'enseignement / apprentissage du FLE : cet ouvrage est le résultat de la prise en compte de l'expérience de nos équipes pédagogiques ainsi que des commentaires des enseignants utilisateurs de *Version Originale*.

UNE STRUCTURE ET UNE ORGANISATION DES UNITÉS CLAIRE ET EFFICACE

Chacune des 8 unités est clairement organisée en étapes d'apprentissage et mise en valeur par la mise en page de l'ouvrage :

Étape 1 « DÉCOUVERTE »

- 1 double-page de documents déclencheurs visuels (« Premiers regards ») pour une découverte et une première exposition à la langue française avec des activités de compréhension écrites et orales et des productions orales (« Et vous ? »).
- 1 double-page de documents textuels pour situer les contenus et les thématiques de l'unité (« Premiers textes ») avec un travail sur les compétences de compréhension.

Étape 2 « OBSERVATION ET ENTRAÎNEMENT »

- 3 doubles-pages de travail sur la grammaire et le lexique à partir de documents en contexte amenant les apprenants à observer un fait de langue, à déduire et à construire sa règle, à s'entraîner dans des situations de communication et enfin à le systématiser.
- Pour aller plus loin, des explications grammaticales plus développées sont proposées dans le précis de grammaire.
- 2 pages de lexique complète : 1 page d'activités, pour une réutilisation et une systématisation du lexique de l'unité, et 1 carte mentale avec le lexique de l'unité.

Étape 3 « REGARDS CULTURELS »

- 1 double-page culturelle, contenant des documents actuels et originaux ainsi que des activités de compréhension et de production.
- Une fenêtre ouverte sur le monde et la réalité culturelle et sociale française.

Étape 4 « TÂCHES FINALES »

- 1 page avec 2 tâches finales distinctes, une à dominante écrite et l'autre à dominante orale. L'enseignant peut réaliser ces 2 tâches avec ses apprenants ou mettre en place une tâche en classe et garder la seconde pour l'évaluation.

C'est parce que nous pensons qu'un enseignant épanoui et sûr de lui est synonyme d'une classe heureuse et motivée que nous avons créé **ENTRE NOUS**. Nous espérons que ce manuel vous aidera dans votre travail et vous accompagnera au quotidien.

La maison d'édition

STRUCTURE DU LIVRE DE L'ÉLÈVE

- 1 dossier de présentation et personnalisation pour l'apprenant
- 8 unités de 16 pages chacune
- 1 dossier culturel
- 1 livret de phonétique
- 1 préparation au DELF
- 1 cahier d'activités
- Un précis de grammaire
- Des tableaux de conjugaison
- Les transcriptions des enregistrements du *Livre* et du *Cahier d'activités*
- La carte de la France

Chaque unité est composée de 16 pages :

LA PAGE D'OUVERTURE DE L'UNITÉ

L'ensemble des rubriques, thèmes et ressources travaillés dans l'unité présenté de façon claire et schématique.

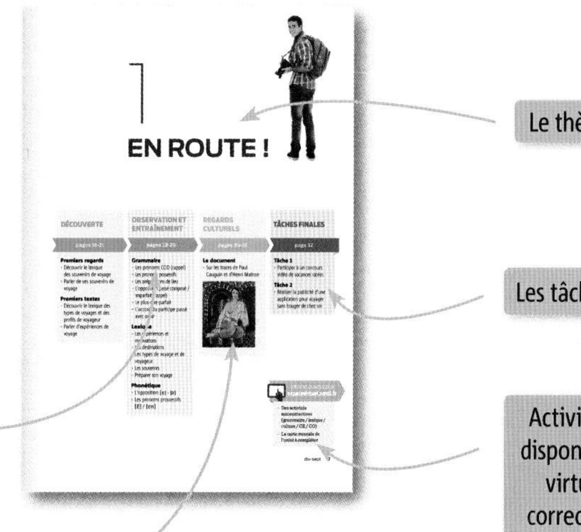

Le thème

Les tâches finales

Les points de langues étudiés

Activités complémentaires disponibles sur notre Espace virtuel (exercices auto-correctifs, carte mentale...)

Activités de réflexion sur la culture et la vie quotidienne

PREMIERS REGARDS

Cette double-page permet à l'apprenant d'aborder l'unité à partir de ses connaissances préalables du monde et, éventuellement, de la langue française.

Les documents déclencheurs de cette double-page sensibilisent l'apprenant au thème et aux objectifs de l'unité de manière très visuelle.

Petites activités de compréhension globale et de production orale

Ce pictogramme indique que l'activité comprend un audio et donne le numéro de la piste

PISTE 2

LES PRONOMS POSSESSIFS

EX. 3. Écoutez le dialogue entre Myriam, Lucie et Baptiste qui font leurs valises avant de rentrer chez eux. I... retrouvez à qui appartient chacune des valises e...

J'ai lu un article : il parlait d'un Japonais qui, pendant ses voyages, coupe les cheveux des gens et les prend en photo devant des lieux célèbres...

Les textes en rouge sont des échantillons de productions et d'interactions orales. Il s'agit d'amorces qui peuvent guider l'apprenant.

PREMIERS TEXTES

Cette double-page permet à l'apprenant d'entrer en contact avec des documents authentiques qui vont lui permettre de découvrir l'emploi de la langue en contexte.

Elle permet un travail sur les compétences de compréhension et débouche souvent sur des interactions.

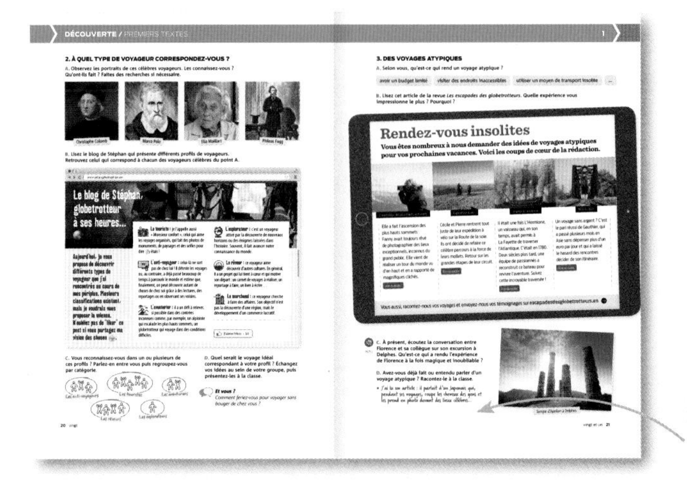

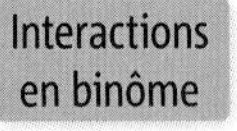

Interactions en groupe-classe

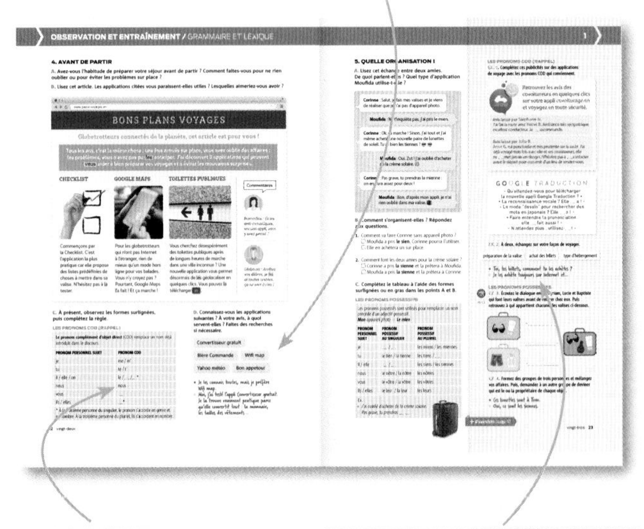

OBSERVATION ET ENTRAÎNEMENT

Grammaire et lexique

Ces pages vont aider l'apprenant à découvrir un fait de langue en contexte, à construire sa règle et à se l'approprier. Dans un deuxième temps, il va pouvoir le réemployer sous différentes formes.

Lexique

Cette double page propose des activités variées et permet de réutiliser le lexique découvert dans l'unité dans différents contextes. Une carte mentale avec le lexique de l'unité permet de mémoriser le lexique de manière visuelle et de mieux se l'approprier.

Construction de la règle de grammaire

Une colonne d'exercices permettant l'entraînement et la systématisation des points de grammaire abordés dans la double-page

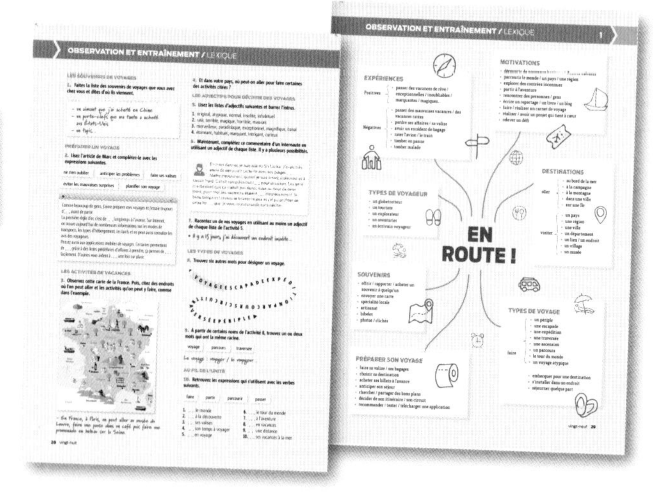

Système de renvois vers les 4 pages du Cahier d'activités correspondant à l'unité

TÂCHES FINALES

Cette page propose 2 tâches distinctes qui permettent de remobiliser les compétences acquises dans l'unité. Des conseils et des exemples de productions vous aideront à mieux les mettre en place en classe.

Phonétique

Un livret de 8 pages permet aux apprenants de se familiariser avec la phonétique, la prosodie et la phonie-graphie à travers des exercices d'écoute et de production.

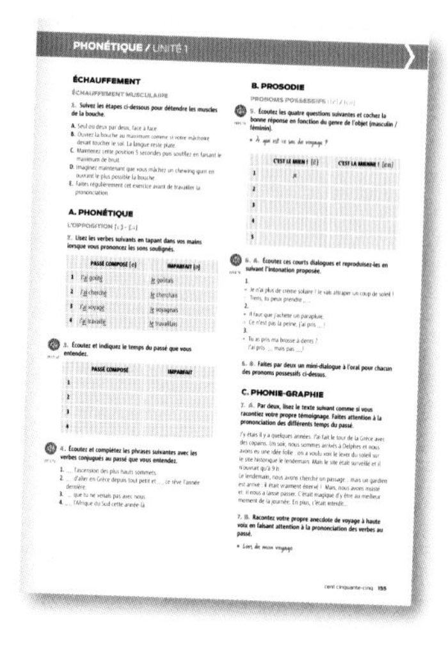

REGARDS CULTURELS

Une double-page permettant de compléter ses connaissances culturelles et sociologiques et de développer ses compétences interculturelles.

DOSSIER CULTUREL

Un dossier de 9 pages pour découvrir la culture et la gastronomie de 3 villes francophones et un POM.

LE CAHIER D'ACTIVITÉS

32 pages de cahier d'activités reprenant l'ensemble des points de langue vus dans les unités et structuré de la façon suivante :

- 3 pages d'activités pour travailler les points de grammaire de chaque unité, en contexte, qui suivent la progression du livre et rebrassent le lexique et les thématiques ;
- 1 page dédiée au travail des activités langagières.
- les audios sont disponible en MP3 sur www.espacevirtuel.emdl.fr

Une navigation optimale grâce à un système de renvois entre *le Livre* et le *Cahier d'activités*.

PRÉPARATION AU DELF

Un livret de 6 pages organisé par compétences pour s'entraîner efficacement à l'épreuve du DELF B1.

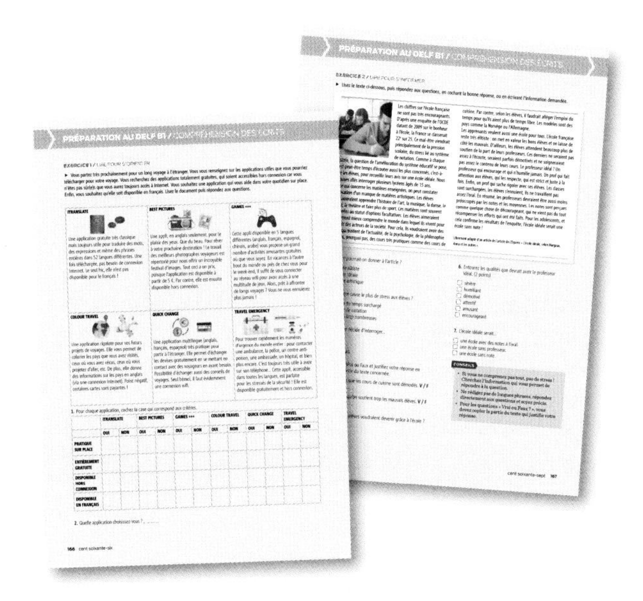

DOSSIER DE L'APPRENANT

Un livret de 6 pages très visuel, que l'apprenant peut facilement compléter grâce aux exemples donnés. Il permet de personnaliser son apprentissage et de mesurer ses progrès de façon ludique.

TABLEAU DES CONTENUS

UNITÉ	TYPOLOGIE TEXTUELLE	COMMUNICATION	GRAMMAIRE
DOSSIER APPRENANT			
1 **EN ROUTE !**	• Articles de magazine • Blog • Conversations • Publicité • Infographie • Témoignage • Texte littéraire	• Raconter des expériences de voyage passées • Organiser un voyage • Parler de ses souvenirs de voyage • Parler de ses motivations pour réaliser un projet	• Les pronoms COD (rappel) • Les pronoms possessifs • Les prépositions de lieu (rappel) • L'opposition passé composé / imparfait (rappel) • Le plus-que-parfait • L''accord du participe passé avec *avoir*
2 **TOUT POUR LA MUSIQUE**	• Émission de radio • Graphiques • Paroles de chanson • Interview • Forum en ligne • Articles de magazine	• Parler de ses émotions et ses sentiments • Parler de ses goûts musicaux • Parler de ses façons de vivre la musique • Donner des conseils • Jouer avec les mots	• Donner des conseils (1) : *si...* présent, futur ; *si...* présent, présent ; *si...* présent, impératif ; *si j'étais toi...* imparfait, conditionnel présent • Le participe présent • Le gérondif (1)
3 **OSER VIVRE SA VIE !**	• Témoignages • Blog • Articles de magazine • Conversation • Mur de messages	• Parler de ses motivations • Exprimer des regrets • Poser des questions • Donner des conseils • Parler de ses rêves • Parler des obstacles à la réalisation de ses rêves	• Poser une question • Exprimer la condition avec *sauf si, à moins de* et *à condition de* • Exprimer des regrets : l'infinitif passé, le conditionnel passé, *si seulement* + plus-que-parfait • Donner des conseils (2) : le conditionnel présent, l'impératif, les verbes *recommander, conseiller* • Les adverbes en *-ment* (rappel)
4 **GÉRER SON IMAGE**	• Réseaux sociaux • Articles de presse • Mème • Témoignages • Interview • Manifeste • Débat • Paroles de chanson • Article de magazine	• Exprimer des opinions • Défendre des idées • Exprimer ses sentiments • Parler de son identité numérique • Parler de son utilisation des réseaux sociaux • Exprimer son accord ou son désaccord	• Exprimer son accord et son désaccord • Les verbes d'opinion • Donner son opinion avec l'indicatif ou le subjonctif • La formation du subjonctif présent

DOSSIER CULTUREL

TABLEAU DES CONTENUS

UNITÉ	TYPOLOGIE TEXTUELLE	COMMUNICATION	GRAMMAIRE
5 **RIEN NE VA PLUS !**	• Publicité • Lettres de réclamation • Article de magazine • Réseaux sociaux • Témoignages • Interview • Mails	• Exprimer ses sentiments • Exprimer ses idées • Exprimer l'obligation, la possibilité, l'interdiction • Exprimer la manière • Formuler une plainte ou une réclamation	• Les verbes impersonnels • La double pronominalisation • Exprimer la manière : gérondif (2) et *sans* + infinitif
6 **AU CINÉMA**	• Affiches de film • Carte postale sonore • Témoignages • Programme cinéma • Conversation • Articles de magazine • Critiques de cinéma • Scénario de film • Annonce de casting	• Exprimer son avis sur un film • Justifier son opinion • Parler de ses goûts sur un film • Définir les critères d'un bon film • Parler de ses sentiments • Exprimer un souhait	• La place de l'adjectif (rappel) • Le pronom relatif *dont* • *Ce* + pronom relatif • Exprimer un souhait, un désir avec le subjonctif
7 **ÉDUCATION SENTIMENTALE**	• Dessins humoristiques • Témoignages • Enquête • Reportage • Texte littéraire • Articles de magazine • Affiche • Actualités • Blog	• Rapporter un événement, une information, une interview • Donner son avis sur l'éducation • Parler des modes d'éducation alternatives • Raconter des souvenirs d'école	• Les expressions de quantité • Le discours rapporté : les verbes introducteurs au présent et au passé • Exprimer la concession • Les questions indirectes
8 **S'INFORMER**	• Infographie • Émissions radio • Articles de presse • Test psychologique • Témoignages • Frise chronologique • Forum en ligne • Actualités • Blog	• Rapporter les paroles d'autrui • Rendre compte d'événements • Présenter des faits et des informations • Donner son avis sur l'excès d'informations	• La nominalisation (les suffixes *-tion*, *-age*, *-ment*) • La voix passive • Les moyens pour présenter une information incertaine (conditionnel, *selon...*, *d'après...*) • La cause et la conséquence • Le pronom *en*

Parlez-nous de vous

Nom : ....

Prénom : ....

Adresse : ....

Mail : ....

Le français et vous

Avez-vous utilisé le français en dehors de la classe ?

☐ avec un collègue, un client...

☐ avec un ami francophone

☐ avec un voisin

☐ avec d'autres étudiants de français

☐ dans la rue

☐ dans un magasin

☐ dans un bar ou dans un restaurant

☐ en voyage

☐ au téléphone

☐ dans un mail

☐ dans un exposé, une présentation...

☐ sur un forum

Autres :

....

....

....

....

....

....

....

Des envies, des défis pour cette année ?

J'aimerais regarder un film en français sans sous-titres.

....

....

....

....

....

Mes mots préférés

Voici les mots français préférés des étrangers.

vachement

ronronner

dépayser

coccinelle

dépanneur

AVOIR LE CAFARD

chauve-souris

nombrilisme

chou

Et vous ? Quels sont vos mots préférés ? Faites votre nuage de mots.

....

....

....

....

....

....

....

....

....

....

....

Votre profil

Moi : ....

....

Vous et les voyages

1. Un voyage qui vous a marqué :

....

2. Une destination qui vous fait rêver :

....

Vous et la musique

3. Un genre musical qui vous plaît :

....

4. Un artiste francophone que vous adorez :

....

Vous et l'audace

oser = dare
fier(e) = proud

un tour de ballon

5. Quelque chose que vous avez osé faire et dont vous êtes fier / fière :

....

6. Quelque chose que vous n'oseriez jamais faire :

....

Vous et votre image

7. Les réseaux sociaux sur lesquels vous êtes inscrit(e) :

....

8. Une partie de votre corps que vous voudriez changer :

....

Vous et l'engagement

9. Une cause pour laquelle vous voudriez vous engager :

....

10. Une arnaque dont vous avez été victime :

fraud Swindle Scam

....

Vous et le cinéma

11. Un film que vous adorez / détestez :

....

12. Un personnage qui vous inspire :

GP

....

Vous et l'éducation

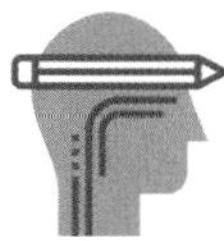

13. Des études que vous auriez voulu faire :

le français l'architecture

....

14. Un bon / mauvais souvenir de l'école :

....

Vous et l'information

15. Un fait de l'actualité qui vous a marqué :

....

16. Trois médias francophones que vous aimez :

Le Monde, NISF

....

Mon carnet de voyage du français

Leonardo Dini

Complétez ce blog avec des souvenirs de vos expériences en français : un film français que vous avez vu, une photo d'un plat que vous avez cuisiné ou goûté, un devoir/une production/une tâche que vous avez particulièrement réussi... Vous pouvez aussi faire un blog !

Moi : ....

Mon carnet de voyage du français

Complétez ce blog avec des souvenirs de vos expériences en français : un film français que vous avez vu, une photo d'un plat que vous avez cuisiné ou goûté, un devoir/une production/une tâche que vous avez particulièrement réussi... Vous pouvez aussi faire un blog !

SITES UTILES POUR PROGRESSER EN FRANÇAIS:

- ...
- ...
- ...
- ...
- ...

LIVRES ET BD FRANCOPHONES QUE JE VOUDRAIS LIRE :

- ...
- ...
- ...
- ...
- ...

SÉRIES QUE J'AIMERAIS BIEN REGARDER :

- ...
- ...
- ...
- ...
- ...

FILMS À VOIR :

- ...
- ...
- ...
- ...
- ...
- ...

Téléchargez gratuitement ce dossier sur espacevirtuel.emdl.fr

1

EN ROUTE !

DÉCOUVERTE

pages 18-21

Premiers regards
- Découvrir le lexique des souvenirs de voyage
- Parler de ses souvenirs de voyage

Premiers textes
- Découvrir le lexique des types de voyages et des profils de voyageur
- Parler d'expériences de voyage

OBSERVATION ET ENTRAÎNEMENT

pages 22-29

Grammaire
- Les pronoms COD (rappel)
- Les pronoms possessifs
- Les prépositions de lieu
- L'opposition passé composé / imparfait (rappel)
- Le plus-que-parfait
- L'accord du participe passé avec *avoir*

Lexique
- Les expériences et motivations
- Les destinations
- Les types de voyage et de voyageur
- Les souvenirs
- Préparer son voyage

Phonétique p. 155
- L'opposition [e] - [ə]
- Les pronoms prossessifs [ɛ̃] / [ɛn]

REGARDS CULTURELS

pages 30-31

Le document
- Sur les traces de Paul Gauguin et d'Henri Matisse

TÂCHES FINALES

page 32

Tâche 1
- Participer à un concours vidéo de vacances ratées

Tâche 2
- Réaliser la publicité d'une application pour voyager sans bouger de chez soi

+ DE RESSOURCES SUR **espacevirtuel.emdl.fr**

— Des activités autocorrectives (grammaire / lexique / culture / CE / CO)
— La carte mentale de l'unité à compléter

Idées de souvenirs de voyage

Un voyage d'affaires, des vacances, le tour du monde ? Voilà l'occasion de rapporter ou d'offrir à ses proches des souvenirs de voyage. Et il y en a pour tous les goûts ! Petit tour d'horizon…

Bibelots

A

Un petit objet qui ne pèse pas lourd dans la valise, qui sert au quotidien ou qui vient décorer le frigo.

Spécialités locales

B

Pour les gourmands, pensez aux spécialités culinaires : une façon de rapporter un peu d'exotisme à la maison et de prolonger son séjour.

Photos, cartes

C

Envoyer une carte pour dire à quelqu'un que l'on pense à lui. Qui ne l'a pas fait ? Des photos ou peintures de la région peuvent aussi lui faire plaisir.

Artisanat

D

Pour les collectionneurs, rien de tel qu'un souvenir atypique !

Vêtements et accessoires

E

Pourquoi ne pas se laisser tenter par un vêtement ou un accessoire de mode représentant la région visitée ?

“ C'est le propre des longs voyages que d'en ramener toute autre chose que ce que l'on allait y chercher. ”

Nicolas Bouvier, écrivain et voyageur, XXe siècle

1. SOUVENIRS, SOUVENIRS

A. **Observez cette page Internet. Quels souvenirs préférez-vous acheter ou qu'on vous offre ?**

- De la nourriture.
- Moi, des bijoux.

B. **Connaissez-vous d'autres types de souvenirs ?**

C. **Pensez à deux souvenirs de voyage que vous avez chez vous : un que vous avez acheté et un qu'on vous a offert. Puis, racontez les anecdotes qui y sont associées.**

- J'ai acheté : un collier en coquillages (Guadeloupe)
- On m'a offert : un masque africain (Congo)

- L'été dernier, mon cousin m'a ramené un masque du Congo. Je l'utilise comme coupe à fruits.

Et vous ?
Comment choisissez-vous les souvenirs que vous offrez ?

2. À QUEL TYPE DE VOYAGEUR CORRESPONDEZ-VOUS ?

A. **Observez les portraits de ces célèbres voyageurs. Les connaissez-vous ? Qu'ont-ils fait ? Faites des recherches si nécessaire.**

Christophe Colomb

Marco Polo

Ella Maillart

Phileas Fogg

B. **Lisez le blog de Stéphan qui présente différents profils de voyageurs. Retrouvez celui qui correspond à chacun des voyageurs célèbres du point A.**

www.leblogdestephan.en

Le blog de Stéphan, globetrotteur à ses heures...

Aujourd'hui, je vous propose de découvrir différents types de voyageur que j'ai rencontrés au cours de mes périples. Plusieurs classifications existent, mais je voudrais vous proposer la mienne. N'oubliez pas de "liker" ce post si vous partagez ma vision des choses 😉.

Le touriste : je l'appelle aussi « Monsieur confort », celui qui aime les voyages organisés, qui fait des photos de monuments, de paysages et des *selfies* pour dire : j'y étais !

L'anti-voyageur : celui-là ne sort pas de chez lui ! Il déteste les voyages ou, au contraire, a déjà passé beaucoup de temps à parcourir le monde et estime que, finalement, on peut découvrir autant de choses de chez soi grâce à des lectures, des reportages ou en observant ses voisins.

L'aventurier : il a un défi à relever, si possible dans des contrées inconnues comme, par exemple, un alpiniste qui escalade les plus hauts sommets, un globetrotteur qui voyage dans des conditions difficiles.

L'explorateur : c'est un voyageur attiré par la découverte de nouveaux horizons ou des énigmes laissées dans l'histoire. Souvent, il fait avancer notre connaissance du monde.

Le rêveur : ce voyageur aime découvrir d'autres cultures. En général, il a un projet qui lui tient à cœur et qui motive son départ : un carnet de voyages à réaliser, un reportage à faire, un livre à écrire...

Le marchand : ce voyageur cherche à faire des affaires. Son objectif n'est pas la découverte d'une région, mais le développement d'un commerce lucratif.

j'aime bien · 16

C. **Vous reconnaissez-vous dans un ou plusieurs de ces profils ? Parlez-en entre vous puis regroupez-vous par catégorie.**

Les rêveurs

D. **Quel serait le voyage idéal correspondant à votre profil ? Échangez vos idées au sein de votre groupe, puis présentez-les à la classe.**

Et vous ?

Comment feriez-vous pour voyager sans bouger de chez vous ?

3. DES VOYAGES ATYPIQUES

A. Selon vous, qu'est-ce qui rend un voyage atypique ?

avoir un budget limité | visiter des endroits inaccessibles | utiliser un moyen de transport insolite | ...

B. Lisez cet article de la revue *Les escapades des globetrotteurs*. Quelle expérience vous impressionne le plus ? Pourquoi ?

Rendez-vous insolites

Vous êtes nombreux à nous demander des idées de voyages atypiques pour vos prochaines vacances. Voici les coups de cœur de la rédaction.

L'ascension des plus hauts sommets

Elle a fait l'ascension des plus hauts sommets : Fanny avait toujours rêvé de photographier des lieux exceptionnels, inconnus du grand public. Elle vient de réaliser un tour du monde vu d'en haut et en a rapporté de magnifiques clichés.

lire la suite

Expédition à vélo

Cécile et Pierre rentrent tout juste de leur expédition à vélo sur la Route de la soie. Ils ont décidé de refaire ce célèbre parcours à la force de leurs mollets. Retour sur les grandes étapes de leur circuit.

lire la suite

Voyage à l'ancienne

Il était une fois L'Hermione, un vaisseau qui, en son temps, avait permis à La Fayette de traverser l'Atlantique. C'était en 1780. Deux siècles plus tard, une équipe de passionnés a reconstruit ce bateau pour revivre l'aventure. Suivez cette incroyable traversée !

lire la suite

Mini-budget

Un voyage sans argent ? C'est le pari réussi de Gauthier, qui a passé plusieurs mois en Asie sans dépenser plus d'un euro par jour et qui a laissé le hasard des rencontres décider de son itinéraire.

lire la suite

Vous aussi, racontez-nous vos voyages et envoyez-nous vos témoignages sur **escapadesdesglobetrotteurs.en**

PISTE 1

C. À présent, écoutez la conversation entre Florence et sa collègue sur son excursion à Delphes. Qu'est-ce qui a rendu l'expérience de Florence à la fois magique et inoubliable ?

D. Avez-vous déjà fait ou entendu parler d'un voyage atypique ? Racontez-le à la classe.

- *J'ai lu un article : il parlait d'un Japonais qui, pendant ses voyages, coupe les cheveux des gens et les prend en photo devant des lieux célèbres...*

Temple d'Apollon à Delphes

4. AVANT DE PARTIR

A. Avez-vous l'habitude de préparer votre séjour avant de partir ? Comment faites-vous pour ne rien oublier ou pour éviter les problèmes sur place ?

B. Lisez cet article. Les applications citées vous paraissent-elles utiles ? Lesquelles aimeriez-vous avoir ?

C. À présent, observez les formes surlignées, puis complétez la règle.

LES PRONOMS COD (RAPPEL)

Le pronom complément d'objet direct (COD) remplace un nom déjà introduit dans le discours.

PRONOM PERSONNEL SUJET	PRONOM COD
je	me / m'
tu	te / t'
il / elle / on	le / .... /....*
nous	nous
vous	....
ils / elles	....*

* À la troisième personne du singulier, le pronom s'accorde en genre et en nombre. À la troisième personne du pluriel, ils s'accordent en nombre.

D. Connaissez-vous les applications suivantes ? À votre avis, à quoi servent-elles ? Faites des recherches si nécessaire.

Convertisseur gratuit

Bière Commande

Wifi map

Yahoo météo

Bon appetour

- Je les connais toutes, mais je préfère Wifi map.
- Moi, j'ai testé l'appli Convertisseur gratuit. Je la trouve vraiment pratique parce qu'elle convertit tout : la monnaie, les tailles des vêtements...

5. QUELLE ORGANISATION !

A. Lisez cet échange entre deux amies. De quoi parlent-elles ? Quel type d'application Moufida utilise-t-elle ?

Corinne : Salut, je fais mes valises et je viens de réaliser que je n'ai pas d'appareil photo.

Moufida : Ne t'inquiète pas, j'ai pris le mien.

Corinne : Ok, ça marche ! Sinon, j'ai tout et j'ai même acheté une nouvelle paire de lunettes de soleil. Tu as bien les tiennes ? 😎 😎

Moufida : Oui. Zut ! j'ai oublié d'acheter de la crème solaire. 😳

Corinne : Pas grave, tu prendras la mienne : on en aura assez pour deux !

Moufida : Bon, d'après mon appli, je n'ai rien oublié dans ma valise. 🧳

B. Comment s'organisent-elles ? Répondez aux questions.

1. Comment va faire Corinne sans appareil photo ?
   - ☐ Moufida a pris **le sien**, Corinne pourra l'utiliser.
   - ☐ Elle en achètera un sur place.

2. Comment font les deux amies pour la crème solaire ?
   - ☐ Corinne a pris **la sienne** et la prêtera à Moufida.
   - ☐ Moufida a pris **la sienne** et la prêtera à Corinne.

C. Complétez le tableau à l'aide des formes surlignées ou en gras dans les points A et B.

LES PRONOMS POSSESSIFS

Les pronoms possessifs sont utilisés pour remplacer un nom précédé d'un adjectif possessif.
Mon** appareil photo* → ***Le mien

PRONOM PERSONNEL SUJET	PRONOM POSSESSIF AU SINGULIER	PRONOM POSSESSIF AU PLURIEL
je	.... /	les miens / les miennes
tu	le tien / la tienne	les tiens / ....
il / elle	.... /	les siens / les siennes
nous	le nôtre / la nôtre	les nôtres
vous	le vôtre / la vôtre	les vôtres
ils / elles	le leur / la leur	les leurs

Ex. :
- *J'ai oublié d'acheter de la crème solaire.*
- *Pas grave, tu prendras ....*

LES PRONOMS COD (RAPPEL)

EX. 1. Complétez ces publicités sur des applications de voyage avec les pronoms COD qui conviennent.

Retrouvez les avis des covoitureurs en quelques clics sur votre appli covoiturage.en et voyagez en toute sécurité.

Avis laissé par Stéphanie N.
J'ai fait la route avec Hervé B. Ambiance très sympathique, excellent conducteur. Je .... recommande.

Avis laissé par Julie B.
Anne G. est ponctuelle et très prudente sur la route. J'ai déjà voyagé trois fois avec elle et ses covoitureurs, elle ne .... met jamais en danger. N'hésitez pas à .... contacter avant le départ pour convenir d'un lieu de rendez-vous.

GOOGLE TRADUCTION

• Qu'attendez-vous pour télécharger la nouvelle appli Google Traduction ? •
• La reconnaissance vocale ? Elle .... a ! •
• Le mode "dessin" pour rechercher des mots en japonais ? Elle .... a ! •
• Faire entendre la prononciation, elle .... fait aussi ! •
• N'attendez plus : utilisez-.... ! •

EX. 2. À deux, échangez sur votre façon de voyager.

préparation de la valise | achat des billets | type d'hébergement

- *Toi, tes billets, comment tu les achètes ?*
- *Je les achète toujours sur Internet et...*

LES PRONOMS POSSESSIFS

PISTE 2

EX. 3. Écoutez le dialogue entre Myriam, Lucie et Baptiste qui font leurs valises avant de rentrer chez eux. Puis retrouvez à qui appartient chacune des valises ci-dessous.

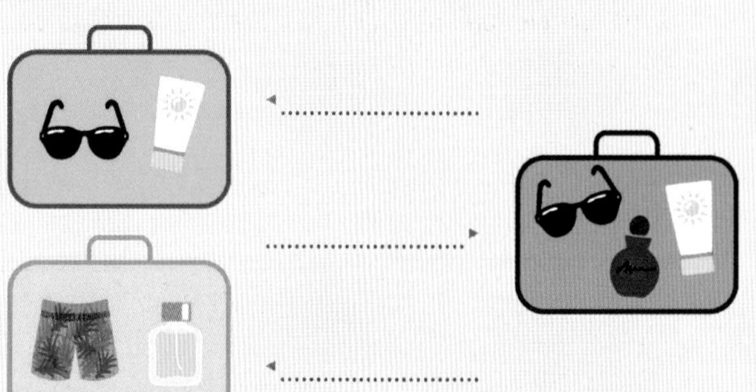

EX. 4. Formez des groupes de trois personnes et mélangez vos affaires. Puis, demandez à un autre groupe de deviner qui est le ou la propriétaire de chaque objet.

- *Ces lunettes sont à Tom.*
- *Oui, ce sont les siennes.*

+ d'exercices : page 171

6. VOYAGE VOYAGE

A. **Regardez le document. Êtes-vous surpris par ces résultats ? Avez-vous visité certains de ces endroits ?**

B. **Faites-vous les mêmes choix que les Français quand vous partez en vacances ?**

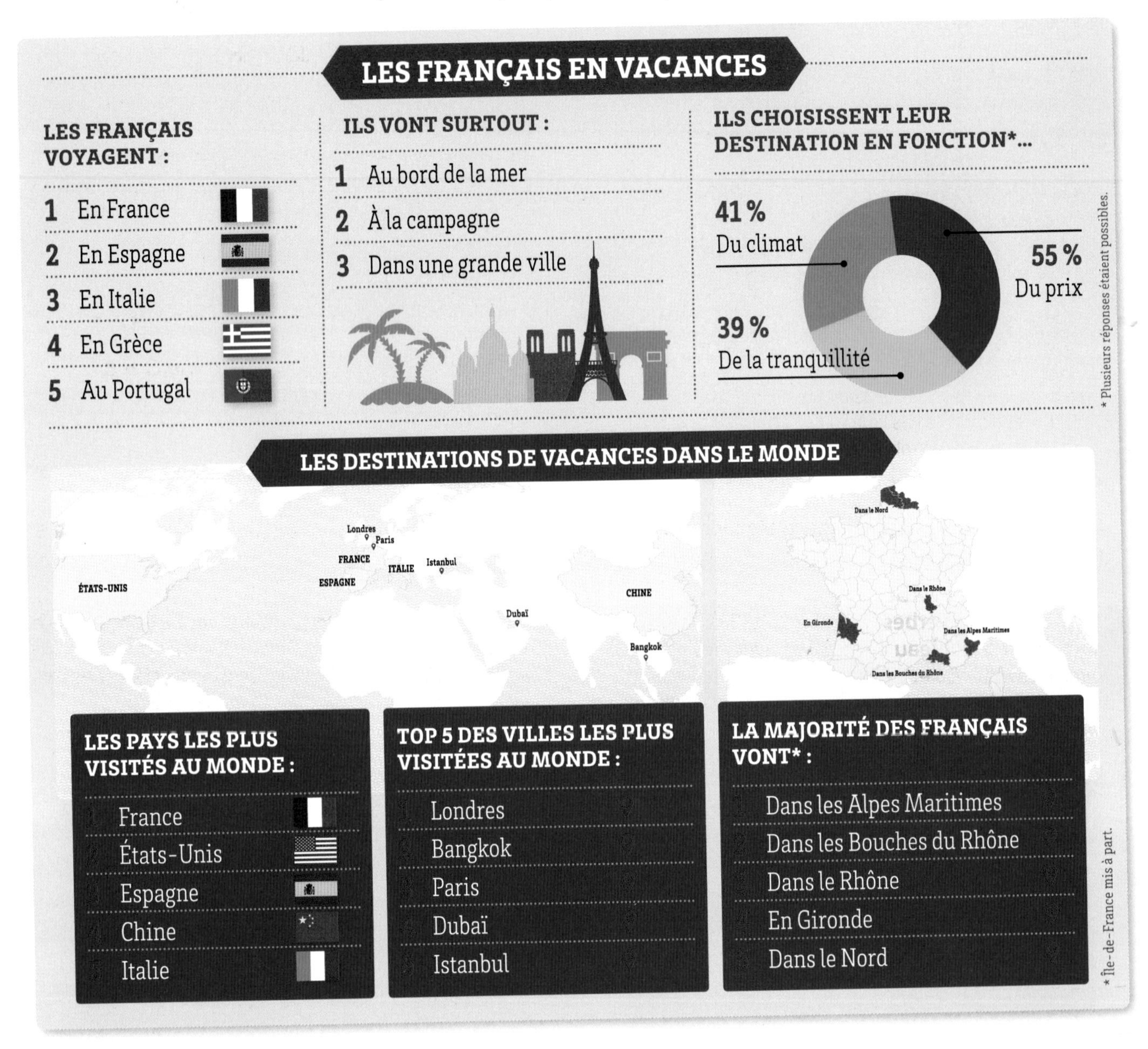

C. **Complétez la règle.**

LES PRÉPOSITIONS DE LIEU (RAPPEL)

Pour situer **un pays** ou **un continent**, on utilise les prépositions :
- .... pour un nom masculin : .... Portugal
- .... pour un nom féminin ou un nom masculin commençant par une voyelle : .... Espagne, ***en*** Uruguay
- ***aux*** pour un nom au pluriel : ***aux*** États-Unis

Pour situer **une région** ou **un département**, on utilise les prépositions :
- .... + article pour un nom masculin : .... Nord
- .... pour un nom féminin : .... Gironde
- .... + article pour un nom pluriel : .... Alpes Maritimes

Pour situer **une ville**, on utilise la préposition ***à*** : ***à*** Dubaï

D. **À votre tour, réfléchissez à des destinations qui vous font rêver, puis parlez-en avec vos camarades.**

PAYS : ....

....

ENDROITS : ....

....

MOTIVATIONS : ....

....

- *J'adore la montagne et j'aimerais beaucoup aller skier dans les Alpes, en Suisse.*

7. VIVE LES VACANCES !

A. Lisez le témoignage suivant. Quel titre lui donneriez-vous ?

Lucien :
Comme tous les ans, je me rendais dans le sud de la France pour les vacances. J'étais sur la route quand soudain le moteur de ma voiture a lâché. Il faisait déjà nuit. J'ai passé plusieurs heures à attendre la dépanneuse et j'ai dû dormir dans la voiture. Le lendemain, lorsque je suis arrivé à l'hôtel, ma réservation était annulée : l'hôtel affichait complet. J'ai finalement trouvé une place dans un camping. Malheureusement, il a plu pendant plusieurs jours et le camping a été inondé. J'ai perdu toutes mes affaires ! J'étais désespéré. Ça m'a coûté très cher ! Décidément, mes vacances étaient plus que ratées.

B. Avez-vous déjà vécu ce genre d'expérience ? Comment avez-vous fait pour vous en sortir ?

C. Soulignez les verbes au passé composé et entourez les verbes à l'imparfait. Ensuite, complétez le tableau ci-dessous avec des exemples du texte.

L'OPPOSITION PASSÉ COMPOSÉ / IMPARFAIT (RAPPEL)

Le **passé composé** est le temps qui fait « avancer le récit », qui présente les actions comme des faits terminés.
Il est utilisé pour raconter des faits, des événements, des actions.
Ex. : ....

L'**imparfait** est le temps qui « arrête » le récit, qui décrit une situation ou une action dans laquelle s'inscrit l'événement.
Il est utilisé :
- pour décrire le décor, la situation présente au début de l'action. Ex. : ....
- pour décrire des sentiments, des réactions ou commenter une action. Ex. : ....
- pour exprimer une habitude. Ex. : ....

D. Vous allez écrire en groupe une histoire de vacances qui commencent mal mais qui se terminent bien. À tour de rôle, écrivez une phrase sur une feuille puis passez-la à votre voisin.

Mon copain m'a quittée à l'aéroport, le jour de notre départ en vacances. J'ai décidé de partir quand même.

LES PRÉPOSITIONS DE LIEU (RAPPEL)

EX. 1. Observez ces mots, puis retrouvez deux destinations pour chaque colonne du tableau suivant.

Istanbul | (l')Afrique | (la) Russie | (les) Alpes Maritimes | (l')Europe | Beyrouth | (la) Bretagne | (l')Uruguay | (l')Île-de-France | (l')Iran | (les) États-Unis | Lima | (les) Bouches du Rhône | (le) Nord | (les) Pays-Bas

+ À	+ AUX	+ EN	+ DANS
....	....	*en Bretagne*	....
....	....	....	....

EX. 2. Complétez ce témoignage avec les prépositions qui conviennent.

J'habite ..... le Cantal, ... France. Ce département du centre de la France est un peu sauvage, mais les amoureux de la nature se régalent. Le Cantal abrite le parc régional des volcans d'Auvergne. Je vous recommande aussi d'aller ..... Salers. Vous pourrez y visiter son musée mais aussi y déguster ses délicieux fromages. Et si vous avez envie de sorties, allez ..... Aurillac, une ville célèbre pour son festival de théâtre de rue. Alors, venez faire un tour ..... Auvergne. Vous allez adorer ma région !

Salers

EX. 3. Que recommanderiez-vous de faire à des touristes...

dans votre pays ? | dans votre ville ? | dans votre région ?

- *Dans mon pays, je leur recommanderais d'aller sur la côte, qui est très belle...*

L'OPPOSITION PASSÉ COMPOSÉ / IMPARFAIT (RAPPEL)

EX. 4. Reliez les éléments de chaque colonne pour former des phrases.

1. Je suis allé au Canada **2.** J'allais au Canada	**a.** chaque été. **b.** l'année dernière.
3. J'ai passé des vacances exceptionnelles en Argentine **4.** Je passais des vacances exceptionnelles en Argentine	**a.** tous les ans. **b.** l'été dernier.
5. Quand Nelly est allée en Italie, **6.** Quand Nelly allait en Italie,	**a.** elle a prolongé son séjour d'une semaine. **b.** elle y passait tout l'été.

EX. 5. En groupes, échangez sur vos dernières vacances.

1. Où avez-vous passé vos dernières vacances ?
2. Que faisiez-vous de vos journées ?
3. Qu'est-ce que vous avez préféré ?

+ d'exercices : pages 171 - 172

8. DRÔLE DE VOYAGE

A. Lisez cette page du magazine *Littérature de voyage*. D'après l'extrait présenté, pouvez-vous deviner le projet de voyage de Cédric Gras ?

Nominé pour le prix Bouvier 2014, qui récompense la littérature de voyage, Cédric Gras est un étonnant écrivain voyageur. Il a passé de nombreuses années dans le monde russe. Dans son livre, *L'hiver aux trousses*, il nous fait découvrir un projet incroyable.

[...], j'étais tombé* sur un titre intrigant* daté de 1968 : ***Trois printemps en une année***. [...]

L'auteur, Semion Chourtakov, s'était rendu successivement en avion dans trois régions disposées du sud vers le nord. Il avait d'abord admiré le printemps à Vladivostock, puis une deuxième fois à Petropavlovsk-Kamtchatski en avril et enfin une troisième en mai, quelque part en Yakoutie ou peut-être bien à Anadyr. Je n'ai pas gardé en tête l'itinéraire. C'est sa logique qui m'avait séduit* et laissé songeur*. [...]

Le premier chapitre débutait ainsi : « Mais quelle fin du monde ? N'importe quel enfant sait que la Terre est ronde ! »

Cette trouvaille* avait ensoleillé ma journée. [...]

Le meilleur service que je pouvais rendre à l'Extrême Orient était de le parcourir.

***J'étais tombé sur :** *j'avais découvert par hasard*
***Intrigant :** *qui donne à penser, qui rend curieux*
***M'avait séduit :** *m'avait charmé, m'avait plu*
***M'avait laissé songeur / songeuse :** *m'avait fait rêver*
***Trouvaille :** *découverte*

PISTE 3

B. Écoutez l'interview d'une de ses fans. Avez-vous compris le projet de l'écrivain ?

C. Observez les formes verbales surlignées. Que remarquez-vous ? Complétez le tableau.

LE PLUS-QUE-PARFAIT

EMPLOI :
Le **plus-que-parfait** de l'indicatif sert à décrire une action dans le passé qui se situe avant le moment où l'on parle ou avant une action passée.

FORMATION :
Pour former le **plus-que-parfait**, on utilise l'auxiliaire .... ou .... à l'imparfait de l'indicatif + le participe passé.
Ex. : *J'.... tombé sur un titre intrigant. / Cette trouvaille .... ensoleillé ma journée.*

D. Formez des groupes de trois. Chacun rédige une petite histoire de quelques lignes à partir d'une de ces amorces. Assemblez vos textes pour en faire une seule histoire commune et lisez-la à la classe. Quelle est la plus vraisemblable ?

1. Il y a déjà quelques années, j'étais allé(e) passer quelques jours dans la maison familiale où...
2. J'ai décidé de partir à l'aventure avec les photos et la lettre que...
3. Là bas, c'était incroyable, j'ai rencontré des personnes que...

9. UN AUTRE MONDE

A. Aimez-vous découvrir des récits de voyage ? Sous quelle forme ?

blog | carnet de voyage | documentaire | ...

B. Lisez ce post. De quel pays parle-t-on ? Qu'ont retenu ces voyageurs de ce pays ?

Stéphanie Ledoux

Les aventures de Stéphanie Ledoux

« Parmi les pays que j'ai visités, le Yémen restera sans aucun doute une rencontre marquante, un ailleurs onirique et détaché du temps, que Joseph Kessel qualifiait "d'Orient intact". Où les gens sont d'une hospitalité sans calcul et prennent le temps du contact humain. »

COMMENTAIRE :

Amélie : Je suis complètement d'accord. J'ai visité le Yémen et toutes les personnes que j'ai rencontrées m'ont accueillie chaleureusement.

C. À présent, observez les formes surlignées ci-dessus, puis complétez la règle.

L'ACCORD DU PARTICIPE PASSÉ AVEC *AVOIR*

Le participe passé s'accorde en genre et en nombre avec l'auxiliaire ***avoir*** lorsque le COD est placé avant le verbe. Dans les autres cas, il est invariable.

Ex. :
- *Parmi les pays que j'ai ....*
- *Toutes les personnes que j'ai .... m'ont .... chaleureusement.*
- *J'ai .... le Yémen.*

D. Avez-vous déjà fait des rencontres marquantes en voyage ou dans votre pays avec des voyageurs ? Écrivez un texte et postez-le.

lena@entrenous.en

Un soir, j'ai rencontré dans ma rue trois touristes colombiens qui avaient un problème avec leur hôtel. Je les ai invités à dormir chez moi. Depuis, l'un d'entre eux est devenu mon mari.

5 · 6

LE PLUS-QUE-PARFAIT

EX. 1. Lisez ce texte sur l'aventure du général La Fayette en Amérique. Puis, complétez les phrases en utilisant le plus-que-parfait.

Homme politique français et officier, le général La Fayette est né en 1757 et mort en 1834 après avoir joué un rôle décisif dans la guerre d'indépendance des Américains.

En 1777, il a traversé l'Atlantique pour rejoindre l'Amérique et se battre aux côtés des Américains, mais il a été blessé à la jambe quelques mois plus tard et il est rentré en France.

En 1780, il a décidé de rejoindre les Américains qui luttaient pour leur indépendance et a réalisé sa deuxième traversée de l'Atlantique à bord de L'Hermione.

En 1781, il a reçu le jeune congrès américain à bord de L'Hermione, puis il a regagné la France en 1782 : sa mission était terminée.

1. À l'âge de 25 ans, le général La Fayette était déjà un homme politique français important puisqu'il....
2. À l'âge de 20 ans, pour rejoindre l'Amérique et se battre aux côtés des Américains, il a réalisé sa première traversée de l'Atlantique. Mais il a dû rentrer en France car....
3. Quelques années plus tard, il est reparti à bord de L'Hermione car il....
4. Finalement, il est retourné en France en 1782 : quelques mois auparavant....

L'ACCORD DU PARTICIPE PASSÉ AVEC *AVOIR*

EX. 2. Complétez les légendes des photos suivantes, issues du carnet de voyage de Sophie.

1. L'Amérique du Sud, je l'ai .... (parcourir) de long en large pendant de nombreuses années.

2. Me voici au Pérou. Cette destination m'a toujours .... (attirer).

3. Argentine et Chili, les pays que j'ai .... (découvrir) cette année.

4. Santiago du Chili, une ville que j'ai .... (adorer).

L'ACCORD DU PARTICIPE PASSÉ AVEC *ÊTRE* ET *AVOIR*

EX. 3. Reprenez l'extrait littéraire de *L'hiver aux trousses* et remplacez le pronom personnel *je* par le pronom personnel *elles*. Pensez à la conjugaison et aux accords !

+ d'exercices : pages 172-173

LES SOUVENIRS DE VOYAGES

1. Faites la liste des souvenirs de voyages que vous avez chez vous et dites d'où ils viennent.

- un aimant que j'ai acheté en Chine
- un porte-clefs que ma tante a acheté aux États-Unis
- un tapis...

PRÉPARER UN VOYAGE

2. Lisez l'article de Marc et complétez-le avec les expressions suivantes.

ne rien oublier | anticiper les problèmes | faire ses valises | éviter les mauvaises surprises | planifier son voyage

Comme beaucoup de gens, j'aime préparer mes voyages et j'essaie toujours d'.... avant de partir.
La première règle d'or, c'est de .... longtemps à l'avance. Sur Internet, on trouve aujourd'hui de nombreuses informations sur les modes de transports, les types d'hébergement, les tarifs et on peut aussi consulter les avis des voyageurs.
Pensez aussi aux applications mobiles de voyages. Certaines permettent de .... grâce à des listes prédéfinies d'affaires à prendre, ça permet de .... facilement. D'autres vous aident à .... une fois sur place.

LES ACTIVITÉS DE VACANCES

3. Observez cette carte de la France. Puis, citez des endroits où l'on peut aller et les activités qu'on peut y faire, comme dans l'exemple.

– En France, à Paris, on peut aller au musée du Louvre, faire une pause dans un café puis faire une promenade en bateau sur la Seine.

4. Et dans votre pays, où peut-on aller pour faire certaines des activités citées ?

LES ADJECTIFS POUR DÉCRIRE DES VOYAGES

5. Lisez les listes d'adjectifs suivantes et barrez l'intrus.

1. original, atypique, normal, insolite, inhabituel
2. raté, terrible, magique, horrible, mauvais
3. merveilleux, paradisiaque, exceptionnel, magnifique, banal
4. étonnant, habituel, marquant, intrigant, curieux

6. Maintenant, complétez ce commentaire d'un internaute en utilisant un adjectif de chaque liste. Il y a plusieurs possibilités.

En mars dernier, je suis allé au Sri Lanka. J'avais très envie de découvrir cette île avec ses plages .... Malheureusement, quand je suis arrivé, il pleuvait et il faisait froid. C'était complètement .... pour la saison. Les gens me disaient que ça n'allait pas durer, mais au bout de deux jours, pour moi, les vacances étaient .... Heureusement, le beau temps est revenu le troisième jour et j'ai pu profiter de cette île .... que je vous recommande sans hésiter.

7. Racontez un de vos voyages en utilisant au moins un adjectif de chaque liste de l'activité 5.

- Il y a 15 jours, j'ai découvert un endroit insolite...

LES TYPES DE VOYAGES

8. Trouvez six autres mots pour désigner un voyage.

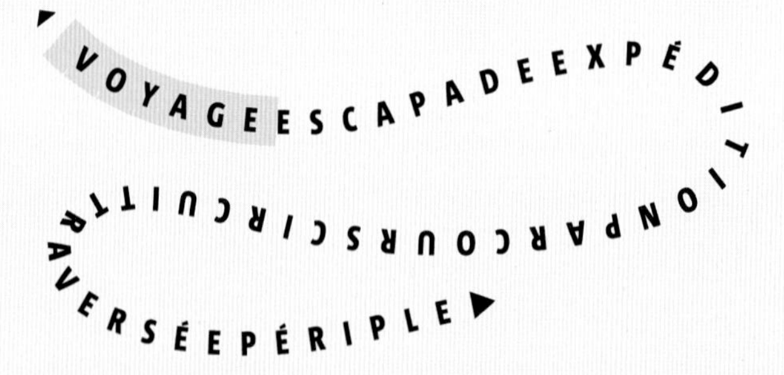

9. À partir de certains noms de l'activité 8, trouvez un ou deux mots qui ont la même racine.

voyage | parcours | traversée

Le voyage : voyager / le voyageur...

AU FIL DE L'UNITÉ

10. Retrouvez les expressions qui s'utilisent avec les verbes suivants.

faire | partir | parcourir | passer

1. .... le monde
2. .... à la découverte
3. .... ses valises
4. .... son temps à voyager
5. .... en voyage
6. .... le tour du monde
7. .... à l'aventure
8. .... en vacances
9. .... une distance
10. .... ses vacances à la mer

EN ROUTE !

EXPÉRIENCES

Positives
- passer des vacances de rêve / exceptionnelles / inoubliables / marquantes / magiques...

Négatives
- passer des mauvaises vacances / des vacances ratées
- perdre ses affaires / sa valise
- avoir un excédent de bagage
- rater l'avion / le train
- tomber en panne
- tomber malade

MOTIVATIONS

- découvrir de nouveaux horizons / d'autres cultures
- parcourir le monde / un pays / une région
- explorer des contrées inconnues
- partir à l'aventure
- rencontrer des personnes / gens
- écrire un reportage / un livre / un blog
- faire / réaliser un carnet de voyage
- réaliser / avoir un projet qui tient à cœur
- relever un défi

TYPES DE VOYAGEUR

- un globetrotteur
- un touriste
- un explorateur
- un aventurier
- un écrivain voyageur

DESTINATIONS

aller
- au bord de la mer
- à la campagne
- à la montagne
- dans une ville
- sur une île

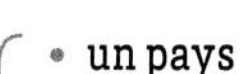

visiter
- un pays
- une région
- une ville
- un département
- un lieu / un endroit
- un village
- un musée

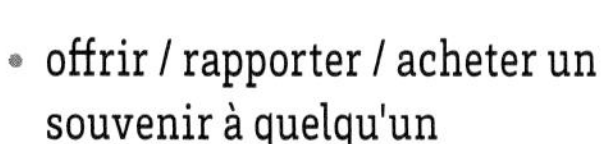

SOUVENIRS

- offrir / rapporter / acheter un souvenir à quelqu'un
- envoyer une carte
- spécialité locale
- artisanat
- bibelot
- photos / clichés

TYPES DE VOYAGE

faire
- un périple
- une escapade
- une expédition
- une traversée
- une ascension
- un parcours
- le tour du monde
- un voyage atypique

- embarquer pour une destination
- s'installer dans un endroit
- séjourner quelque part

PRÉPARER SON VOYAGE

- faire sa valise / ses bagages
- choisir sa destination
- acheter ses billets à l'avance
- anticiper son séjour
- chercher / partager des bons plans
- décider de son itinéraire / son circuit
- recommander / tester / télécharger une application

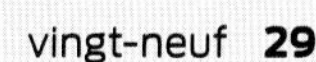

Un autoportrait

SUR LES TRACES DE PAUL GAUGUIN ET D'HENRI MATISSE

Autoportrait, Gauguin

Quatre femmes bretonnes, Gauguin

DEUX GRANDS MAÎTRES

Paul Gauguin (1848 - 1903) et Henri Matisse (1869 - 1954) peignaient tous les deux avec talent. Paul Gauguin, peintre proche du mouvement post-impressionniste à partir de 1876, est considéré comme la figure majeure de l'École de Pont-Aven et comme le grand inspirateur des nabis. L'ensemble de son œuvre a influencé l'évolution de la peinture et notamment le courant du fauvisme.

L'œuvre de Gauguin a inspiré Henri Matisse, lui-même considéré comme le maître du fauvisme et comme une des figures majeures du XXe siècle. Il a été très important pour la peinture de la seconde partie du siècle dernier (figurative et abstraite). ★

DEUX VOYAGEURS

Gauguin a toujours voyagé. Très jeune, il a développé un goût pour l'exotisme puisqu'il a passé sa petite enfance au Pérou. Il a fait son service militaire dans la marine, a vécu au Panama et en Martinique mais également à Paris et à Copenhague avant de s'installer en Bretagne. Puis, il a embarqué pour la Polynésie.

Son attirance pour les îles date de son séjour en Martinique au cours d'un voyage en Amérique. Fasciné par la lumière de l'île, il a peint douze toiles pendant son séjour. Il s'est ensuite installé à Tahiti, une île qui a marqué son œuvre.

Des voyages de Matisse, il faut retenir l'Andalousie, le Maroc et l'Algérie, où les couleurs et les céramiques ont développé chez lui un goût pour l'art décoratif. Il a également réalisé de nombreux voyages aux États-Unis. Mais c'est la lumière d'une autre île, Tahiti, qui l'a inspiré. ★

Autoportrait, Matisse

Une Odalisque, Matisse

Les voyages ont inspiré de nombreux artistes qui en ont ramené des portraits, croquis, esquisses, carnets ou toiles. Gauguin et Matisse ne font pas exception.

D'où venons-nous ? Que sommes-nous ? Où allons-nous ?, Gauguin

DEUX EXPÉRIENCES TAHITIENNES

Tahiti a exercé une forte influence sur les deux peintres. Pour Gauguin, cela se manifeste dans l'expression des couleurs, plus vives, et la recherche de la perspective. C'est à Tahiti que, en pleine inmersion dans l'environnement tropical et la culture polynésienne, il a peint ses plus beaux tableaux et notamment son œuvre majeure : *D'où venons-nous ? Que sommes-nous ? Où allons-nous ?*

Après avoir acheté le tableau de Gauguin, *L'Homme à la fleur de Tiaré*, Matisse séjourne à Tahiti en 1930. Mais, contrairement à Gauguin, il ne peint pas à Tahiti. Il préfère observer la lumière. 15 ans plus tard, c'est le souvenir de Tahiti qui lui permet d'entrer dans une nouvelle phase créatrice. Ainsi, à partir de 1943, il travaille avec des papiers découpés. La *Tapisserie Polynésie* montre sa recherche de lumière et de pureté pour renforcer ses traits vifs et simplifiés.

Tapisserie Polynésie, Matisse

10. GRAINES D'ARTISTES

Observez les tableaux. Quels sont les lieux et les sujets représentés ? Quelle œuvre préférez-vous ?

11. SOURCES D'INSPIRATION

A. Lisez l'article et retrouvez les différents lieux que les deux artistes ont visités.

B. Que retenez-vous de l'influence des voyages sur les œuvres de ces peintres ?

C. Observez les tableaux *D'où venons-nous ? Que sommes-nous ? Où allons-nous ?* et *Tapisserie Polynésie* puis comparez ces deux façons de représenter Tahiti.

sujet | technique | couleurs | traits

12. VOYAGEZ PAR L'ART !

A. Connaissez-vous les courants artistiques qui sont mentionnés dans le texte ? Faites des recherches en petits groupes. Ensuite, partagez avec la classe ce que vous avez trouvé.

B. Est-ce que les voyages ont inspiré des peintres que vous connaissez ? En groupes, faites des recherches puis présentez à la classe un peintre voyageur et son œuvre.

Nom du peintre :

....

Époque, mouvement artistique :

....

Voyages qu'il a faits :

....

Influences des voyages sur son œuvre :

....

Tableaux préférés :

....

TÂCHES FINALES

TÂCHE 1 DES VACANCES RATÉES

1. Vous allez participer à un concours vidéo de vacances ratées. Réfléchissez individuellement à vos pires vacances puis, en petits groupes, racontez les vacances que vous avez le plus ratées.

- *Ça s'est passé il y a longtemps. Pendant l'été, j'étais parti en vacances en Grèce avec mes parents pour faire de la plongée mais il pleuvait tout le temps...*

2. Faites une liste de tous les problèmes que vous avez rencontrés. Puis, pensez à un scénario commun.

LISTE DES PROBLÈMES
- pluie
- dispute
- ...

SCÉNARIO POUR NOTRE HISTOIRE
Où : *dans le désert*
Qui : *avec un groupe d'amis*
Quand : *au mois d'août*
Quels problèmes : *pneu crevé, pas d'eau...*

3. Maintenant, rédigez le script de votre histoire et préparez une mise en scène. Puis réalisez la vidéo de vos vacances ratées.

4. Présentez votre vidéo à la classe et votez pour la vidéo la plus réussie.

CONSEILS
- Soyez créatifs.
- Rédigez le script pour une durée de deux à trois minutes de film maximum.
- Soignez votre mise en scène (accessoires, photos de fond, etc.).
- Faites plusieurs essais filmés et sélectionnez le meilleur pour le concours.

TÂCHE 2 VOYAGER DE CHEZ SOI

1. Vous allez réaliser la publicité d'une application pour voyager sans bouger de chez soi. En groupes, échangez sur les expériences de « voyage » que vous avez faites sans avoir quitté votre ville, puis choisissez-en une.

- *Un jour, avec un de mes amis, j'ai assisté à un dîner thématique sur le Liban. On a préparé le repas et ensuite on a vu un film libanais.*

2. Maintenant, faites la liste des fonctionnalités d'une application utile pour vivre cette expérience.

- *Tu as déjà vu une appli avec toutes les épiceries où on peut acheter la nourriture d'un pays ?*
- *Non, c'est sympa... On pourrait y ajouter des recettes ?*

3. Trouvez un nom pour votre application et composez votre publicité à partir des points forts de l'application.

4. Présentez votre application à la classe. Laquelle a eu le plus de succès ?

Retrouvez le goût des voyages sans bouger de chez vous :
des épiceries les plus exotiques... aux recettes d'un pays en particulier !

Vous en rêviez ?
L'appli « D'ici et d'ailleurs » l'a fait !

CONSEILS
- N'oubliez pas de rédiger un slogan percutant !
- Faites des phrases courtes mais précises.
- Illustrez votre publicité par des photos, dessins...

2 TOUT POUR LA MUSIQUE !

DÉCOUVERTE

pages 34-37

Premiers regards
- Découvrir le lexique de la musique
- Parler des différentes façons de vivre la musique

Premiers textes
- Parler des habitudes et des goûts musicaux
- Lire et analyser les paroles d'une chanson
- Découvrir le langage argotique

OBSERVATION ET ENTRAÎNEMENT

pages 38-45

Grammaire
- Donner des conseils (1) : *si*... présent, futur ; *si*... présent, présent ; *si*... présent, impératif ; *si j'étais toi*..., conditionnel présent
- Le participe présent
- Le gérondif (1)

Lexique
- Les émotions
- Les marqueurs de but
- Les procédés et figures de style
- Le langage familier et l'argot
- La musique : les supports pour écouter de la musique, les styles de musique, les éléments d'une chanson

Phonétique p. 156
- Le rythme du français
- Le [ə] muet

REGARDS CULTURELS

pages 46-47

Le document
- Faire la paix en musique

TÂCHES FINALES

page 48

Tâche 1
- Créer une playlist thérapeutique

Tâche 2
- Écrire une chanson engagée pour un concours francophone

+ DE RESSOURCES SUR **espacevirtuel.emdl.fr**

— Des activités autocorrectives (grammaire / lexique / culture / CE / CO)
— La carte mentale de l'unité à compléter

www.passionmusique.en

PASSION MUSIQUE

C'est chaque lundi à partir de 16h avec Julie.

La musique : Vous l'écoutez tous les jours, chez vous ou dans les transports, en étudiant ou en travaillant ? Vous jouez d'un instrument ? Vous chantez dans une chorale ? Vous allez régulièrement à des concerts ou des festivals ou encore danser toute la nuit sur des rythmes entraînants ? Bref, vous ne pouvez pas vivre sans musique ?

Rejoignez notre émission pour témoigner de votre façon à vous de vivre la musique !

« De la musique avant toute chose... »

Verlaine, poète français, XIXe siècle

1. LA MUSIQUE, C'EST LA VIE !

A. Observez le programme de cette émission de radio. Quelles sont les différentes façons de vivre la musique représentées sur le site ? En connaissez-vous d'autres ?

PISTE 4

B. Écoutez le témoignage d'un auditeur de l'émission. De quelle manière la musique lui a-t-elle sauvé la vie ?

C. Avec quelle(s) pratique(s) vous identifiez-vous ? Pourquoi ? Partagez-la avec vos camarades.

- J'ai une passion pour les concerts. J'en vois au moins un par mois ! Le « live », c'est vraiment génial.

Et vous ?
Pouvez-vous vivre sans musique ?

2. LA MUSIQUE RYTHME LE QUOTIDIEN

A. Cette enquête a été réalisée par la SACEM. Connaissez-vous cet organisme ? Faites des recherches pour découvrir ses missions. Existe-t-il un équivalent dans votre pays ?

B. Observez l'enquête individuellement puis faites-en un compte rendu de manière collective : quelles sont les habitudes de la majorité des Français ?

- *La majorité des Français écoutent de la musique à la radio ou à la télévision...*

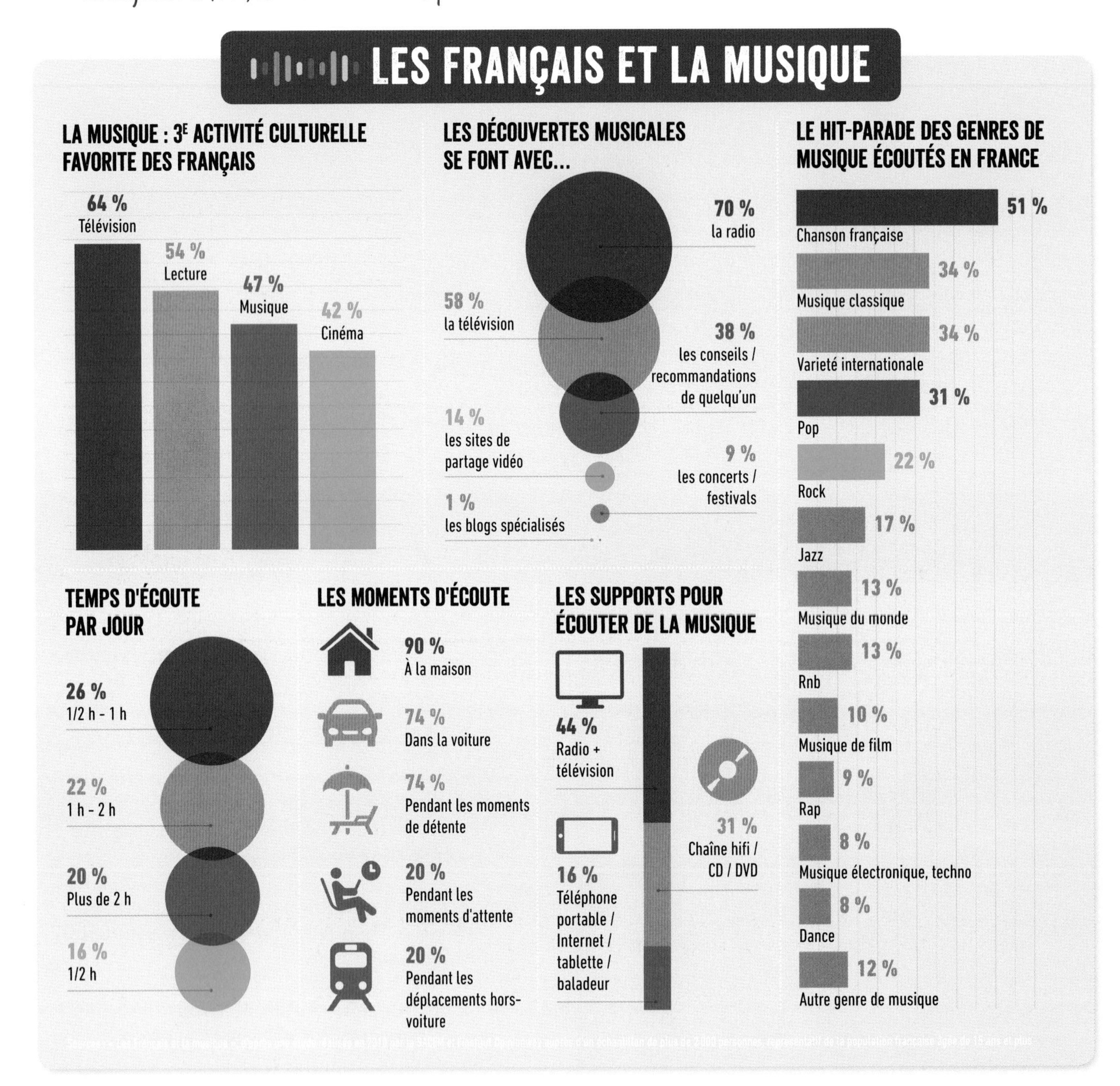

C. À partir du sondage proposé, interrogez vos camarades sur leurs habitudes musicales. Puis, comparez vos résultats avec ceux de l'enquête.

Découvertes musicales avec... : ....

Moments d'écoute de la musique : ....

Genres de musique préférés : ....

Supports pour écouter de la musique : ....

Temps d'écoute par jour : ....

3. CHANSON COUP DE CŒUR

A. Pour vous, quel est le plus important dans une chanson ? Pourquoi ?

la mélodie | le texte | les instruments | l'interprète | le clip | ...

B. Lisez un morceau de la chanson élu chanson préférée des Français en 2015. À votre avis, de quoi parle-t-elle ?

☐ De deux amoureux ☐ D'un père et de sa fille ☐ De deux amis

MISTRAL GAGNANT
(Renaud, 1985)

À m'asseoir sur un banc cinq minutes avec toi
Et regarder les gens tant qu'y en a
Te parler du bon temps qu'est mort ou qui r'viendra
En serrant dans ma main tes p'tits doigts
Pi donner à bouffer à des pigeons idiots
Leur filer des coups d'pied pour de faux
Et entendre ton rire qui lézarde les murs
Qui sait surtout guérir mes blessures
Te raconter un peu comment j'étais minot
Les bombecs fabuleux qu'on piquait chez l'marchand
Car-en-sac* et Mintho*, caramels à un franc
Et les Mistral gagnants*

À marcher sous la pluie cinq minutes avec toi
Et regarder la vie tant qu'y en a
Te raconter la terre en te bouffant des yeux
Te parler de ta mère un p'tit peu
Et sauter dans les flaques pour la faire râler
Bousiller nos godasses et s'marrer
Et entendre ton rire comme on entend la mer
S'arrêter repartir en arrière
Te raconter surtout les carambars d'antan
Et les coco-boërs* et les vrais roudoudous*
Qui nous coupaient les lèvres et nous niquaient les dents
Et les Mistral gagnants*

* Ce sont des noms de marques de bonbons.

RENAUD
MISTRAL GAGNANT

C. Renaud utilise beaucoup de vocabulaire familier ou argotique dans ses chansons. Retrouvez le sens des mots suivants dans cette chanson.

se plaindre | rire | abîmer (x 2) | chaussures | manger | voler | bonbons | donner

1. bouffer : ....
2. filer : ....
3. bombecs : ....
4. piquer : ....
5. râler : ....
6. bousiller : ....
7. godasses : ....
8. se marrer : ....
9. niquer : ....

PISTE 5

D. Écoutez l'interview d'un journaliste musical qui revient sur le succès de cette chanson. D'après lui, pour quelles raisons émeut-elle les Français ?

Et vous ?
Quelle est votre chanson préférée et pourquoi ?

4. L'ÉMOTION PAR LE SON

A. **Avez-vous déjà ressenti une de ces émotions en écoutant de la musique ? Racontez vos expériences en petits groupes.**

joie | peur | colère | tristesse | dégoût | irritation | ...

B. **Lisez l'article. Quelles sont les émotions que peut provoquer la musique ? Êtes-vous d'accord avec la phrase « la musique est considérée comme un langage émotionnel universel » ?**

MUSIQUE ET ÉMOTIONS

La musique est considérée comme un langage émotionnel universel. Mélodies et rythmes déclenchent dès les premiers mois de la vie d'un homme des sensations fortes. « La musique peut avoir des effets puissants sur nos émotions : de la sensation de bonheur à la capacité de surmonter ses peurs, certaines chansons ont ce pouvoir de déclencher des émotions et de libérer des hormones agissant sur notre humeur » explique Jacob Jolij, professeur en psychologie cognitive et neurosciences à l'université de Grogingen (Pays-Bas).

En effet, chacun d'entre nous a déjà ressenti toute une palette d'émotions en écoutant de la musique : certaines chansons nous mettent de bonne humeur et nous rendent gais et joyeux. D'autres, au contraire, nous angoissent, nous dépriment ou même nous exaspèrent !

PISTE 6

C. **Écoutez les témoignages de cinq amateurs de musique. Quel type de musique écoutent-ils ? Quelles émotions ressentent-ils ? Positives ou négatives ?**

1. Benjamin
2. Sarah
3. Gabrielle
4. Paul
5. Cécile

LES ÉMOTIONS

ÉMOTIONS POSITIVES

- ça (me) motive
- ça (me) donne la pêche / de l'énergie / la chair de poule
- ça (me) fait du bien / pleurer
- ça (me) soulage
- ça (me) rend heureux(se) / joyeux(se) / gai(e)
- ça (me) met de bonne humeur
- j'ai des frissons / les larmes aux yeux
- ça aide à se calmer / à se détendre / à se vider la tête
- c'est apaisant
- c'est parfait pour se concentrer / étudier / se défouler / décompresser
- je me sens heureux(se)

ÉMOTIONS NÉGATIVES

- ça (me) fait pleurer
- ça m'agresse / m'exaspère / m'angoisse / me déprime
- ça (me) donne mal à la tête
- ça (me) rend triste

D. **Réfléchissez individuellement à des chansons qui vous inspirent les sentiments suivants. Puis, comparez avec ce que ressentent vos camarades.**

1. Une chanson qui vous fait pleurer
....
2. Une chanson qui vous aide à vous défouler
....
3. Une chanson qui vous apaise
....
4. Une chanson qui vous rend nostalgique
....
5. Une chanson qui vous met de bonne humeur
....
6. Une chanson qui vous fait vous sentir plus fort
....

- Il y a une chanson qui te fait pleurer ?
- Oui ! « Ne me quitte pas », de Jacques Brel. Elle me donne à chaque fois les larmes aux yeux car c'est une très belle chanson d'amour !

5. LA MUSIQUE, MÉDECINE DE L'ÂME

A. À votre avis, la musique est-elle bonne pour la santé ? Pourquoi ?

B. Lisez cet entretien avec un musicothérapeute. Selon lui, dans quels buts peut-on utiliser la musique ?

DÉCOUVREZ LE POUVOIR GUÉRISSEUR DE LA MUSIQUE

Nous recevons F. Amarger, musicothérapeute depuis 10 ans à Saint-Flour.

Plusieurs études scientifiques l'ont prouvé : la musique fait du bien. Pouvez-vous nous expliquer en quoi consiste la musicothérapie ?
Il s'agit d'utiliser la musique et les sons pour soigner.

Comment la musique agit-elle sur nos corps ? Pouvez-vous nous donner quelques exemples de vos pratiques ?
Nous utilisons, par exemple, des sons dans le but de soulager la douleur. On demande au patient de chanter afin de générer des hormones qui donnent une sensation de bien-être.

Pour aider les personnes insomniaques, nous faisons aussi écouter de la musique en vue de les détendre. Certains airs sont particulièrement apaisants et cela fonctionne mieux que les médicaments ! Le plus impressionnant est peut-être notre travail avec les malades atteints d'Alzheimer : nous leur faisons écouter des mélodies de manière à faire resurgir des souvenirs liés aux émotions. Et ça marche ! Cela permet d'améliorer la mémoire.

C. Observez les formes surlignées et complétez le tableau ci-dessous.

LES MARQUEURS DE BUT

.... *Afin de* *Pour* .... *De manière à*	+ ....

⚠ À l'exception de ***pour***, ces marqueurs de but s'emploient plus naturellement à l'écrit qu'à l'oral (ou bien à l'oral, dans un registre formel).

LES ÉMOTIONS

EX. 1. Donnez un exemple de ce qui dans la vie...

1. ...vous donne la pêche : ....
2. ...vous met de bonne humeur : ....
3. ...vous fait pleurer : ....
4. ...vous vide la tête : ....
5. ...vous déprime : ....
6. ...vous défoule : ....

EX. 2. Cherchez une image pour illustrer et faire deviner aux autres ce que vous avez écrit ci-dessus.

- *Une journée ensoleillée te donne la pêche ?*
- *Ah non ! Ça m'ennuie ! Moi, j'adore la pluie !*

EX. 3. Parmi les émotions suivantes, retrouvez l'intrus.

1. ça m'apaise / ça me détend / ça m'agresse / ça me permet de décompresser / ça m'aide à me vider la tête
2. ça me rend triste / ça me rend gai / ça me rend heureux / ça me motive / ça me rend joyeux
3. ça me déprime / ça me fait pleurer / ça me donne la pêche / ça me rend triste

PISTE 7

EX. 4. Écoutez les extraits musicaux suivants et écrivez les sentiments ou émotions qu'ils vous inspirent.

LES MARQUEURS DE BUT

EX. 5. Lisez les phrases suivantes écrites pour défendre une chanson sur l'environnement dans le cadre d'un concours de chansons engagées. Complétez-les.

1. J'ai écrit la chanson « Plus jamais ça » **dans le but de** *sensibiliser les jeunes au gaspillage*.
2. Cela me semblait important de faire connaître ce problème de .... **en vue de** ....
3. Dans le clip, j'ai décidé de faire apparaître .... **afin de** ....
4. Je présente aujourd'hui ma chanson au concours **de manière à** ....

EX. 6. En petits groupes, lisez ces titres de journaux et parlez-en sur le tchat « Le pouvoir guérisseur de la musique ».

1. Les agriculteurs ont remarqué qu'exposer leurs plantations à la musique fait évoluer le volume de leurs fruits et légumes de façon exceptionnelle.
2. Écouter la sonate K.448 de Mozart améliorerait la mémoire et l'orientation spatiale.
3. Selon une étude de Nancy Becker et ses collègues de l'université d'Ursinus, en Pennsylvanie, la musique augmenterait de manière significative nos performances physiques.
4. Écouter de la musique classique ou calme au volant favorise une conduite plus citoyenne.

Certains agriculteurs exposent leurs plantations à la musique dans le but de mieux faire pousser leurs fruits et légumes.

+ d'exercices : page 175

6. INDIGNEZ-VOUS EN MUSIQUE !

A. Connaissez-vous des chansons engagées ? Quelle(s) causes défendent-elles ?

- Pour moi, la plus célèbre chanson engagée, c'est « Imagine » de John Lennon. Cette chanson proteste contre la guerre et lance un appel à la paix.

B. Lisez les paroles de la chanson *Bien mérité* de Clarika. Répondez en petits groupes aux questions puis comparez vos interprétations avec les autres.

- À votre avis, quel est le thème de cette chanson ?
- Qui sont les deux personnages de la chanson : le narrateur (« je ») et la personne à qui il s'adresse (« tu ») ?
- Observez les phrases surlignées. Que veut dire la chanteuse, en réalité ? Quelle injustice dénonce-t-elle avec son ironie ?

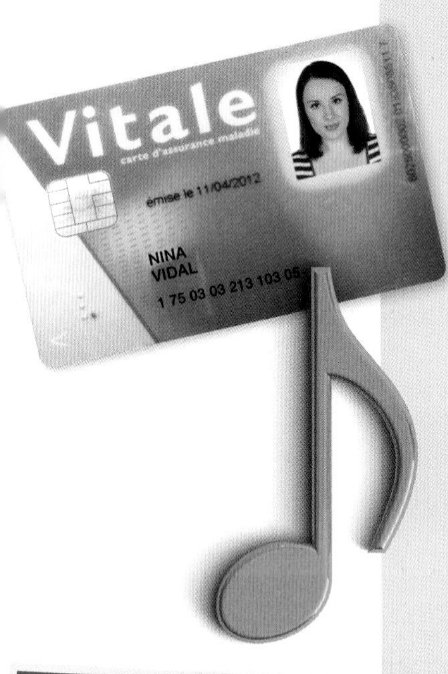

La petite carte en plastique
Que l'État m'a donnée
Ah ouais
Je l'ai bien méritée
Naître en République
Dans une clinique chauffée
Ah ouais
Je l'ai bien mérité

Les bancs de mon école
Le pouvoir d'étudier
Ah ouais
Je l'ai bien mérité
Aller voir mon docteur
Quand j'me sens fatiguée
Ah ouais
Je l'ai bien mérité
La douceur de l'enfance
L'amour qu'on m'a donné...

Bah ouais, c'est vrai,
J'y avais pas pensé
Bah oui, pardi
On me l'a toujours dit
Bon sang, c'est sûr
C'est la loi de la nature
C'est l'évidence
T'avais qu'à naître en France

Et tant pis pour ta gueule
Si t'es né sous les bombes
Bah ouais
Tu l'as bien mérité
T'avais qu'à tomber
Du bon côté de la mappemonde
Bah ouais
Tu l'as bien mérité
Si la terre est aride
Y a qu'à trouver d'la flotte
Bah ouais
Un peu de nerf mon gars
Pour la remplir, ta hotte
Bah ouais

C. Jouer avec les mots ou les sons permet de faire passer des idées. Associez un exemple à chaque figure de style.

LES PROCÉDÉS ET FIGURES DE STYLE

FIGURES DE STYLE	EXEMPLES
☐ **1. La répétition :** Le même mot est répété plusieurs fois, par exemple en début de phrase.	☐ **a.** *« Et entendre ton rire qui lézarde les murs » (Mistral gagnant)*
☐ **2. La métaphore :** C'est une comparaison directe car il n'y a aucun « outil » pour l'introduire.	☐ **b.** *« Et tant pis pour ta gueule si t'es né sous les bombes »*
☐ **3. L'ironie :** Affirmer le contraire de ce que l'on veut dire, souvent dans le but de critiquer ou dénoncer quelque chose.	☐ **c.** *« Ah ouais je l'ai bien mérité Aller voir mon docteur Quand j'me sens fatiguée Ah ouais je l'ai bien mérité »*

AUTRES FIGURES DE STYLE
- **La comparaison :** Établir une analogie entre deux éléments grâce à un « outil », le plus souvent ***comme***.
  Ex. : *La Terre est bleue comme une orange.*
- **La personnification :** Attribuer des caractéristiques humaines à un objet, un animal...
  Ex. : *Le téléphone pleure.*
- **L'allitération :** C'est la répétition d'un son identique (des consonnes) dans une suite de mots rapprochés.
  Ex. : *Ta Katie t'a quitté.*

D. Complétez le tableau suivant à l'aide d'exemples de la chanson.

LE LANGAGE FAMILIER ET L'ARGOT

Deux caractéristiques définissent le langage familier :
- Un relâchement grammatical, par exemple, la disparition du ***ne*** dans les phrases négatives, la disparition de la voyelle finale de certains mots (***tu***, ***que***, ***de***, ***ce***...).
  Ex. : ....
  Ex. : ....
- Un certain lexique et des expressions dites « argotiques ».
  Ex. : ***bouffer***, ***filer***, ***piquer***, ***se marrer***, etc.

E. En petits groupes, choisissez une image d'une cause qui vous tient à cœur et rédigez un slogan avec une figure de style pour la défendre. Puis, rassemblez toutes les images et affichez-les dans la classe. Chaque groupe lit son slogan à voix haute et les autres doivent deviner à quelle image il correspond.

- Les ampoules ordinaires tuent l'environnement !
- ○ C'est cette image et c'est une personnification.

LES PROCÉDÉS ET FIGURES DE STYLE

EX. 1. Parmi les phrases suivantes, identifiez les comparaisons et les métaphores. Puis, expliquez leur signification. Faites des recherches, si nécessaire.

1. Il chante vraiment comme une casserole !
2. Je boirai tout le Nil si tu ne me retiens pas.
3. Cette chanteuse a une voix en or.
4. Elle lui parle avec une voix de velours.
5. Tu chantes comme un rossignol !

EX. 2. Complétez ces comparaisons puis faites-les deviner à un camarade en les mimant.

1. Une mélodie douce comme une caresse.
2. Une voix puissante comme....
3. Un rythme rapide comme....
4. Une musique gaie comme....
5. Un air triste comme....

EX. 3. Pour chacune des thématiques suivantes, imaginez le titre d'une chanson engagée en utilisant une figure de style et expliquez votre choix.

1. pour la liberté d'expression
2. pour défendre l'environnement
3. contre le racisme
4. contre la maltraitance

Une chanson pour la liberté d'expression : « Muet comme une tombe ».

- « Muet comme une tombe », c'est une comparaison. Elle veut dire qu'on ne parle pas, qu'on garde le silence, comme un mort. Cela représente le contraire de la liberté d'expression.

LE LANGAGE FAMILIER ET L'ARGOT

EX. 4. Que signifient ces mots familiers ou argotiques ? Faites des recherches, si nécessaire.

1. se barrer → ....
2. kiffer → ....
3. se casser → ....
4. filer → ....
5. bousiller → ....

EX. 5. Transformez ces phrases en langage familier.

1. Tu ne veux pas qu'on déjeune ensemble ? → Tu veux pas qu'on bouffe ensemble ?
2. Si je pouvais, je partirais en vacances. → ....
3. Tu vas abîmer tes chaussures. → ....
4. Elle sait pas que tu n'aimes pas l'eau. → ....
5. On part à pied ? → ....
6. Je lui ai donné mon numéro de téléphone. → ....

PISTE 8

EX. 6. Écoutez cette conversation et complétez sa transcription en faisant disparaître le relâchement grammatical.

- Ah bon ? .... jamais entendu .... groupe ? .... qu'à venir à la soirée-concert de .... au bar.
- ○ .... peux pas, j'ai rendez-vous chez moi avec Pedro, ... lui ai dit .... passer à 20 h.
- Faites .... que vous voulez, mais .... pas compliqué .... nous retrouver au bar après.
- ○ Ouais ok, ... verrai !

+ d'exercices : pages 175-176

7. LA MUSIQUE : UN PONT ENTRE LES GÉNÉRATIONS...

A. En général, aimez-vous les reprises de vieilles chansons ? Pourquoi ? Donnez un exemple.

- *J'adore la version « reggae » de Radiohead : ça s'appelle Radiodread.*

B. Lisez ce forum. Qui sont les Templebarr et que cherchent-ils sur ce forum ? Quelles idées donne Zicactuelle ?

www.leszicos.en

TEMPLEBARR : Salut les zicos ! Nous sommes un groupe de jeunes musiciens amateurs et débutants : un guitariste, un bassiste, un batteur et deux chanteuses. Nous avons quelques compositions à nous mais nous faisons surtout des reprises de chansons françaises pour les arranger à notre manière. On aimerait proposer des versions modernes à notre public ! Nous jouons régulièrement dans les bars, mais aussi chez les particuliers pour des fêtes, des anniversaires, des mariages, par exemple. Est-ce que vous avez des idées pour nous aider ?

ZICACTUELLE : Si vous voulez moderniser vos morceaux, n'hésitez pas à jouer avec les harmonies de voix, comme les L.E.J. par exemple. Si votre objectif est de faire danser les spectateurs, il est aussi possible de modifier le tempo ou le rythme de vieilles chansons, comme l'a fait Christine and the Queens avec la chanson de Christophe, « Paradis perdus ». Le résultat est sympa et la mélodie est moins monotone que l'originale.

TEMPLEBARR : Vous auriez des titres à nous conseiller ?

ZICACTUELLE : Je pense que si vous reprenez des classiques comme ceux d'Édith Piaf, le public sera ravi car tout le monde connaît et peut chanter ces refrains célèbres ! Si j'étais vous, je transformerais aussi complètement des classiques de la chanson française, par exemple en changeant complètement le style de musique : Piaf en version salsa, ça existe ! Mais attention ! Pour ça, il faut beaucoup de talent car les gens aiment beaucoup l'original ! Les fans ne vous le pardonneront jamais !

C. Complétez le tableau à l'aide des exemples.

DONNER DES CONSEILS (1)

Pour formuler un conseil poli, on peut utiliser :

- ***si*** + ... , ...
  Ex. : ***Si*** *votre objectif* ***est*** *de faire danser les spectateurs, il* ***est*** *aussi possible de modifier le tempo.*
- ***si*** + ... , ...
  Ex. : ***Si*** *vous* ***reprenez*** *des classiques, le public sera ravi.*
- ***si*** + ... , ...
  Ex. : ***Si*** *vous* ***voulez*** *moderniser vos morceaux, n'****hésitez*** *pas à jouer avec les harmonies de voix.*
- ***si j'étais toi / à ta place*** + ...
  Ex. : ***Si j'étais vous****, je* ***transformerais*** *complètement des classiques de la chanson française.*

D. À votre tour, alimentez les conseils du forum. Des internautes se demandent comment animer en musique les événements suivants. Donnez vos conseils et bonnes idées.

un mariage | un dîner romantique | une maison de retraite | un anniversaire | ...

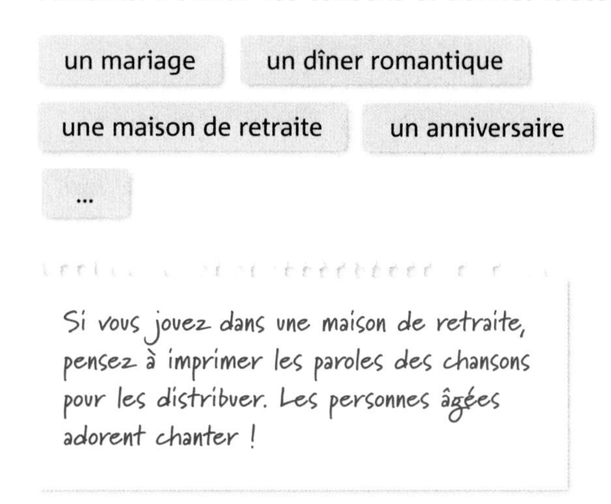

8. PAROLES D'ARTISTES

A. Lisez ce document. Quel est le style de cette chanteuse ? De quelle manière compose-t-elle ses chansons ?

NAWEL BEN KRAIEM

« Comment écrivez-vous vos chansons ? Quelles sont vos principales sources d'inspiration ? »

NAWEL BEN KRAIEM NOUS RÉPOND.

Compositrice et interprète franco-tunisienne, elle pratique une musique mêlant le traditionnel du sud avec des influences européennes.

« Je compose mes chansons en allant loin dans mes émotions, dans mon intérieur. Mais aussi en écrivant sur tout ce qui me touche, à la fois sur des sujets sociaux, collectifs et plus personnels, intimes. »

B. Observez les verbes surlignés et complétez le tableau suivant.

LE PARTICIPE PRÉSENT ET LE GÉRONDIF

EMPLOI

- Le **participe présent** : il est utilisé pour remplacer une proposition relative introduite par ***qui***. Ex. : *Elle pratique une musique **qui mêle** le traditionnel du sud avec des influences européennes.* → *Elle pratique une musique **mêlant** le traditionnel du sud avec des influences européennes.*
- Le **gérondif** : il est utilisé pour exprimer une manière de faire quelque chose. Ex : *Je compose mes chansons **en écrivant** sur tout ce qui me touche.*

FORMATION

- Le **participe présent** se forme avec le radical de la première personne du présent de l'indicatif + -....
- Le **gérondif** se forme avec ***en*** + ...

C. Réfléchissez à une manière de trouver l'inspiration (pour travailler, pour avoir une discussion compliquée, etc.), et dessinez-la sur une feuille de papier. Ensuite, échangez votre dessin avec un camarade : chacun essaie de deviner la stratégie de l'autre.

- Toi tu trouves l'inspiration en faisant des randonnées ?
- Oui !

DONNER DES CONSEILS (1)

EX. 1. Complétez ces conseils donnés sur un forum avec les verbes au temps qui convient.

écrire | avoir | commencer | regarder | aller

1. Si vous vous entraînez tous les jours, vous .... rapidement un meilleur niveau.
2. Si tu veux vraiment devenir chanteuse, ... déjà par prendre des cours !
3. Si j'étais vous, j'.... voir plus de concerts pour améliorer mes performances sur scène.
4. Si tu veux apprendre à jouer de la guitare et que tu ne peux pas t'inscrire à un cours, ... un tutoriel en ligne.
5. Si j'étais toi, je .... une annonce pour faire partie d'un groupe.

EX. 2. Sur un papier, inscrivez le nom de quelqu'un à qui vous souhaitez offrir un cadeau musical en précisant son âge et le contexte. Chaque personne tire au sort un papier et propose ses conseils et ses idées.

Personne : ma mère
Âge : 60 ans
Contexte : elle a eu une année difficile et je voudrais lui offrir quelque chose pour la surprendre et lui faire plaisir.

- Votre mère a 60 ans ? Si vous voulez la surprendre, emmenez-la voir un concert de rock !

EX. 3. Choisissez l'un des titres proposés et rédigez un couplet de chanson.

si j'étais toi | si j'étais elle | si j'étais vous

Si j'étais elle,
je ne les laisserais pas faire.
Si j'étais elle,
je leur dirais de se taire.

LE PARTICIPE PRÉSENT ET LE GÉRONDIF

EX. 4. Participe présent ou gérondif ? Complétez ces témoignages postés par des artistes sur le blog des Zicos avec les verbes à la forme qui convient.

regarder | chanter | passer | penser | servir

1. Moi, j'écris mes chansons .... à des images ou à des couleurs.
2. Des artistes organisent des tournées .... à financer des associations.
3. Il a commencé à apprendre la guitare .... des tutoriels sur Internet.
4. Pour nous, la musique est une passion .... avant tout le reste.
5. Tous les jours, elle part travailler ....

+ d'exercices : pages 176-177

LES MOTS DE LA MUSIQUE

1. Pour publier les paroles d'une chanson que vous aimez sur le site paroles.net, remplissez la fiche technique suivante.

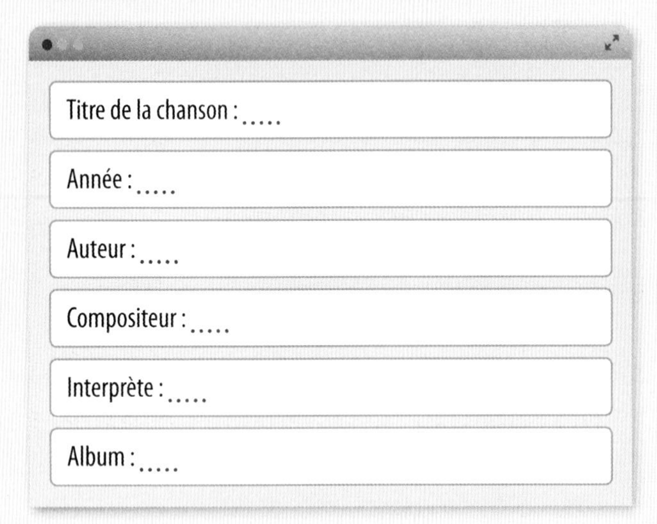

2. Complétez le contenu de ces petites annonces déposées sur un site musical.

LES SUPPORTS POUR ÉCOUTER DE LA MUSIQUE

3. Trouvez la réponse à ces devinettes.

la chaîne hifi | les CD | les sites de streaming | la radio | le baladeur MP3

1. Ils ont remplacé les disques vinyle : ....
2. Les jeunes l'emmènent partout avec eux pour écouter leur musique : ....
3. Ils permettent de télécharger de la musique gratuitement sur Internet : ....
4. Elle permet d'avoir une meilleure qualité de son pour écouter de la musique chez soi : ....
5. Elle permet d'écouter de bonnes émissions musicales et de faire des découvertes : ....

LES ÉMOTIONS EN MUSIQUE

4. À deux et à tour de rôle, pensez à une chanson et à l'émotion qu'elle vous inspire. Si vous le pouvez, faites-la écouter à votre partenaire puis mimez l'émotion que vous ressentez pour la faire deviner.

5. Choisissez deux chansons : une que vous aimez et une que vous n'aimez pas et faites la liste des sentiments qu'elle vous inspire. Présentez-les à la classe.

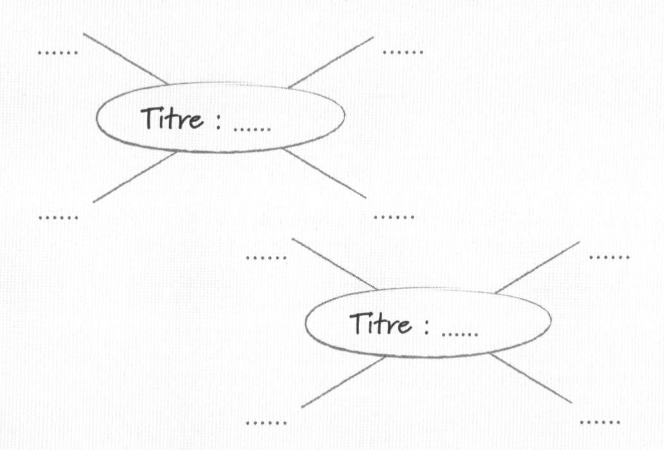

PISTE 9

6. À la sortie d'un concert, les spectateurs témoignent : écoutez leurs réactions, notez-les et classez-les dans le tableau ci-dessous.

ÉMOTIONS NÉGATIVES	ÉMOTIONS POSITIVES

AU FIL DE L'UNITÉ

7. Posez des questions à un camarade pour réaliser son portrait chinois musical.

1. un concert mémorable
2. une chanson pour avoir la pêche
3. une chanson pour se détendre
4. un instrument
5. un clip
6. un titre de chanson
7. un refrain
8. une chanson qui met de mauvaise humeur

- *Si tu étais un concert mémorable, quel concert tu serais ?*
- *Je serais Janis Joplin à Woodstock.*

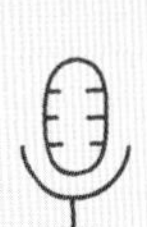

LES ÉMOTIONS

	+	–
avoir	• les larmes aux yeux • la chair de poule • des frissons • la pêche	• mal à la tête
ça rend	• heureux(se) • joyeux(se)	• triste • mélancolique • nostalgique
ça met	• de bonne humeur	• de mauvaise humeur
ça	• motive / soulage / apaise / reconforte	• angoisse / exaspère / déprime / agresse
ça aide à / ça permet de	• se défouler / se détendre / se vider la tête / décompresser / améliorer la mémoire	

déclencher des émotions / sensations
ressentir toute une palette de sentiments

LES PRATIQUES MUSICALES

jouer
- d'un instrument
- dans un groupe / un orchestre

aller
- à un concert
- à un festival

écouter
- la radio
- la chaîne-hifi
- un CD
- son baladeur MP3

télécharger / partager
- une chanson
- un album

regarder un clip
chanter / composer / écouter une chanson
chanter dans une chorale
enseigner la musique
organiser des ateliers de musique

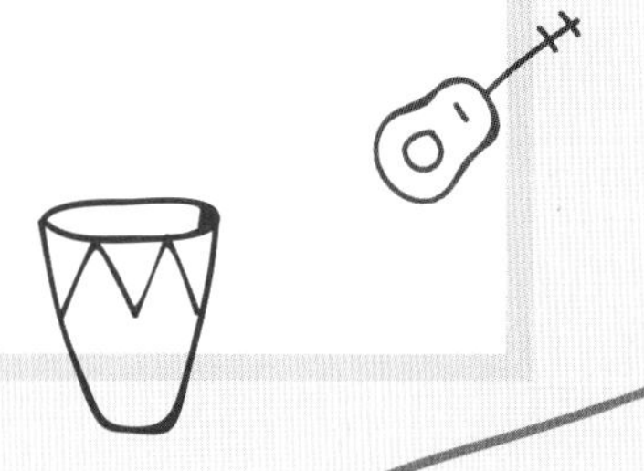

MUSIQUE

LES GENRES / STYLES DE MUSIQUE

- la chanson française
- la musique classique
- le rock
- le jazz
- le pop
- la musique électronique
- la musique du monde
- une chanson engagée

LES ARTISTES ET LEUR PUBLIC

- un compositeur
- un interprète
- un chanteur
- un groupe

- le public
- les spectateurs
- les auditeurs
- les fans

un musicien (amateur ≠ professionnel)
- un guitariste
- un batteur
- un bassiste

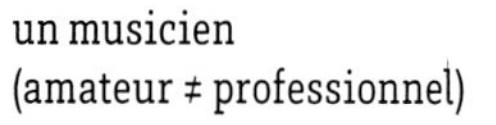

LES CHANSONS

- un morceau
- un titre
- une reprise
- une version

- un couplet
- un refrain

- le rythme / le tempo
- la mélodie / l'air

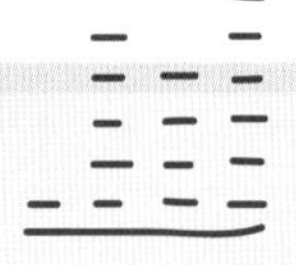

MUSIQUE

FAIRE la Paix EN MUSIQUE

1 l'orchestre Alma Chamber

2 Davide Martello

UN ORCHESTRE POUR LA PAIX

« La France est la première à avoir créé un orchestre pour la paix. Cela n'existait pas », raconte Anne Gravoin, premier violon d'un orchestre pas comme les autres : l'Alma Chamber Orchestra. Tout commence en 2013, lorsque Zouhir Boudemagh, un homme d'affaires passionné de musique classique, demande à la musicienne de réunir la crème des musiciens français pour monter le plus bel ensemble possible. Un seul but : porter un message de paix et de fraternité grâce à la musique. « Ce qui m'importait, avant tout, était de réunir des musiciens qui ont une très belle âme. Alma veut dire âme. » explique la violoniste. « Le but n'est pas seulement d'être au plus haut niveau, mais surtout d'avoir envie de jouer ensemble. » L'orchestre se produit aussi bien en France qu'à l'étranger, avec des musiques ouvertes sur le monde, sur toutes les cultures, dans tous les répertoires et pour toutes les générations. Il a déjà porté son message universel en Israël, aux Émirats Arabes Unis, en Tunisie, au Maroc, en Algérie, en Chine, au Qatar et en Afrique du Sud.

« Nous jouons partout où la musique peut apaiser les esprits et les cœurs et permettre le dialogue entre les peuples » explique la directrice artistique. « Notre nationalité n'a pas d'importance : nous sommes des musiciens qui venons jouer pour la paix. »

DES PIANISTES PACIFISTES

« Rendre l'espoir, réconforter, remonter le moral des gens », ainsi s'exprime Ayham Ahmed, un jeune Syrien qui a décidé d'installer un piano au milieu des ruines de sa ville bombardée pour jouer des chansons dans la rue. « La musique est le langage de l'âme. Elle n'a pas besoin de traduction, et touche tous les individus, par-delà les divisions » ajoute-t-il. À Paris, au lendemain des attentats, un homme joue *Imagine* de John Lennon.

Cet anonyme n'est pas là par hasard. Davide Martello est un jeune musicien allemand qui parcourt les places du monde pour jouer dans des lieux touchés par les conflits. Il a pris l'habitude de se déplacer dans le monde entier avec son piano pour jouer des mélodies de paix. En 2013, il avait déjà été entendu à Istanbul, sur la place Taksim et, en 2014, à Kiev sur la place Maïdan. « J'aime venir jouer dans ces moments-là, les gens me disent que ça leur fait du bien. Je ne suis pas là pour prendre position, je veux apporter un message pacifique. »

Ayham Ahmed

On dit souvent que la musique adoucit les mœurs. Ces trois initiatives nous le prouvent. Découvrez comment partout dans le monde, quelques notes de musique peuvent changer la vie des gens...

Miguel Ángel Estrella

3

MUSIQUE ESPÉRANCE : UNE O.N.G. POUR LA FRATERNITÉ

Le mouvement humanitaire « Musique Espérance » commence avec l'histoire d'un musicien, le pianiste argentin Miguel Ángel Estrella. En 1977, il est enlevé et emprisonné par la dictature argentine. Il est libéré en 1980 après une campagne de solidarité rassemblant des artistes et amis du monde entier.

Il fonde alors « Musique Espérance » dont le but est « d'édifier, par la musique, un monde plus solidaire et de travailler à construire la paix ». L'organisation est présente dans différents pays (Argentine, Colombie, Belgique, France, Espagne, Portugal, Suisse...) et mène des actions dans des lieux défavorisés.

Elle intervient par exemple dans des prisons, pour organiser des concerts et enseigner la musique aux détenus. Elle organise aussi des ateliers de musique pour les jeunes qui se trouvent dans des situations difficiles (milieux défavorisés, pays en guerre). Depuis 1992, « Musique Espérance » est une O.N.G. reconnue par l'UNESCO.

9. DES INITIATIVES SOLIDAIRES

A. Selon vous, la musique peut-elle aider à construire la paix ? Si oui, comment ?

B. Lisez le texte. En quoi consistent les trois actions mises en œuvre pour la paix ?

10. DES PERSONNALITÉS PACIFISTES

Selon les personnalités citées dans cet article, quel est le but de la musique dans leurs actions ?

- Anne Gravoin
- Zouhir Boudemagh
- Ayham Ahmed
- Davide Martello
- Miguel Ángel Estrella

11. VIVRE EN HARMONIE

A. Existe-t-il des initiatives semblables dans votre pays ? Faites des recherches sur Internet et présentez l'action qui vous touche le plus.

B. En petits groupes, imaginez une activité originale qui passe par la musique pour construire un monde plus solidaire.

TITRE :
L'Ami Fa Sol

PUBLIC :
Des enfants aveugles

CONTEXTE :
Dans des écoles

OBJECTIFS :
Organiser un concert de musique du monde

DESCRIPTION :
Au sein d'une école pour enfants aveugles, notre projet humanitaire axé sur la musique vise à aider les enfants à vivre de nouvelles expériences et à découvrir leurs talents musicaux en préparant un concert.

TÂCHES FINALES

TÂCHE 1 MA PLAYLIST THÉRAPEUTIQUE

1. Vous allez élaborer la playlist thérapeutique de la classe. En groupes, faites d'abord la liste des situations problématiques rencontrées dans le quotidien.

- stress
- difficulté à s'endormir
- ...

2. En groupes, identifiez les chansons que vous aimez et qui permettent de lutter contre ces problèmes.

- Moi, quand je suis stressée, je me détends en écoutant de la musique classique.
- Quelle musique ?
- « Les Impromptus » de Schubert.

3. Chaque groupe choisit une chanson par situation et présente ensuite sa sélection au reste de la classe.

4. Compilez les meilleures chansons afin de créer la playlist de la classe et partagez-la sur les réseaux sociaux.

Notre playlist émotionnelle

Si vous êtes stressé, choisissez *Les Impromptus* de Schubert.

Si vous êtes déprimé, préférez *Single Ladies* de Beyoncé.

CONSEILS

- Sélectionnez un minimum de 10 situations.
- Défendez vos chansons préférées en révélant les émotions fortes qu'elles vous procurent ! Soyez convaincants !
- N'oubliez pas de donner un titre à votre playlist.

TÂCHE 2 CHANSON SANS FRONTIÈRES

1. Vous allez rédiger les paroles d'une chanson engagée dans le cadre d'un concours. Tous ensemble, faites une liste des causes que vous souhaitez défendre et votez pour sélectionner le thème de votre chanson.

- égalité homme-femme
- des meilleurs salaires
- ...

2. Rédigez votre chanson en tenant compte des critères du concours.

3. Présentez votre production à l'ensemble de la classe.

4. Une fois les présentations terminées, votez individuellement pour la chanson que vous préférez.

Concours d'écriture de chansons engagées

- La chanson doit défendre une cause.
- Le texte doit être composé de trois couplets et d'un refrain inédits.
- Chaque couplet contiendra au moins une figure de style.

CONSEILS

- Pensez à travailler sur les sons et les rimes.
- Choisissez des styles différents (rap, rock, opéra, etc.).
- Lors de la présentation, n'hésitez pas à illustrer votre chanson avec des photographies, des dessins, des tableaux... Ces images pourront aussi vous inspirer lors de l'écriture !
- S'il y a des artistes dans la classe, n'hésitez pas les solliciter pour mettre votre chanson en musique.

3 OSER VIVRE SA VIE !

+ DE RESSOURCES SUR **espacevirtuel.emdl.fr**

— Des activités autocorrectives (grammaire / lexique / culture / CE / CO)
— La carte mentale de l'unité à compléter

LES HÉROS MODERNES : AU-DELÀ DES LIMITES !

1

Philippe Petit
Traversée entre les deux tours du World Trade Center.
« Être funambule, ce n'est pas un métier, c'est une manière de vivre. Une traversée sur un fil est une métaphore de la vie : il y a un début, une fin, une progression, et si l'on fait un pas à côté, on meurt. »

Mike Horn
Descente de l'Amazone en hydrospeed.
« L'esprit dompte le corps à 80 %. La plupart des explorateurs sont d'ailleurs forts mentalement et non pas physiquement. Ce qui fait la différence ? Il faut que l'envie de gagner soit supérieure à la peur de perdre. »

2

“La seule chose qu'on est sûr de ne pas réussir est celle qu'on ne tente pas.”

Paul-Émile Victor, explorateur polaire et écrivain suisse, XXe siècle

Reinhold Messner
Première ascension de l'Everest sans oxygène.
« J'ai toujours vécu selon mes désirs, mes idées et mes rêves et non pas en fonction de ceux de mes parents, de mes professeurs ou de mes frères. Je voulais rester aventurier, [...] aller dans des territoires sauvages, [...] escalader des parois, voyager, partir simplement dans des contrées sauvages. »

Aung San Suu Kyi
Une vie de combat pour le respect des droits humains en Birmanie.
« Je n'ai jamais eu le sentiment de faire des sacrifices. (...) J'ai fait des choix. Personne ne m'a forcée à les faire, je suis restée moi-même. (...) Faites simplement ce en quoi vous croyez. »

1. QUI NE TENTE RIEN N'A RIEN !

A. **Observez les portraits de l'exposition et lisez le titre de l'article. Reconnaissez-vous ces héros modernes ? À votre avis, qu'ont-ils fait ?**

B. **Lisez les commentaires. Qui est le plus audacieux, selon vous ? Pourquoi ?**

- À mon avis, c'est Philippe Petit, car il peut tomber dans le vide...

C. **Quelle est la recette de ces héros pour réussir ce qu'ils entreprennent ? Et vous, avez-vous une recette pour réaliser vos rêves ?**

PISTE 10

D. **Écoutez les commentaires de quatre visiteurs de l'exposition. De quel portrait parlent-ils ?**

PERSONNE	PORTRAIT
1. Justine	....
2. Vincent	....
3. Anaïs	....
4. Martin	....

Et vous ?
Pour quoi êtes-vous prêt à prendre des risques ?

2. LA LISTE DE MES RÊVES

A. Avez-vous déjà écrit la liste de vos rêves ? Lesquels avez-vous déjà réalisés ? Parlez-en entre vous.

B. Par deux, lisez les listes de rêves de ces amies, puis imaginez leur personnalité.

téméraire | aventurière | courageuse | prudente | altruiste | gourmande | ...

- Je pense qu'Anne-Sophie est voyageuse car elle rêve de parcourir le monde.

www.vivresavieafond.en

LA LISTE DE MES RÊVES

Mardi 15 juin, 18h18

Le week-end dernier, j'ai vu le film *Sans plus attendre* dans lequel Jack Nicholson et Morgan Freeman réalisent leur *Bucket list*, ou leur liste de choses à faire avant de mourir. Ce film m'a donné de l'inspiration ! Découvrez ma liste de rêves et celle de mon amie Stéphanie, qui s'est prêtée au jeu pour l'occasion. C'est promis, nous la mettrons à jour dès qu'un rêve sera réalisé ! Un conseil : faites la vôtre rapidement car la vie n'attend pas !

VOICI MA LISTE (ANNE-SOPHIE) :

1. Prendre le transsibérien de Moscou à Vladivostok
2. Visiter les grands parcs naturels américains, en particulier le Grand Canyon !
3. Voir le grand Sphinx de Gizeh, en Égypte
4. Manger des sushis au Japon, sous un cerisier
5. Faire un saut à l'élastique
6. Voir une aurore boréale en Alaska
7. Partir en vacances avec tous les membres de ma famille
8. Longer les 8 850 km de la Grande Muraille de Chine + faire le nouvel an chinois en Chine
9. Dormir dans une forêt avec des caribous sauvages
10. Embrasser un(e) inconnu(e) dans la rue

ET VOICI LA LISTE DE STÉPHANIE :

1. Prendre des cours de cuisine péruvienne
2. Apprendre la peinture sur soie
3. Apprendre à jouer du piano
4. Ouvrir un orphelinat
5. Manger dans un restaurant « dans le noir »
6. Sauver la vie de quelqu'un
7. Accueillir une famille de migrants chez elle
8. Adopter un enfant
9. Écrire un livre de cuisine végétarienne
10. Rencontrer Aung San Suu Kyi

C. Choisissez un rêve de ces listes et expliquez pourquoi vous aimeriez le réaliser.

- Moi aussi, j'aimerais aussi sauver la vie de quelqu'un...

D. Réalisez la liste de vos rêves.

Et vous ?
Aimez-vous faire des listes (de cadeaux, de courses, de bonnes résolutions...) ?

3. JE NE REGRETTE RIEN

A. **À votre avis, que peut-on regretter quand on est âgés ? Parlez-en entre vous. Lisez l'encadré « Les cinq regrets les plus fréquents des personnes âgées » et comparez avec vos propositions.**

B. **Lisez les témoignages et associez chacun à un regret de la liste. Ces personnes ont-elles changé de comportement en vieillissant ?**

Quels sont vos regrets ?

Après avoir travaillé en soins palliatifs, l'infirmière australienne Bronnie Ware a publié *Les cinq plus grands regrets des mourants*, un livre que les membres de notre association ont beaucoup aimé. Nous les avons interrogés sur leur plus grand regret.

85 ans, médecin à la retraite

« Je n'ai pas beaucoup de regrets. La seule chose que je changerais, ça serait ma capacité à exprimer ce que je ressens. Avant, ça ne se faisait pas. Je me rappelle lorsque ma fille de trois ans m'a dit pour la première fois qu'elle m'aimait : j'étais très émue. Aujourd'hui, j'essaie de partager mes sentiments avec mes petits-enfants et mes arrières petits-enfants. »

68 ans, peintre

« Pendant très longtemps, j'ai fait ce que voulaient mes parents, puis mon mari et mes enfants. Je n'ai jamais écouté ce qui me rendait vraiment heureuse, moi. Aujourd'hui, je crois qu'il faut s'accorder le droit au bonheur, même si les autres ne sont pas d'accord avec nos choix. Je suis devenue peintre à 50 ans. Je n'avais pas osé le faire avant. »

76 ans, boulanger à la retraite

« Avec le recul, j'ai l'impression d'avoir passé ma vie à la boulangerie. Or, je me rends compte aujourd'hui que mes plus beaux souvenirs sont en famille. Le travail, ça n'est pas tout dans la vie ! Si je pouvais remonter le temps, je profiterais plus de mes enfants. Mais c'est trop tard à présent ! »

70 ans, libraire à la retraite

« J'ai toujours eu besoin d'être entouré et soutenu. Or, à certaines périodes de ma vie, je me suis consacré à ma famille et à mes livres. J'ai perdu plusieurs amis à cause de cela car si l'on n'entretient pas la flamme de l'amitié, elle s'éteint. Depuis que j'ai vendu ma librairie, je rattrape le temps perdu ! »

Les 5 regrets les plus fréquents des personnes âgées

1. Ne pas avoir eu le courage de vivre ses rêves
2. Avoir trop travaillé
3. Ne pas avoir eu le courage de dire « Je t'aime » et d'exprimer ses sentiments
4. Ne pas avoir passé plus de temps avec ses amis
5. Ne pas s'être accordé le droit d'être heureux

(*Les cinq plus grands regrets des mourants*, Bronnie Ware)

C. **Racontez à votre voisin quelque chose que vous ne faisiez pas avant et que vous faites aujourd'hui pour ne pas avoir de regrets.**

- Avant, je n'osais pas aller au restaurant toute seule. Aujourd'hui, j'y vais lorsque je n'ai pas envie de cuisiner.

4. UNE PEUR BLEUE !

A. Lisez cet entretien du magazine *Psycho*. De quoi Nathan a-t-il peur ? Pourquoi ?

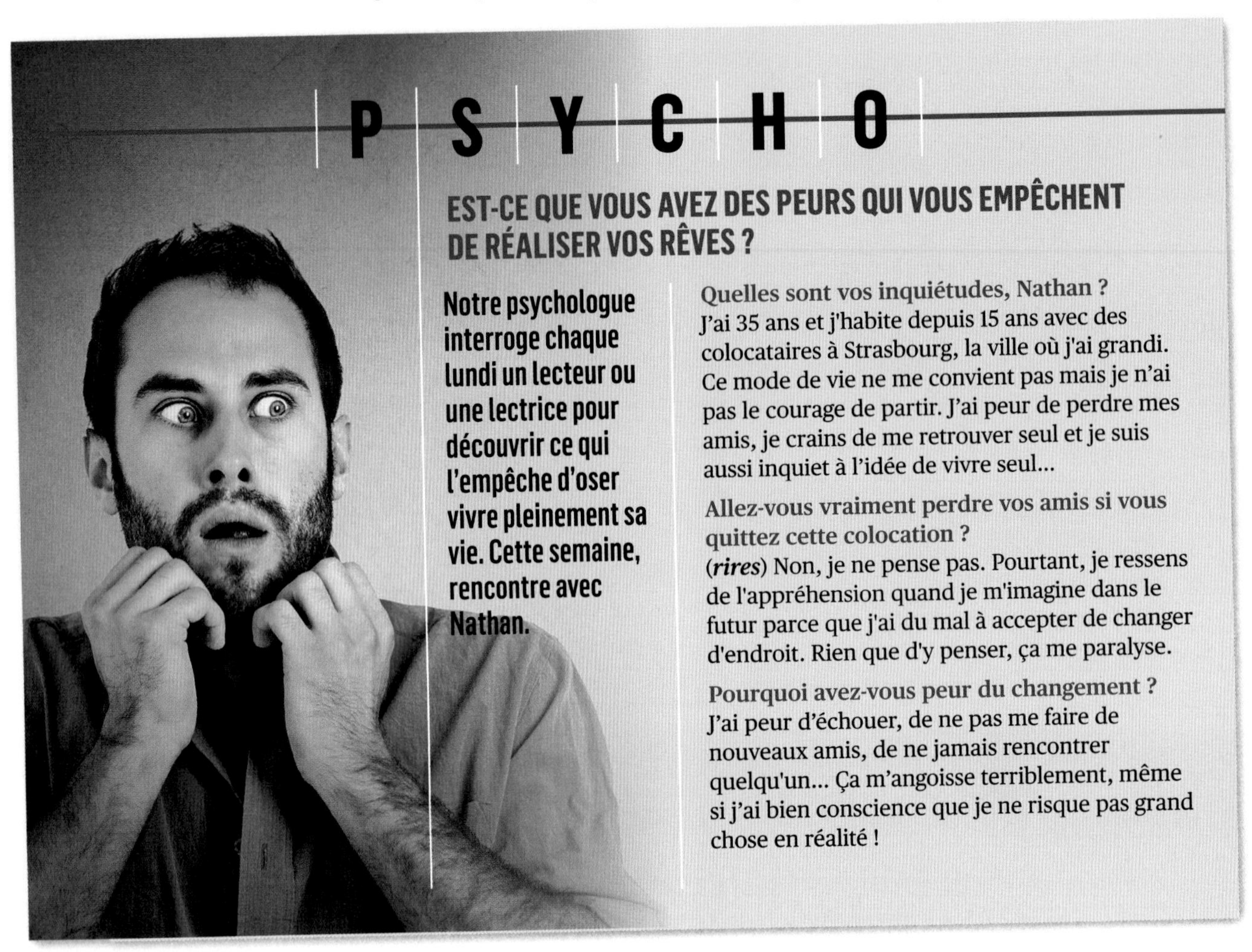

PSYCHO

EST-CE QUE VOUS AVEZ DES PEURS QUI VOUS EMPÊCHENT DE RÉALISER VOS RÊVES ?

Notre psychologue interroge chaque lundi un lecteur ou une lectrice pour découvrir ce qui l'empêche d'oser vivre pleinement sa vie. Cette semaine, rencontre avec Nathan.

Quelles sont vos inquiétudes, Nathan ?
J'ai 35 ans et j'habite depuis 15 ans avec des colocataires à Strasbourg, la ville où j'ai grandi. Ce mode de vie ne me convient pas mais je n'ai pas le courage de partir. J'ai peur de perdre mes amis, je crains de me retrouver seul et je suis aussi inquiet à l'idée de vivre seul...

Allez-vous vraiment perdre vos amis si vous quittez cette colocation ?
(*rires*) Non, je ne pense pas. Pourtant, je ressens de l'appréhension quand je m'imagine dans le futur parce que j'ai du mal à accepter de changer d'endroit. Rien que d'y penser, ça me paralyse.

Pourquoi avez-vous peur du changement ?
J'ai peur d'échouer, de ne pas me faire de nouveaux amis, de ne jamais rencontrer quelqu'un... Ça m'angoisse terriblement, même si j'ai bien conscience que je ne risque pas grand chose en réalité !

B. Écoutez la conversation entre Nathan et son ami Fernando. Comment Nathan peut-il dépasser sa peur ?

PISTE 11

C. Complétez les exemples du tableau à partir de l'article et de la transcription du dialogue.

POSER UNE QUESTION

Phrase affirmative + intonation montante	À l'oral, en langage familier	Ex.: ....
Mot interrogatif (***qui***, ***quand***, ***comment***, ***combien***, ***où***, ***pourquoi***...) + phrase affirmative	À l'oral, en langage familier	Ex.: ....
Est-ce que + phrase affirmative	À l'oral ou à l'écrit, en langage courant	Ex.: ....
Mot interrogatif (***qui***, ***quand***, ***comment***, ***combien***, ***où***, ***pourquoi***...) + ***est-ce que*** + phrase affirmative	À l'oral ou à l'écrit, en langage courant	Ex.: ....
Mot interrogatif (***qui***, ***quand***, ***comment***, ***combien***, ***où***, ***pourquoi***...) + inversion (verbe / sujet)	À l'oral ou à l'écrit, en langage courant	Ex.: ....
Quel + inversion (verbe / sujet)	À l'oral ou à l'écrit, en langage courant	Ex.: ....
Inversion (verbe / sujet)	À l'écrit, en langage soutenu	Ex.: ....

D. En groupes, annoncez chacun une peur en vous aidant des thèmes sur les étiquettes. Vos camarades posent des questions pour essayer de la comprendre.

travail | finance | voyages | transport | alimentation | ...

5. CAP OU PAS CAP?

A. Écoutez ces conversations. Quelle est l'activité dont on parle dans chacune ?

PISTE 12

B. Réécoutez les témoignages. À quelle condition ces personnes oseraient faire ce que leur ami leur propose ? Complétez les phrases.

PISTE 12

Elle ne le ferait pas,.....
sauf si.........................

Elle ne le ferait pas,.....
à moins de...................

Il ne le ferait pas,.........
sauf si.........................

Il le ferait, à condition...
de...............................

C. Complétez le tableau avec les exemples ci-dessus.

EXPRIMER LA CONDITION

Pour exprimer une condition, on peut utiliser :
- ***Sauf si*** + présent ou imparfait.
Ex. : .....
Ex. : .....
- ***À moins de*** + infinitif
Ex. : .....
- ***À condition de*** + infinitif
Ex. : .....

D. Faites un jeu de « Cap ou pas cap ? » en petits groupes. Demandez aux autres s'ils seraient capables ou pas de faire quelque chose. Ils répondent en justifiant leur choix.

- Cap ou pas cap de jouer dans une pièce de théâtre ?
- Pas cap ! J'aurais peur du ridicule... sauf s'il n'y a que des amis dans le public !

POSER UNE QUESTION

EX. 1. Entourez la question la plus adaptée à la situation dans cette conversation.

- Julien : Je trouve que t'as pas changé avec le temps ! T'es vraiment un casse-cou ! **Pratiques-tu toujours les arts martiaux ? / Tu pratiques toujours les arts martiaux ?**
- Sylvain : Et comment ! **Et toi, tu fais encore du surf ? / Fais-tu encore du surf ?**
- Julien : Oui, les sensations fortes et l'adrénaline, ça me donne des ailes ! Vivre à fond, c'est la meilleure façon de profiter de la vie, **ne trouves-tu pas ? / tu ne trouves pas ?**

EX. 2. Remettez ces mots dans l'ordre pour retrouver des questions puis répondez-y. Le premier mot commence par une majuscule.

1. as / peur / tu / de l'échec / Est-ce que / ?
2. veux / cet été / Où / tu / aller / ?
3. a écrit / sa liste de rêves / Qui / parmi les personnes que tu connais / ?
4. tenter / Aimerais / quelque chose de risqué / tu / ?
5. vivre / sont / Quelles / tes astuces / selon tes rêves / pour / ?
6. sont / tes recettes / dépasser / tes peurs / pour / Quelles / ?

EX. 3. Complétez ces échanges en imaginant des questions à partir des réponses.

1. ● ....
   ○ J'ai commencé ce sport parce que je voulais prendre des risques et apprendre à dépasser mes peurs. Après quelques années, je suis devenue fan !
2. ● ....
   ○ Je l'ai découvert par hasard, en regardant une émission de télévision sur les sports nautiques.
3. ● ....
   ○ Il faut avoir le courage de le faire, c'est sûr, mais ça n'est pas dangereux ! On ne fait pas qu'éteindre des feux, on aide aussi les personnes en difficulté.

EX. 4. Vrai ou faux ? En petits groupes, racontez un exploit. Vos camarades posent ensuite des questions pour avoir des précisions. Ils décident enfin si votre exploit est réel ou imaginaire.

- Un jour, j'ai osé prendre le train sans billet.
- Qui était avec toi ?
- Comment as-tu expliqué ta situation au contrôleur ?

EXPRIMER LA CONDITION

EX. 5. Léonie a fait la liste de cinq choses qu'elle a osé faire dans sa vie. Par deux, dites à quelle condition vous les feriez ou pas (*sauf si* ; *à moins de* ; *à condition de*).

1. Entrer dans une salle de cinéma sans payer.
2. Dormir dans un jardin public.
3. Laisser le coiffeur choisir ma coupe et ma couleur.
4. Offrir un café à un/une inconnu/e.
5. Laisser un livre sur un banc ou dans un train.

+ d'exercices : page 179

6. AVEC DES SI, ON REFAIT LE MONDE !

A. Lisez le mur de messages des participants au stage « Ose ta vie ! ». En petits groupes, définissez des catégories et regroupez les regrets. Comparez ensuite vos propositions avec la classe.

• *Nous avons trouvé quatre catégories : famille...*

Ose ta vie !

Bertrand
« Si j'avais su, je me serais réconcilié avec mon meilleur ami. »

Brigitte
« Si je pouvais remonter le temps, j'aurais eu des enfants ! »

Carole
« Je regrette de ne pas être allée sur le Kilimandjaro. »

Samuel
« Si seulement j'avais posé plus de questions sur ma famille à mes grands-parents ! »

Antoine
« J'aurais aimé habiter dans une maison dans le sud de la France avec une piscine ! »

Philippe
« À quoi ressemblerait ma vie si j'avais déclaré ma flamme à Valérie ? Est-ce que je me serais marié avec elle ? »

Rana
« Si seulement j'avais accepté ce poste à Toulouse ! »

Jamila
« Je regrette de ne pas avoir été plus ambitieuse professionnellement. Quand j'ai eu des enfants, je n'ai plus pensé à mon travail. »

B. Complétez les exemples de la règle avec tous les messages du mur.

EXPRIMER DES REGRETS

Pour exprimer un regret, on peut utiliser l'infinitif passé, le conditionnel passé ou ***Si seulement*** + plus-que-parfait.

L'INFINITIF PASSÉ
- L'infinitif passé se forme à partir de l'infinitif ***avoir*** ou ***être*** + participe passé (qui s'accorde).
  Ex. : *Je regrette de ne pas **avoir écrit** de livre !*
- Il indique qu'il y a une antériorité de l'action par rapport au présent.

LE CONDITIONNEL PASSÉ
- Le conditionnel passé se forme à partir des verbes ***avoir*** ou ***être*** au conditionnel présent + participe passé. Il indique un reproche ou un regret. Il est souvent utilisé avec une hypothèse : ***si*** + verbe à l'imparfait, verbe au conditionnel passé.
  Ex. : .... *habiter dans une maison dans le sud de la France.*
  Ex. : .... *remonter le temps,* .... *des enfants !*

⚠ Attention : on ne dit pas « Si j'aurais su... » mais « Si j'avais su... ».

SI SEULEMENT + PLUS-QUE-PARFAIT
- Pour exprimer un regret, on peut aussi utiliser : ***Si seulement*** + plus-que-parfait.
  Ex. : ***Si seulement*** .... *ce poste à Toulouse !*

Maëlis

« Si seulement j'avais fait des études d'architecture d'intérieur ! J'aurais adoré ce métier ! »

Christiane

« J'aurais aimé avoir eu assez d'argent pour pouvoir inviter mes amis et ma famille au restaurant plus souvent. »

Emmanuelle

« Je regrette de ne pas avoir écrit de livre ! »

Liu

« J'aurais aimé avoir une voiture électrique décapotable. Si j'avais eu un meilleur salaire, j'aurais pu l'acheter. »

Cheick

« J'aurais aimé avoir eu le courage de vivre ailleurs. »

C. Écrivez un regret sur un post-it, puis affichez-le sur le mur des regrets de la classe. Ensuite, rédigez des solutions en petits groupes. Dès qu'une solution est trouvée, déchirez votre regret et jetez-le à la poubelle.

Kate : Je regrette d'avoir perdu de vue mon meilleur ami...

Solution pour le regret de Kate : Tu pourrais le contacter sur Copains d'avant ou Facebook.

Et vous ?

Pensez-vous que plus on vieillit, plus les regrets augmentent ou qu'au contraire, ils diminuent ? Pourquoi ?

EXPRIMER DES REGRETS

EX. 1. Complétez le commentaire de Chantal posté sur un blog avec les verbes suivants à l'infinitif passé.

arriver | dire | faire (x 2) | être | aller (x 2)

Plus de regrets !

Pendant longtemps, j'ai regretté de ne pas ..... ceci, d'..... cela, d'..... ou de ne pas ..... à tel évènement. Presque à chaque fois que je faisais ou ne faisais pas quelque chose, je le regrettais juste après ! Or, un jour, j'ai eu un entretien d'embauche pour le poste de mes rêves et je n'ai pas été prise. J'ai immédiatement regretté de ne pas ..... plus convaincante, de ne pas ..... ce que le recruteur voulait entendre, et surtout, d'..... en avance à l'entretien. L'année suivante, j'ai postulé au même poste, exactement de la même façon ! J'ai été choisie et j'y travaille depuis dix ans. La vie est faite de circonstances. Depuis, je n'ai plus de regrets !

Chantal A.

EX. 2. Complétez ce dialogue entre Fabian et Pierre. À votre avis, qui est plutôt téméraire et qui est plutôt peureux ?

- Pierre : Tu te souviens de nos années de fac ? On n'avait peur de rien !
- Fabian : Toi peut-être. Moi, je n'arrête pas de me dire que si j'avais osé parler à Nadia, ...
- Pierre : Oui, je me souviens de Nadia. Moi aussi, il m'arrive de penser que j'aurais pu faire plus de choses. Par exemple, si j'étais parti travailler à l'étranger, ...
- Fabian : On ne serait peut-être plus amis si tu étais parti ! Moi, si j'avais été plus courageux, ...
- Pierre : Tu penses que tu aurais osé faire ça ? Je crois qu'il ne faut pas avoir de regrets. Tu as une belle vie aujourd'hui !

EX. 3. Associez chaque verbe à une phrase, puis conjuguez-les avec *si seulement*.

1. Prendre	.... le courage de partir !
2. Oser	.... en Inde !
3. Planifier	..1.. plus de risques !
4. Raconter	.... investir dans cette entreprise !
5. Partir	.... ce projet plus à l'avance !
6. Écrire	.... la liste de mes rêves !
7. Avoir	.... l'histoire de ma famille à mes enfants !

Si seulement j'avais pris plus de risques !

EX. 4. Le magazine *Psycho* lance un forum sur son site intitulé : « Il y a dix ans, où étiez-vous ? Que regrettez-vous ? » Complétez les commentaires des internautes.

inviter | aller | apprendre | changer

1. Si seulement je .... une langue étrangère !
2. Si nous avions su, ... voir le concert de Led Zeppelin !
3. Si j'avais déclaré ma flamme à mon voisin de l'époque, il m'.... à prendre un café.
4. Si j'étais de retour en arrière, ... de travail pour être plus épanouie.

+ d'exercices : pages 179 - 180

7. UN CONSEIL : PRENDS-LE AVEC TOI !

A. Qu'est-ce que la zone de confort, à votre avis ? Discutez-en entre vous et faites des recherches, si nécessaire. Ensuite, essayez de déterminer quelle est la vôtre. Partagez-le avec la classe.

- Pour moi, la zone de confort, c'est quand je suis chez moi, avec ma famille. Quand je suis loin d'eux, je me sens perdu.

B. Lisez ce courrier des lecteurs. Quels sont leurs conseils pour sortir de sa zone de confort ? Êtes-vous d'accord avec eux ?

Que faites-vous pour sortir de votre zone de confort ?

Mathieu : « Je dois dépasser mes peurs ! » Je suis très peureux et je sors rarement de ma zone de confort. En visitant cette exposition, j'ai fait de nouvelles expériences qui m'ont permis de dépasser mes peurs, comme marcher en équilibre sur un fil virtuel au-dessus du vide, en laissant mes appréhensions de côté. La semaine suivante, j'ai sauté à l'élastique, en vrai, cette fois ! Il faut parfois un petit coup de pouce du destin pour dépasser ses peurs. Cette expo m'a beaucoup aidé. Un conseil : visitez-la !

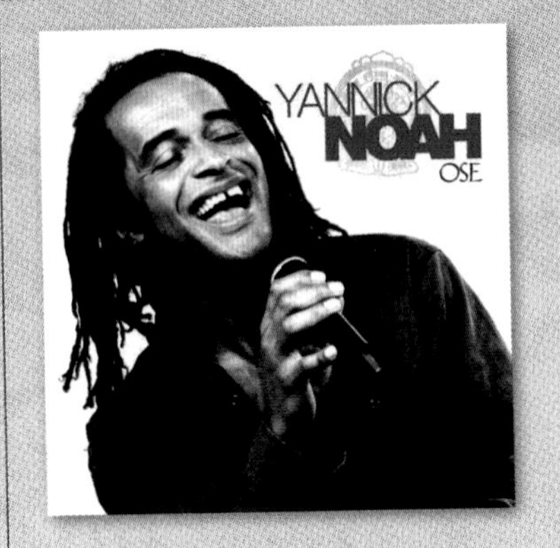

Mahendra : « La musique me donne des ailes ! »
Lorsque j'ai peur de prendre une décision, j'écoute mes chansons préférées en boucle, par exemple, « Ose », de Yannick Noah. Elle me remontent le moral et me permetttent de choisir plus facilement ! Si vous avez une chanson qui vous donne la pêche, vous devriez essayer.

Corinne : « J'ai un grigri ! »
Mon meilleur ami m'a appris à fabriquer des origamis lorsque nous étions enfants. Depuis, cet oiseau de papier est devenu mon porte-bonheur : à chaque fois que je le mets dans mon portefeuille, je fais une rencontre surprenante. Je vous conseille d'avoir en permanence un grigri sur vous pour faire de belles rencontres !

C. Complétez le tableau avec des exemples du texte.

DONNER DES CONSEILS (2)

Il y a plusieurs façons d'exprimer le conseil :

- Le **conditionnel présent** : il se forme à partir du verbe à l'infinitif et des terminaisons de l'imparfait. Pour donner un conseil, on l'utilise souvent avec les verbes modaux ***devoir***, ***falloir*** et ***pouvoir***.
  Ex. : ....
- L'**impératif** : le pronom se place après le verbe avec un tiret entre les deux. À la forme négative, il se place entre ***ne*** et le verbe, sans tiret.
  Ex. : ....
  Ex. : *Ne **le** faites pas.*
- Les **verbes de conseil** : il est également possible d'utiliser les verbes de conseil (***recommander***, ***conseiller***, ***suggérer***...).
  Ex. : ....

PISTE 13

D. Écoutez ce témoignage radio. Quels conseils donne Mahefa pour sortir de sa zone de confort ?

Et vous ?
Avez-vous un porte-bonheur, une personne ou un lieu qui vous donne du courage ?

8. UN PEU, BEAUCOUP, PASSIONNÉMENT...

PISTE 14

A. Plusieurs personnes nous racontent comment elles ont choisi de vivre. Écoutez-les et associez un mot à chaque témoignage.

prudemment ....

.... secrètement

solitairement ....

.... passionnément

généreusement ....

.... paresseusement

B. Complétez les exemples de la règle avec les adverbes ci-dessus.

LES ADVERBES EN –*MENT* (RAPPEL)

Les adverbes en **–*ment*** se forment à partir des adjectifs :

- Pour les adjectifs se terminant par une consonne au masculin, on ajoute **–*ment*** au féminin de l'adjectif.

Ex. : *secret* > *secrète* > ....

⚠ Il y a quelques exceptions :
bref > brève > br**i**èvement
gentil > gentille > gentiment

- Pour les adjectifs se terminant par les voyelles **–*é***, **–*i*** et **–*u***, on ajoute **–*ment*** à l'adjectif au masculin.

Ex. : *passionné* > ....

⚠ gai > gai**e**ment

- Pour les adjectifs se terminant par **–*ent*** ou **–*ant***, on remplace **–*ant*** par **–*amment*** et **–*ent*** par **–*emment***.

Ex. : *prudent* > ....

⚠ lent > lente**ment**

C. Comment vivez-vous votre vie ? Expliquez-le en petits groupes. Vos camarades devront vous dire quel est l'adverbe qui décrit le mieux votre façon de vivre.

- Je vois toujours le bon côté des choses, j'oublie facilement les mauvais moments et généralement je suis gai.
- Tu vis positivement !

DONNER DES CONSEILS (2)

EX. 1. Répondez à ces personnes en leur donnant des conseils.

1. J'aurais tellement aimé apprendre une langue étrangère !
   Eh bien, tu pourrais prendre des cours du soir !
2. J'ai toujours voulu visiter la Grande Muraille de Chine : ....
3. Je n'ai jamais tenté les voyages en solitaire : ....
4. J'aurais voulu emmener ma mère en voyage : ....
5. J'aurais tellement aimé apprendre le judo : ....

LES ADVERBES EN -*MENT* (RAPPEL)

EX. 2. Complétez ce dialogue avec les adverbes qui conviennent.

rapidement | tranquillement | finalement | évidemment

- Alors, est-ce que tu as osé sauter en parapente .... ?
- Ben .... ! La vie sourit aux audacieux !
- Quelle tête brûlée ! On peut dire que tu as pris ta décision .... ! Tu pratiques d'autres sports extrêmes ?
- Oui, tout le temps ! J'ai aussi fait un baptême de l'air en parapente. J'adore les sensations fortes !
- À ta place, je serais mort de peur : moi, je vis plutôt ....

EX. 3. Transformez ces adjectifs en adverbes, puis complétez les phrases.

lent | gai | secret | prudent | résolu

1. Tu sais ce que tu veux ! Tu défends tes idéaux ....
2. Elle fait les choses .... car elle dit que rien ne sert de courir mais qu'il faut partir à point.
3. Il ne sort jamais de sa zone de confort. Je trouve qu'il vit trop ....
4. Il a une vie la nuit et une autre le jour. Il essaie de tout faire ....
5. Il voit toujours les choses du bon côté. Il prend la vie ....

EX. 4. Imaginez des slogans à ces publicités en utilisant des adverbes.

+ d'exercices : pages 180 - 181

CARACTÈRES ET MODES DE VIE

1. Retrouvez le contraire de ces adjectifs dans le serpent.

prudent | courageux | audacieux | paresseux

TEMERAIRESDKJFPEUREUXZEOKDCRAINTIFOACTIF

2. Quels adverbes pourriez-vous former à partir des adjectifs de l'activité 1 ?

audacieux > audacieusement

VIVRE PLEINEMENT SA VIE

3. Complétez les présentations du forum « Une vie de rêve ! » avec les expressions suivantes.

zone de confort | aller au bout de ses rêves | le trac | les sensations fortes | l'adrénaline | rester soi-même

Raphaël : Je vis depuis que je suis né à Toulouse. J'aime bien rester dans ma .... et, pour être franc, je ne prends pas souvent de risques !

Sandrine : Comme je suis intermittente du spectacle, ma vie est faite de risques, surtout financiers ! J'aime .... et .... lorsque je monte sur scène, même si, bien entendu, j'ai parfois .... !

Julie : L'essentiel dans la vie, c'est de .... et d'.... C'est ce que j'ai fait quand j'ai choisi mon hobby : je suis traductrice et chanteuse !

4. Retrouvez les expressions qui s'utilisent avec les verbes suivants.

vivre sa vie pleinement | ses rêves | la liste de ses rêves | dans l'inconnu | sortir de sa zone de confort | des risques | de la volonté | selon ses désirs | la peur au ventre | ...

Oser : ....
Réaliser : ....
Plonger : ....
Vivre : ....
Avoir : ....
Prendre : ....

LE LEXIQUE DU RISQUE

5. Complétez la brochure ci-dessous avec les expressions suivantes en les conjuguant.

pratiquer une activité à risque | vivre les choses à fond | adorer les sensations fortes | donner des ailes | la vie sourit aux audacieux | tête brûlée

Allez-vous battre des records ?

Vous n'avez jamais .... ? Alors, tentez le tout pour le tout ! Rejoignez-nous sur le viaduc de Millau pour une expérience magique. Pas besoin d'.... ou d'être une .... ! Essayez seulement de .... pour une fois et vous verrez, ... !
....

LES PEURS ET LES REGRETS

6. Quand ressentez-vous ces sentiments ?

avoir peur | être inquiet | avoir des regrets

- *Je suis inquiète quand je dois faire une présentation au travail...*

AU FIL DE L'UNITÉ

7. Inventez l'horoscope du jour pour le signe chinois de votre voisin. Inspirez-vous de ce modèle.

Tigre Vous allez vivre une journée magique. Comme on le dit souvent : qui ne tente rien n'a rien ! Cette expression prend tout son sens aujourd'hui : vous allez passer à l'action sans avoir peur d'échouer. On peut dire que vous serez chanceux. Vous allez réaliser vos rêves les plus fous et ne devrez pas faire de sacrifices. Alors, cap ou pas cap ?

1900, 1912, 1924, 1936, 1948, 1960, 1972, 1984, 1996.

1901, 1913, 1925, 1937, 1949, 1961, 1973, 1985, 1997.

1902, 1914, 1926, 1938, 1950, 1962, 1974, 1986, 1998.

1903, 1915, 1927, 1939, 1951, 1963, 1975, 1987, 1999.

1904, 1916, 1928, 1940, 1952, 1964, 1976, 1988, 2000.

1905, 1917, 1929, 1941, 1953, 1965, 1977, 1989, 2001.

1906, 1918, 1930, 1942, 1954, 1966, 1978, 1990, 2002.

1907, 1919, 1931, 1943, 1955, 1967, 1979, 1991, 2003.

1908, 1920, 1932, 1944, 1956, 1968, 1980, 1992, 2004.

1909, 1921, 1933, 1945, 1957, 1969, 1981, 1993.

1910, 1922, 1934, 1946, 1958, 1970, 1982, 1994.

1911, 1923, 1935, 1947, 1959, 1971, 1983, 1995.

OSER VIVRE SA VIE

VIVRE DANGEREUSEMENT

- risquer sa vie
- prendre des risques
- pratiquer une activité à risque
- défendre ses idéaux
- combattre pour la liberté
- adorer les sensations fortes / l'adrénaline

OSER

- dépasser ses peurs
- avoir envie de gagner
- écrire la liste de ses rêves
- sortir de sa zone de confort
- faire des sacrifices
- réaliser ses rêves (les plus fous)
- rebondir
- faire des choix
- passer à l'action
- tenter quelque chose
- avoir le courage de faire quelque chose
- avoir de la volonté
- s'accorder le droit de faire quelque chose
- prendre du temps pour soi

AVOIR PEUR

- être paralysé par quelque chose ou quelqu'un (ça me paralyse)
- avoir de l'appréhension
- avoir peur d'échouer / de l'échec / de perdre / du regard des autres
- regretter de ne pas avoir fait quelque chose

LES CARACTÈRES ET MODES DE VIE

- voyageur(se)
- curieux(se)
- téméraire / prudent(e)
- aventurier(ère)
- courageux(se)
- audacieux(se) ≠ peureux(se)

VIVRE PASSIONNÉMENT

vivre
- les choses à fond
- sa vie pleinement
- selon ses désirs

- battre des records
- rester soi-même

LES EXPRESSIONS

- la vie sourit aux audacieux
- donner / avoir la chair de poule (ça me donne la chair de poule)
- porter chance
- être tête brûlée
- aller au bout de ses rêves
- avoir le cœur qui bat la chamade
- rien que d'y penser... !
- cap ou pas cap ?
- à vos risques et périls !
- avoir la peur au ventre
- qui ne tente / risque rien n'a rien
- donner des ailes (ça me donne des ailes)

VIVRE PRUDEMMENT

- rester dans sa zone de confort
- planifier les choses
- avoir besoin d'une sécurité (financière, matérielle, affective)

Je touche du bois !

Vendredi 13, trèfle à quatre feuilles, miroir brisé, connaissez-vous ces signes de bonheur ou de malchance ? Pas forcément, car les porte-bonheurs, grigris, amulettes et autres superstitions diffèrent d'un pays, d'une région et d'une ville à l'autre, et même, entre individus !

Petit tour du monde des croyances...

TUNISIE

Les bons présages : Les Tunisiens aiment quand le café déborde en chauffant car c'est un bon présage, tout comme les papillons de nuit, qui annoncent l'arrivée d'un invité, et les tortues, qui portent bonheur.

Les mauvais présages : En Tunisie, on n'ouvre jamais un parapluie à l'intérieur, on ne balaie pas le soir et on ne laisse pas une chaussure à l'envers, sauf si l'on veut partir en voyage.

→ *Contre le mauvais œil*, on porte une main de Fatma ou on jette du sel par-dessus son épaule.

HAÏTI

Les bons présages : Les Haïtiens pensent qu'une main gauche qui gratte est le signe d'une prochaine rentrée d'argent.

Les mauvais présages : En Haïti, on se méfie des zombies, les personnes maléfiques perdues entre le monde des vivants et celui des morts, ainsi que des chiens errants, qui seraient les membres d'une société secrète. On ne balaie pas la nuit et on craint les papillons noirs à l'intérieur d'une maison.

→ *Contre le mauvais œil*, on évite de pointer un arc-en-ciel car on pourrait perdre son doigt! ! On crache après avoir uriné.

GABON

Les bons présages : Au Gabon, le moabi porte bonheur, tout comme le fait de voir un aigle.

Les mauvais présages : Pour les Gabonais, une tortue avant la chasse est un mauvais présage, tout comme l'accouplement de deux serpents ou de deux mille-pattes, qui présagent la mort d'un proche, ou le ululement d'un hibou ou d'une chouette.

→ *Contre le mauvais œil*, on peut utiliser des fétiches à base de plumes, poudres, petits animaux séchés...

FRANCE

Les bons présages : Accrocher un fer à cheval sur la porte d'entrée ou trouver un trèfle à quatre feuilles. S'embrasser sous le gui le 1er de l'an, faire un vœu quand on voit une coccinelle s'envoler.

Les mauvais présages : En France, on n'ouvre jamais un parapluie à l'intérieur, on évite de passer sous une échelle, on ne met pas le pain à l'envers, on essaie de ne pas voir passer un chat noir de gauche à droite ou pire, de briser un miroir, car dans ce cas : « 7 ans de malheur ! ». Le vendredi 13 est pour certains signe de chance, pour d'autres, le contraire ! D'ailleurs, en France, le chiffre 13 est banni de nombreux hôtels, restaurants, et même dans les avions. En Chine, c'est le chiffre 4 qui porte malheur, et, en Italie, le 17.

→ *Contre le mauvais œil*, les Français croisent les doigts et touchent du bois !

LES SUPERSTITIONS EN VOYAGE : SONDAGE

Ils évitent le chiffre 13, portent des habits spéciaux, des grigris...

- 39% des voyageurs belges
- 23% des voyageurs français
- 20% des voyageurs suisses

9. LES CROYANCES & LES SUPERSTITIONS

A. Connaissez-vous les croyances et les superstitions de votre pays, région ou ville ? Avez-vous des croyances personnelles ? En groupes, faites une liste de superstitions.

B. Observez les photographies et lisez les documents. Connaissiez-vous ces superstitions ? Y croyez-vous ? Parlez-en entre vous.

10. LES TYPES DE CROYANCES

A. Choisissez des catégories pour classer les croyances du document. Quelle catégorie est la plus représentée ?

animaux | objets | chiffres | ...

B. Repérez les similarités et les différences entre pays.

C. Choisissez l'une de ces superstitions et préparez un court exposé pour expliquer son origine.

11. LES RITUELS PERSONNELS

A. Lisez le sondage. Êtes-vous surpris par ces résultats ? Lorsque vous voyagez, avez-vous des rituels personnels ?

B. Est-ce que les superstitions et les porte-bonheurs nous aident ou nous compliquent la vie, à votre avis ? Pourquoi ?

TÂCHE 1 UNE CLASSE DE FOU(S) !

1. Vous allez organiser une séance de coaching collectif pour vous aider à sortir de votre zone de confort et à relever des défis farfelus. En petits groupes, faites une liste commune des défis que chaque membre aimerait réaliser.

- *J'aimerais aller récolter du miel dans une ruche pour lutter contre ma peur des abeilles.*
- *...*

2. Échangez votre liste avec un autre groupe. Chaque groupe devient l'équipe de coachs de l'autre groupe.

3. Chaque groupe de coachs étudie les défis et prépare des conseils pour chacun.

4. Présentez vos techniques, trucs et astuces pour réaliser les défis. La personne concernée choisit une solution qui lui convient.

- *Je pense que les abeilles sont inoffensives.*
- *Quand tu en vois une, tu devrais essayer de fermer les yeux et de respirer calmement.*
- *Nous te recommandons de lire des articles sur l'importance des abeilles pour la planète.*

CONSEILS

- Pour choisir vos défis, pensez à tout ce qui vous fait peur ou à votre liste de rêves !
- Il ne s'agit pas de proposer des défis impossibles comme « faire le tour du monde en 10 jours » mais des défis drôles que vous pourrez relever !
- Choisissez un défi que vous pourrez réaliser pendant l'année !

TÂCHE 2 ÊTES-VOUS AUDACIEUX ?

1. Vous allez concevoir un quiz pour découvrir les plus audacieux de la classe. D'abord, choisissez des domaines dans lesquels on peut prendre des risques.

famille | amitié | santé | finance | loisirs | travail | logement | ...

2. Formez des petits groupes. Chaque petit groupe choisit un domaine et rédige deux questions associées à ce domaine. Proposez trois réponses à cocher (a. audacieux ; b. ni audacieux ni peureux ; c. peureux).

3. Au sein des groupes, écrivez vos questions sur la feuille de quiz de la classe. Lorsque toutes les questions sont écrites, rassemblez-les pour former un quiz.

4. Chaque élève répond au quiz. Comptez vos points en fonction de vos réponses (a. 2 points ; b. 1 point, c. 0 point). Ceux qui auront le plus de points seront les plus audacieux de la classe !

CONSEILS

- Prenez des exemples de personnes que vous connaissez et qui ont pris des risques.
- Pensez à la tournure écrite de vos questions.
- Pour les réponses, soyez originaux : attention à ne pas proposer uniquement les réponses « oui », « ça dépend », « non » ! Rédigez des réponses courtes.
- Pensez à vérifier s'il est possible de cocher deux réponses.
- Pour faire un quiz en ligne, vous pouvez utiliser un outil comme http://fr.ze-questionnaire.com/.

4 GÉRER SON IMAGE

+ DE RESSOURCES SUR
espacevirtuel.emdl.fr

- Des activités autocorrectives (grammaire / lexique / culture / CE / CO)
- La carte mentale de l'unité à compléter

www.blogdubuzzer.en

SUR LA ROUTE

L'IMAGE DE SOI À L'ÈRE DES RÉSEAUX SOCIAUX

Il y a de plus en plus de mèmes et de montages photos qui circulent sur les réseaux sociaux... Ça fait réfléchir sur l'image que l'on veut donner aux autres et sur le côté superficiel de nos relations virtuelles. Qu'en pensez-vous ? N'hésitez pas à réagir dans les commentaires !

ÉTUDIANT ÉTRANGER À PARIS : CE QUE LES AUTRES PENSENT QUE JE FAIS ET CE QUE JE FAIS VRAIMENT.

Ce que mes amis pensent que je fais.

Ce que mes parents pensent que je fais.

Ce que les profs de mon pays pensent que je fais.

Ce que les gens de mon pays pensent que je fais.

Ce que je pense faire.

Ce que je fais vraiment.

LA FACE CACHÉE D'INSTAGRAM

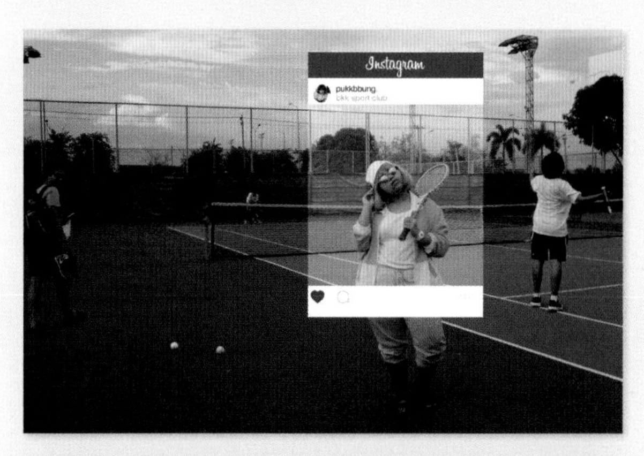

> “ On ne voit bien qu'avec le cœur. L'essentiel est invisible pour les yeux. ”

Antoine de Saint-Exupéry, écrivain français, XXe siècle

1. IMAGES VIRTUELLES

A. Regardez le mème et le montage photos. Ces images vous sont-elles familières ? À votre avis, quel est leur point commun ? Vérifiez vos hypothèses en lisant l'introduction de l'article.

B. Regardez le mème « Étudiant étranger à Paris ». Laquelle ou lesquelles de ces images correspondent à votre représentation de Paris ? Pourquoi ?

- Pour moi, la première image représente Paris parce qu'on peut voir la tour Eiffel.

C. Observez le montage photos « La face cachée d'Instagram ». Que dénonce la photographe Chompoo Baritone ? Quelle photo préférez-vous ? Pourquoi ?

D. Pensez-vous que les photos de profil publiées sur les réseaux sociaux reflètent généralement la personnalité de celui qui les publie ? Pourquoi ?

Et vous ?

Publiez-vous votre vie privée sur Internet ?
Avez-vous déjà embelli votre réalité ?

2. RÉALITÉ VIRTUELLE : LES VOYEURS VUS

A. **Savez-vous quelles informations apparaissent sur vous lorsque vous tapez votre nom dans un moteur de recherche ? Avez-vous déjà consulté votre profil Google ?**

B. **Lisez le document. Que dénonce l'article du magazine *Le Tigre* ? Par quel moyen le journaliste y parvient-il ?**

www.leblogdelphine.en

En 2009, le magazine *Le Tigre* publie le portrait d'un inconnu à partir d'informations disponibles publiquement sur les réseaux sociaux (Facebook, Flickr...). L'histoire devient un véritable buzz médiatique. Les médias s'interrogent : le journaliste pouvait-il raconter la vie d'un inconnu à partir des informations publiées par cette personne sur le Web ?

Bon anniversaire, Marc. Le 5 décembre 2008, tu fêteras tes vingt-neuf ans. Tu permets qu'on se tutoie, Marc ? Tu ne me connais pas, c'est vrai. Mais moi, je te connais très bien. C'est sur toi qu'est tombée la (mal)chance d'être le premier portrait Google du Tigre. *Une rubrique toute simple : on prend un anonyme et on raconte sa vie grâce à toutes les traces qu'il a laissées, volontairement ou non sur Internet.* [...] *Alors, Marc. Belle gueule, les cheveux mi-longs, le visage fin et de grands yeux curieux.* [...] *Tu es célibataire et hétérosexuel (Facebook). Au printemps 2008, tu as eu une histoire avec Claudia R***, qui travaille au Centre culturel franco-autrichien de Bordeaux (je ne l'ai pas retrouvée tout de suite, à cause du caractère « ü » qu'il faut écrire pour Google). En tout cas, je confirme, elle est charmante, petits seins, cheveux courts, jolies jambes. Tu nous donnes l'adresse de ses parents, boulevard V*** à Bordeaux.* [...]

↑ Extrait du *Tigre*, janvier 2009

Commentaires

Nou8. C'est évident que le journaliste ne devait pas publier ces informations. Marc les avait mises en ligne pour les partager avec sa famille et ses amis. Il ne souhaitait pas montrer sa vie à tout le monde. Mettez-vous à sa place. Imaginez-vous sur la couverture de *Paris Match* ! En plus, les commentaires du journaliste ne sont pas toujours agréables. Il parle des détails de la vie de Marc et imagine sa vie seulement à partir de photos. Ce n'est pas du tout objectif ! Je trouve que le journaliste va trop loin.

Mathoutou. Je ne suis pas d'accord avec @Nou8. Je ne crois pas que raconter la vie de Marc soit l'objectif principal de cet article. C'est Marc qui a d'abord publié toutes ces informations. Tout le monde peut y avoir accès. Bien sûr, il n'en était pas conscient, comme la plupart d'entre nous. Je crois que ce portrait Google est une bonne manière pour nous sensibiliser à la protection des données.

C. **Lisez les commentaires. Lequel des deux se rapproche le plus de votre opinion ? Pourquoi ?**

D. **À votre tour, recherchez le profil d'un camarade de votre groupe dans un moteur de recherche et présentez son identité numérique.**

Et vous ?

Êtes-vous en contact sur les réseaux sociaux avec des personnes que vous ne connaissez pas ou peu ?

3. CONNECTÉ JOUR ET NUIT

A. En groupes, faites une liste des réseaux sociaux que vous connaissez et / ou utilisez. Partagez-la avec le reste de la classe. Quels sont les plus utilisés dans la classe ?

B. Lisez les titres des profils d'utilisateurs. À votre avis, quelles sont les caractéristiques de chaque profil ? Discutez-en par petits groupes.

- *Je crois que le spammeur publie tout le temps des vidéos sur le fil d'actualité des autres.*
- *À mon avis, l'hyperconnecté répond immédiatement aux messages.*

C. Lisez les profils proposés pour vérifier vos hypothèses. Lequel d'entre eux vous ressemble le plus ? Pourquoi ?

Cinq profils types des utilisateurs de réseaux sociaux

1 L'hyperconnecté

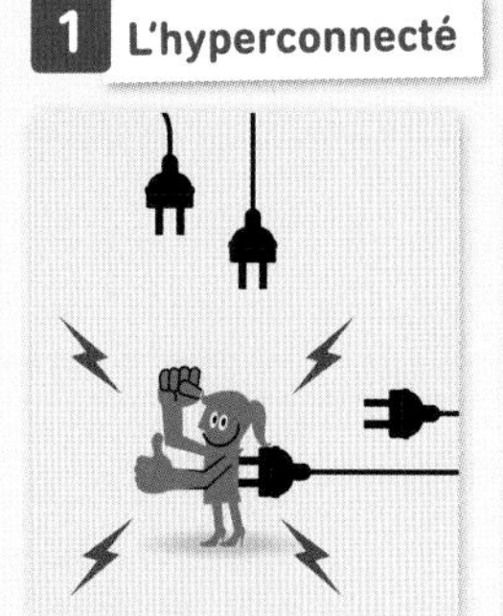

C'est la première personne à commenter vos publications, photos ou statuts. Il est connecté nuit et jour. Il a plus de 500 contacts dont des camarades de classe qu'il n'a pas vus depuis l'âge de 6 ans. Il publie peu d'informations personnelles mais il « like » tout. Il a un avis sur la plupart des sujets, même si c'est juste pour dire qu'il trouve que c'est « super cool », « chouette », « top ».

2 Le spammeur

Le bavard 2.0 passe son temps à publier des informations. Il partage tout ce qu'il trouve sur Internet : vidéos, dessins, citations, articles, blagues... Les buzz passent d'abord par lui. Ses publications représentent la majorité du contenu de votre fil d'actualité. Il change son statut environ 17 fois par jour. Vous savez à quelle heure il déjeune, avec qui il va au ciné ou ce qu'il pense dans le métro.

3 Le parano

Il remplace ses noms et prénoms par un pseudonyme que seul lui comprend. En créant son compte, il a inventé une date de naissance. Il n'a pas de photo de profil. Son statut est en permanence « hors ligne ». Il est pourtant plus connecté que la moyenne des usagers d'Internet. La preuve : il dé-tague chaque photo où il apparaît seulement quelques secondes après leur publication.

4 Le passionné

Il adore la cuisine, le développement durable ou un genre précis de musique. Il pense que cela intéresse tout le monde. Toute son activité se concentre autour de cette passion. Il ne comprend pas que ses contacts ne partagent pas les mêmes centres d'intérêt. D'ailleurs, il supprime les commentaires de ceux qui ne sont pas d'accord avec lui.

5 Le célibataire philosophe

Sur sa photo de profil, on le voit dans un décor magnifique ou dans une pause avantageuse. Son statut relationnel, « en couple » ou « célibataire », change chaque semaine. Il publie des citations d'auteurs qu'il n'a jamais lus car il croit que cela le valorise. Il arrive à retrouver en quelques clics une personne rencontrée 5 minutes lors d'une soirée.

PISTES 15 - 19

D. Écoutez ces personnes qui ont répondu à un sondage d'une émission de radio sur leurs usages des réseaux sociaux. À quel profil correspondent-ils ?

1. Fabienne ....

2. Max ....

3. Maya ....

4. Sophie ....

5. Sylvain ....

4. DONNER LA MEILLEURE IMAGE DE SOI

A. Observez les images de ces tweets. À votre avis, quel est le thème du fil de la discussion ? Discutez-en en petits groupes.

B. Lisez le fil twitter. Quelles sont les opinions et les arguments des intervenants ?

Ophélie Voisin Suivre

Salut les Twittos ! J'ai vu cette image sur le blog d'un ami ce matin. C'est un thème qui me tient à cœur. À votre avis, pourquoi avons-nous besoin de nous mettre en scène en permanence ?

23:38 - 3 Nov 2015 ♥ 6

Manon Tribote Suivre

Tu as raison @Ophélie Voisin, nous sommes toujours dans la représentation. Nous ne partageons plus assez nos émotions dans la vie réelle et nous avons besoin de le faire virtuellement.

23:40 - 3 Nov 2015 ♥ 6

Thibault H. Suivre
@

Je suis totalement d'accord avec @Manon Tribote. En voyant les selfies de mes amis, j'ai l'impression qu'ils sont toujours super heureux et je me dis que je n'ai pas une vie aussi cool.

23:46 - 3 Nov 2015 ♥ 6

Lena Frilu Suivre

Tout à fait @Manon Tribote et @Thibault H. Pour moi, le dessin d'Ophélie illustre très bien l'absurdité de tout prendre en photo. En fait, je suppose qu'on passe plus de temps à se montrer qu'à profiter des choses.

00:20 - 4 Nov 2015 ♥ 6

Paco Dupont Suivre

Pas du tout ! Je ne suis absolument pas d'accord avec vous. On peut se prendre en photo simplement pour avoir des souvenirs sans vouloir les partager avec le monde entier !

01:55 - 4 Nov 2015 ♥ 6

Mathieu Pasquier Suivre

Je suis plutôt de l'avis de @Paco Dupont. Si je publie quelque chose, ce n'est pas pour me mettre en avant. C'est juste plus rapide et sympa qu'une carte postale. Il ne faut pas être contre le progrès.

10:15 - 4 Nov 2015 ♥ 6

C. Relisez le fil Twitter et soulignez les expressions qui permettent d'exprimer son accord ou son désaccord. Puis, complétez le tableau.

EXPRIMER SON ACCORD OU SON DÉSACCORD

POUR EXPRIMER SON ACCORD, ON PEUT DIRE
Je suis entièrement de votre avis, ..., ..., ...
POUR EXPRIMER SON DÉSACCORD, ON PEUT DIRE
Pas vraiment, ..., ...

D. Participez au fil de discussion en publiant à votre tour un tweet. Respectez le format court.

5. POUR OU CONTRE ?

A. Avez-vous déjà entendu parler de l'interdiction des perches à selfies dans les musées ? Cette interdiction existe-t-elle dans des musées de votre pays ?

PISTES 20 - 22

B. Écoutez le reportage d'une émission de radio. Retrouvez les positions défendues par chacune des trois personnes.

- ☐ Elle estime que ces mesures ne sont pas utiles.
- ☐ Elle croit qu'on ne devrait pas interdire les selfies, sauf dans des cas ponctuels.
- ☐ Elle trouve que les photos des visiteurs sont une très bonne publicité.
- ☐ Elle juge qu'il faut prendre des mesures contre les abus.
- ☐ Elle pense qu'une certaine tolérance est nécessaire dans certains espaces.
- ☐ Elle considère qu'il y a d'autres priorités.

C. Complétez le tableau avec les verbes d'opinion qui apparaissent ci-dessus.

LES VERBES D'OPINION

Pour donner son opinion, on peut utiliser :
- les verbes ...., ..., ..., ... , ... , ***être sûr(e) que, être certain(e) que***
- ***trouver (ça) / considérer (ça)*** + adjectif : ***je trouve ça ridicule.***

⚠ ***Admettre*** permet d'accepter ou de reconnaître l'opinion d'autres personnes.

D. Certaines lois peuvent paraître surprenantes. Que pensez-vous des interdictions suivantes ? Connaissez-vous d'autres lois amusantes ? Présentez-les à la classe.

L'œuf en chocolat « Kinder surprise » est interdit aux États-Unis à cause de risques d'étouffements

Interdiction de mâcher un chewing-gum à Singapour sous peine d'une amende de 1000 dollars

Le dessin animé « Pokémon » interdit en Turquie suite à des accidents impliquant des enfants

Le Code civil français interdit d'appeler son cochon Napoléon

- *Je suis totalement contre l'interdiction du Kinder surprise. Je trouve que c'est ridicule.*
- ○ *Je suis d'accord avec toi. Je pense...*

EXPRIMER SON ACCORD OU SON DÉSACCORD

EX. 1. Complétez les dialogues en exprimant l'accord ou le désaccord.

1. • Je trouve que la qualité des photos avec les téléphones est meilleure qu'avec un appareil photo.
   ○ .... . Un smartphone ne remplacera jamais un reflex.
2. • Je crois que bientôt les téléphones seront remplacés par des montres.
   ○ .... , et cela existe déjà.
3. • Je pense qu'Internet nous permet de communiquer beaucoup plus qu'avant.
   ○ .... . J'ai lu une étude qui dit que nous parlons de moins en moins.
4. • Les selfies ne sont qu'une mode.
   ○ .... . Au début, c'était amusant mais maintenant, on s'en lasse.

LES VERBES D'OPINION

EX. 2. Êtes-vous d'accord avec les citations suivantes ? Expliquez votre point de vue.

« Faire simple est probablement l'objectif le plus sophistiqué du monde. »
STEVE JOBS

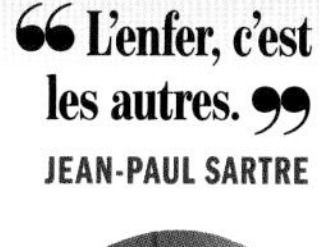

« L'enfer, c'est les autres. »
JEAN-PAUL SARTRE

« Votre marque n'est pas ce que vous en dites, mais ce que Google en dit. »
CHRIS ANDERSON

« Mieux vaut une mauvaise réputation que demeurer dans l'obscurité. »
PROVERBE PERSAN

PISTE 23

EX. 3. Écoutez et déterminez quel est le sujet du débat de chacun des dialogues. Ensuite, écrivez votre opinion sur chacun des sujets.

DIALOGUE	SUJET DU DÉBAT	MON OPINION
1.		
2.		
3.		
4.		

EX. 4. Voici des thèmes de sondages qui circulent sur les réseaux sociaux. Par petits groupes, affrontez-vous sur un de ces thèmes. Un groupe doit être pour et l'autre, contre. Vous avez trois minutes pour préparer vos arguments. Le groupe qui aura le plus d'arguments pertinents gagne.

Êtes-vous pour ou contre le « calchemise » ?

Êtes-vous pour ou contre les fléxitariens ?

...

Arguments contre le « calchemise » :
- On pense que c'est ridicule.
- On estime que ce n'est pas pratique.
- ...

+ d'exercices : page 183

6. VENDRE SA PROPRE IMAGE

A. Lisez le chapeau de ce document. Comment et pourquoi ces internautes soignent-ils leur image sur Internet ?

B. Lisez les témoignages. Quel est l'objectif que veulent atteindre chacune de ces personnes ?

Portraits

Ils sont sportifs, à la recherche d'un emploi, voyageurs ou passionnés de mode. Tous soignent leur image sur le Web pour vendre leur profil ou un projet. Comme les marques, ils ont créé un logo, un slogan, des comptes ou des pages sur les réseaux sociaux ou même des blogs. Ils nous expliquent pourquoi ils pensent que c'est le meilleur moyen d'obtenir ce qu'ils veulent.

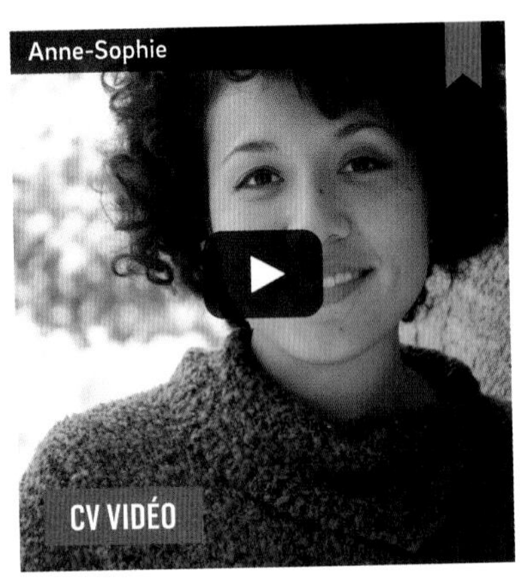

Les CV vidéos se développent chez les jeunes à la recherche d'un emploi. « Je crois que cela permet de donner une image originale aux employeurs, explique Anne-Sophie, 24 ans. Je ne trouve pas que ce soit ridicule, au contraire. Cela montre un profil créatif et dynamique.

Pour financer sa saison de compétition, Cédric, kayakiste de haut niveau, a créé un crowdfunding. « Le financement participatif permet de nous aider pour la saison. J'admets que cela prend du temps. Il faut réaliser une vidéo, se présenter, donner des news sur une page Facebook. Il faut faire ça, car malheureusement je ne pense pas que la majorité des sportifs réussisse à vivre de leur passion. »

Passionnés par la mode, la cuisine ou les motos, ces bloggeurs racontent leur vie sur le Web. « Je considère qu'il est formidable de pouvoir vivre de sa passion, estime Zoé. Grâce à mon blog, je me suis fait connaître et je souhaite devenir une référence dans le monde de la mode. C'est un vrai travail. »

Sarah réalise son rêve : grâce à son blog qui est lu par des milliers de lecteurs chaque jour, ses voyages sont sponsorisés. « D'accord, c'est un peu de la publicité mais je ne crois pas que je mente à la communauté virtuelle qui me suit sur les réseaux sociaux. Je leur raconte mes aventures et il me semble qu'ils ont l'impression de voyager avec moi. J'espère que cela me permettra de voyager toute l'année. »

C. Observez les verbes surlignés. Les verbes en bleu sont au présent de l'indicatif et les verbes en jaune sont au présent du subjonctif. Regardez les phrases dans lesquelles ils apparaissent et complétez le tableau.

DONNER SON OPINION AVEC L'INDICATIF OU LE SUBJONCTIF

- Après un verbe d'opinion utilisé à la forme affirmative, les verbes sont conjugués au présent ....
  Ex. : ....
- Après un verbe d'opinion utilisé à la forme négative, les verbes sont conjugués au présent ....
  Ex. : ....

7. CES STARS QUI FONT DE LA PUB

A. **Connaissez-vous des personnalités qui prêtent leur image à des associations ou des marques ? Qu'en pensez-vous ? Pourquoi le font-ils ? Discutez-en.**

B. **Lisez ce manifeste. À votre avis, qui l'a écrit et dans quel but ? Êtes-vous d'accord avec les idées exprimées ?**

MARRE DES STARS QUI FONT DE LA PUBLICITÉ !

À TOUTES LES MARQUES :

1 Tous ces acteurs, humoristes, sportifs qui prêtent leur image pour vos campagnes de publicité sont payés des millions ! Nous ne croyons pas qu'ils aient besoin de cet argent.

2 Nous estimons que ces personnalités ne défendent pas toujours leurs valeurs et nous n'admettons pas qu'elles s'intéressent uniquement à votre argent.

3 Nous ne trouvons pas juste que le sportif du moment vole le travail de comédiens qui en ont besoin pour vivre.

4 Nous ne pensons pas que ce soit nécessaire de dépenser des millions pour vendre un produit.

5 Nous n'admettons pas que vous nous preniez pour des idiots et que vous utilisiez nos émotions pour gagner de l'argent ! Vous jouez sur le côté affectif en choisissant les stars préférées des gens.

6 Nous considérons que nous sommes assez intelligents pour apprécier des publicités créatives sans faire appel à des personnalités.

C. **Observez dans le texte ci-dessus les verbes surlignés au présent du subjonctif. Puis, complétez la règle dans le tableau.**

LA FORMATION DU SUBJONCTIF PRÉSENT

Pour former le **subjonctif présent**, il faut conjuguer le verbe à la troisième personne du pluriel du présent de l'indicatif, enlever la terminaison (***-ent***) et ajouter les terminaisons du subjonctif présent : **- e** **- es** - .... **- ions** - .... -	Ces terminaisons correspondent à celles des verbes en ***–er*** au .... de l'indicatif, sauf pour les terminaisons des premières et deuxièmes personnes du pluriel qui correspondent à celles de .... de l'indicatif.	⚠ Attention aux verbes irréguliers comme ***avoir, être, aller, faire, pouvoir***...

D. **Imaginez que quelques marques et / ou personnalités ont rédigé un manifeste pour répondre à ces accusations. En groupes, écrivez leurs trois premières phrases.**

DONNER SON OPINION AVEC L'INDICATIF OU LE SUBJONCTIF

EX. 1. **Dans la rubrique Courrier des lecteurs, Naïma donne son opinion sur un article sur l'importance de cultiver son réseau professionnel sur Internet. Choisissez la forme qui convient.**

Je ne pense pas que votre opinion concernant les réseaux sociaux professionnels **est / soit** pertinente. Vous dites qu'ils **sont / soient** indispensables aujourd'hui pour trouver un emploi. Or, j'alimente mon profil depuis des mois et je n'ai obtenu aucun contact intéressant. Je ne crois pas qu'on **a / ait** plus d'opportunités d'être remarqués sur un réseau social professionnel que dans la vie réelle. C'est juste une impression ! Je considère qu'il **faut / faille** cultiver les rapports personnels car le contact physique est important : appeler des gens, assister à des événements de notre secteur, etc.

Naïma P., Nantes

EX. 2. **Lisez les avis de Sandra et Tom sur le fait de passer une journée sans Internet. Puis, en groupe, indiquez avec lequel des deux vous êtes le plus d'accord et pourquoi.**

SANDRA	TOM
• Internet, c'est un moyen de se détendre et de se changer les idées • c'est impossible, parce qu'on a besoin d'Internet pour organiser ses sorties, etc. • une journée entière, c'est extrême • quand tous nos proches sont loin, Internet est vital	• c'est important de ne pas être connectés en permanence • on devrait le faire au moins une fois par semaine • redécouvrir d'autres activités • cela permet de pouvoir partager plus de moments de qualité avec sa famille et ses amis • on évite de travailler en dehors des heures de bureau

EX. 3. **Si vous ne deviez emporter qu'un seul objet sur une île déserte (où il y a l'électricité), lequel de ces appareils emporteriez-vous ? Chacun justifiera son choix en indiquant les objets avec lesquels il a hésité.**

tablette | ordinateur | montre connectée | portable | google glass | appareil photo reflex

- *Je trouve qu'un téléphone, c'est comme un couteau suisse parce qu'il a plein de fonctions. J'ai hésité avec l'appareil photo, car c'est ma passion, mais je ne pense pas que ce soit le plus important si je dois survivre.*

+ d'exercices : page 184

8. DE LA VIE POLITIQUE À LA PEOPOLISATION DE LA VIE POLITIQUE

A. **Parle-t-on beaucoup de la vie privée des politiciens dans les médias de votre pays ? Si oui, comment réagissent ces politiciens ?**

B. **Lisez l'article. Qui sont les premiers politiciens à faire de la « peopolisation » ? Pourquoi le paparazzi dit que la presse en général est hypocrite ? Êtes-vous d'accord avec lui ?**

La mise en scène de la vie privée des politiques rattrapés par la peopolisation

QUESTIONS À GEORGES BRUANT, PAPARAZZI

La peopolisation est-elle un phénomène nouveau ?
Je crois qu'elle existe depuis longtemps. Cela a commencé avec le président américain Kennedy. Il invitait des paparazzis à photographier sa famille à la Maison blanche. **Ainsi**, il pouvait éviter que la presse parle de sa relation avec Marilyn Monroe. **De plus**, cela lui permettait de cacher d'autres faits de sa vie privée. L'idée est arrivée en France sous Giscard dans les années 70. On voyait le président français qui allait dîner et jouait de l'accordéon chez des Français de la classe moyenne. **En fin de compte**, tout était calculé.

Quelles sont les règles du respect de la vie privée pour les photographes de presse ?
Tout d'abord, le respect de la dignité de chacun, et **ensuite** la vérification des sources. Pour ma part, je publie des photos qui répondent à l'obligation d'informer. Mais franchement ces règles sont de moins en moins respectées...

← Kennedy et sa famille, 1962

↑ Georges Bruant

C'est-à-dire ? Pouvez-vous développer ?
D'une part, il me semble que les politiques se servent de la presse. Il y a aujourd'hui plus de chargés de communication que de journalistes. Les politiciens maîtrisent leur image. **D'autre part**, les médias répondent à une logique commerciale. Ils veulent vendre, donc ils publient les photos qui font augmenter les ventes.

En définitive, toute la presse fait aujourd'hui du people ?
Oui et je ne suis pas certain que ce soit bon signe. Ce n'est plus un genre réservé à certains titres spécialisés. Aujourd'hui, on publie et on vend. Puis, le lendemain, les journaux s'excusent dans des éditoriaux. **Bref**, c'est hypocrite.

C. **Observez les connecteurs surlignés et classez-les dans le tableau suivant.**

LES ORGANISATEURS DU DISCOURS

ÉNUMÉRATION / ADDITION	EXPLICATION	CONCLUSION, RÉSUMÉ
Premièrement *Deuxièmement*	....	....

D. **Formez des groupes. Chaque groupe choisit un organisateur du discours et cherche des phrases (sur Internet, dans des journaux ou des livres...) contenant ce mot. Ensuite, à la manière d'un cadavre exquis, assemblez vos phrases avec celles des autres groupes pour former un texte original.**

9. VOUS PERMETTEZ ?

PISTE 24

A. Vous allez écouter un extrait d'un débat. Quel est le thème de la discussion ? Quels sont les arguments des deux invitées ?

B. Associez ces extraits de l'enregistrement avec le geste qui correspond.

- Vous permettez. Je n'ai pas terminé !
- Je précise que c'est très grave.
- Je vous laisse maintenant la parole.

C. Complétez le tableau avec les expressions suivantes, extraites du débat.

- Je vous remercie de votre attention.
- S'il vous plaît, vous interviendrez après.
- Vous permettez ?
- Et vous, chers auditeurs, qu'en pensez-vous ?
- Êtes-vous d'accord avec... ?
- Nous attendons vos commentaires.
- Excusez-moi, mais...

GÉRER LES TOURS DE PAROLE

GARDER LA PAROLE		INVITER À PRENDRE LA PAROLE OU CLORE SA PRISE DE PAROLE
RÉAGIR QUAND ON EST INTERROMPUS • S'il vous plaît, je n'ai pas terminé ! • Laissez-moi finir ! • .... •	**PRENDRE OU REPRENDRE LA PAROLE** • J'ajoute que... • Je précise que... •	• Vous ne trouvez pas ? • .... • .... • .... • .... • Je vous laisse la parole... • À vous ! • Voilà !

D. Pour exprimer ces concepts, quels gestes utilisez-vous dans votre culture ?

LES ORGANISATEURS DU DISCOURS

EX. 1. Choisissez le mot qui convient dans chacune de ces phrases extraites d'un débat sur le respect de la vie privée des personnes publiques.

1. Les scandales font vendre. **Ainsi / En fin de compte**, la presse publie des photos volées.
2. D'une part, la vie privée des politiciens n'est pas une affaire publique. **Ainsi / D'autre part**, elle n'apporte rien au débat politique.
3. Détournement de fonds, comptes en Suisse, amants... **Bref / Ainsi** chaque semaine, c'est un nouveau scandale.
4. Ce sont des personnes comme les autres qui ont le droit à une vie privée. **Ainsi / De plus**, les informations publiées ne proviennent pas de sources fiables.

EX. 2. Vous écrivez à un journal d'information pour critiquer leurs articles politiques de plus en plus « people ». Pensez à organiser votre discours.

GÉRER LES TOURS DE PAROLE

EX. 3. Qu'expriment ces personnes ?

1. Voilà
2. Premièrement
3. À mon avis...
4. D'une part
5. D'autre part...
6. Deuxièmement

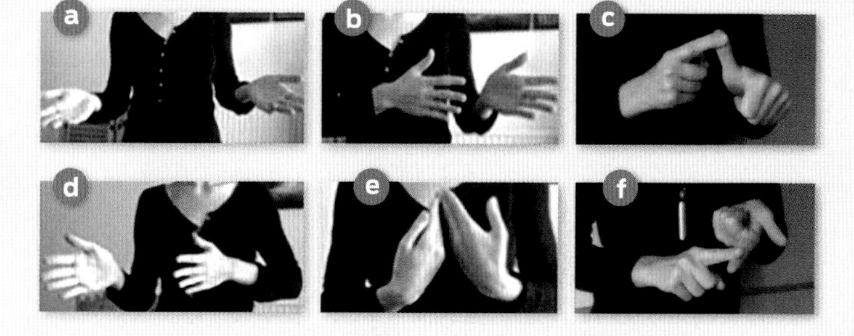

EX. 4. Lisez à l'un de vos voisins un de ces textes, sans gestes, avec les mains dans le dos. Ensuite, choisissez un de ces deux textes et « lisez-le » seulement avec la gestuelle. Votre camarade devra alors deviner quel texte vous mimez.

> Bienvenue à tous. Aujourd'hui, nous parlerons de deux sujets pendant cette réunion. D'abord, nous nous intéresserons au chiffre d'affaires de cette semaine. Puis, nous continuerons avec les nouveautés à venir. Enfin, je vous laisserai la parole pour vos questions.

> Vous permettez ? Je n'ai pas fini de parler. Je disais donc qu'il est fondamental d'adapter la loi. Je préciserai même que nous devons le faire au plus vite. À mon avis, le gouvernement tardera à travailler sur cette thématique.

+ d'exercices : page 185

CE QU'ON FAIT SUR INTERNET

1. A. Associez les noms et les verbes pour former le plus d'expressions possibles. Chaque mot peut être utilisé plusieurs fois.

créer | liker | s'inscrire | bloquer | taguer | ajouter | télécharger | se déconnecter | suivre | publier | envoyer

Facebook | une photo | une vidéo | un profil | une application | Skype | un compte | un blog | un logiciel | un commentaire | un message

Créer un profil, liker une photo, ...

....

....

....

1. B. Qu'est-ce que vous faites ou ne faites pas sur Internet ? Sur quels réseaux sociaux ou sites Internet ? Utilisez les expressions ci-dessus. Vous pouvez aussi en utiliser d'autres.

- *Moi, je ne tague jamais les personnes sur les photos car certains n'apprécient pas.*

1. C. Décrivez un réseau social que vous aimez bien et expliquez ce qu'il permet de faire, comment vous l'utilisez, etc.

- *J'aime bien Pinterest parce qu'on peut partager des photos et les organiser par thèmes comme si s'était un tableau.*

L'IMAGE DE SOI

2. Complétez ces mini-dialogues en conjuguant les expressions suivantes.

montrer la meilleure image de soi | retoucher les photos | se mettre en avant | se montrer | se mettre en scène

1.
- Il fait tout pour qu'on parle de lui et pour apparaître sur tous les médias.
- Ah oui ! Tu as vu le clip où il fait semblant d'être saoul ? Mais en fait, il ….

2.
- Jonathan n'arrête pas de mettre des photos de lui sur Facebook !
- Oui, il change sa photo de profil tous les jours. Il aime ….

3.
- Regarde, il a changé les couleurs pour avoir meilleur mine et m'a éliminé, j'étais à côté de lui !
- Ahahah... Oui, il adore ….

4.
- Aurélie sélectionne toujours les photos où elle apparaît sous son meilleur jour.
- Oui, elle …., mais quand tu la vois en vrai, elle n'est pas si jolie.

5.
- Tu as vu le CV vidéo de Mattéo ?
- Ah oui, il est génial, il sait vraiment ….

LES ANGLICISMES

3. Retrouvez les mots récemment entrés dans les dictionnaires Larousse et Robert à partir de leur définition.

1. Autoportrait photographique, généralement réalisé avec un téléphone intelligent et destiné à être publié sur les réseaux sociaux, également dit « égoportrait », selon la traduction canadienne : **S**….
2. Rechercher des informations sur Internet en utilisant le moteur de recherche Google : **G**….
3. Rumeur, retentissement médiatique, notamment autour de ce qui est perçu comme étant à la pointe de la mode : **B**….
4. Communication informelle entre plusieurs personnes sur le réseau Internet, par échange de messages affichés sur leurs écrans : **T**….
5. Abréviation de l'anglais World Wide Web signifiant toile d'araignée mondiale : **W**….
6. Personnage virtuel que l'utilisateur d'un ordinateur choisit pour le représenter graphiquement, dans un jeu électronique ou dans un lieu virtuel de rencontre : **A**….

4. Certains anglicismes utilisés en France sont francisés au Québec et vice versa. Cochez la case qui convient.

	FRANCE	QUÉBEC
un spam		
un pourriel		
un cell		
un téléphone portable		
un chat		
un clavardage		
un courriel		
un email		

LES RÉSEAUX SOCIAUX

- un pseudonyme (un pseudo)
- un fil d'actualité
- un statut
- un chat = une discussion instantanée
- un profil
- un contact
- un follower
- un avatar
- un compte
- un tweet
- un message
- un buzz
- un spam
- un mème

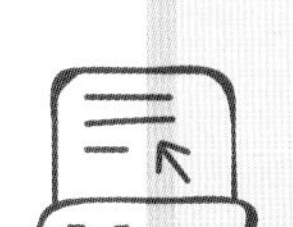

CE QU'ON FAIT SUR INTERNET

- créer un compte / un profil / un blog / un groupe / un logo
- publier une photo / un commentaire / un post / une vidéo
- partager des photos / un lien / un centre d'intérêt / des informations
- commenter un post / une photo / un article
- tchatter avec quelqu'un
- consulter une page / un profil
- mettre à jour / actualiser son statut
- être en ligne / hors ligne / connecté(e)
- se connecter ≠ se déconnecter
- télécharger une vidéo / une application
- s'inscrire à un événement
- suivre un blog / une page
- garder contact avec ses amis / son réseau professionnel
- (re)chercher une information
- faire circuler / diffuser une information

RÉSEAUX SOCIAUX

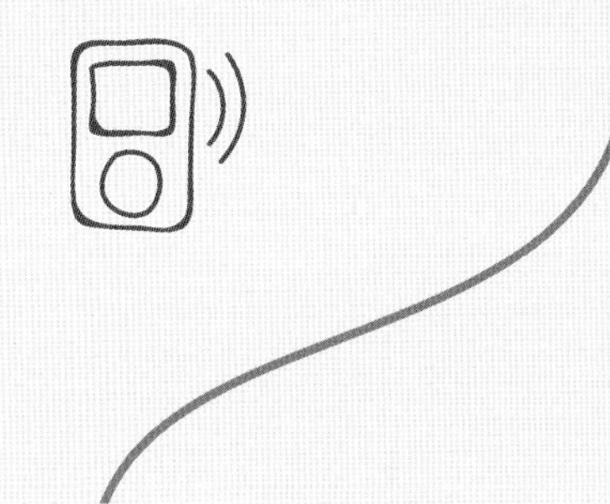

VIE PRIVÉE, VIE PUBLIQUE

- retrouver / rechercher quelqu'un sur Internet
- googliser une personne
- dévoiler / raconter / publier la vie privée des autres
- protéger ses données / son identité
- le droit à l'image / à l'oubli
- détourner une image à des fins commerciales
- bloquer un contact
- supprimer des commentaires
- s'inscrire sur / se désinscrire d'un réseau social

L'IMAGE DE SOI

- se mettre en scène / en avant
- montrer la meilleure image de soi
- embellir son image
- retoucher une photo
- soigner / prêter / maîtriser son image
- se montrer

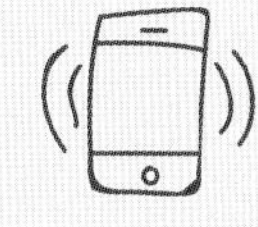

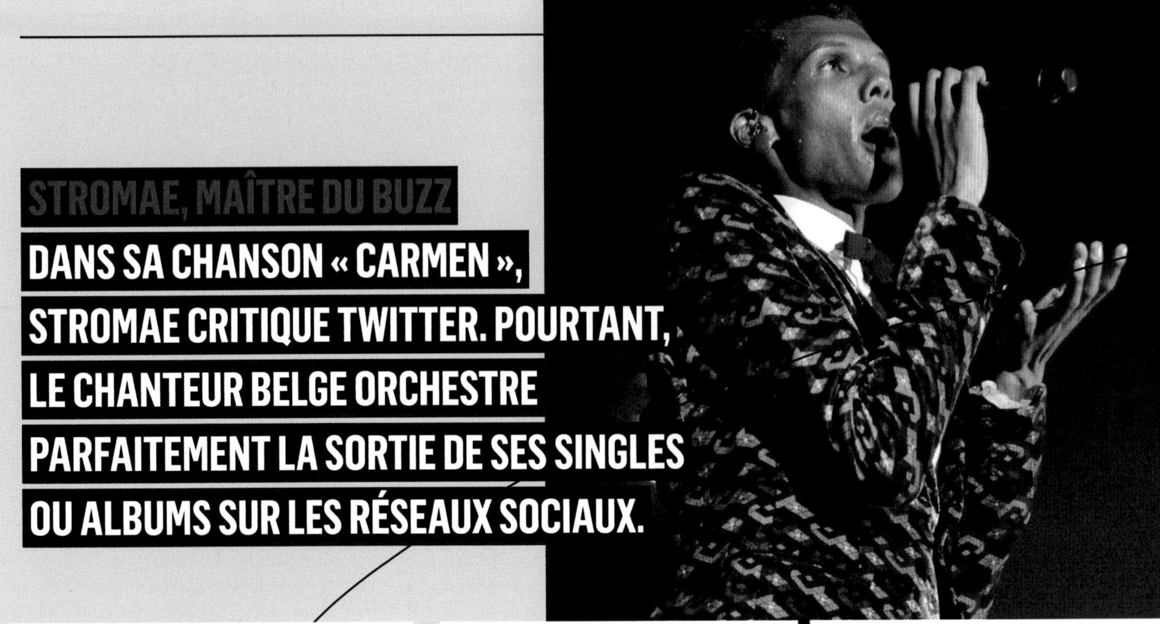

STROMAE, MAÎTRE DU BUZZ

DANS SA CHANSON « CARMEN », STROMAE CRITIQUE TWITTER. POURTANT, LE CHANTEUR BELGE ORCHESTRE PARFAITEMENT LA SORTIE DE SES SINGLES OU ALBUMS SUR LES RÉSEAUX SOCIAUX.

STROMAE : LE MAESTRO DE L'IMAGE ET DE LA COMMUNICATION

Paul Van Haver est devenu Stromae, un succès planétaire, en partie grâce à une véritable stratégie de communication. Son premier titre, *Alors on danse*, a été diffusé sur les radios du monde entier. Mais le chanteur belge Stromae ne s'est pas arrêté à ce premier succès. Pour la sortie de la chanson *Formidable*, le chanteur n'a pas hésité à mettre sa réputation en danger. Il a tourné un clip en caméra cachée dans les rues de Bruxelles simulant son ivresse au petit matin. Dans ce clip, Stromae parle aux passants ou s'assoit sur la voie publique sous les caméras des téléphones des riverains. Des vidéos d'amateurs ont circulé le même jour sur les réseaux sociaux. On se demandait si le chanteur avait des problèmes avec l'alcool. Quelques jours plus tard, c'est sur le plateau d'une émission télé qu'il semblait une nouvelle fois avoir trop bu. Image, communication : tout est en fait minutieusement calculé. Le clip de sa chanson *Formidable* sort enfin. On compare alors Stromae à Jacques Brel pour sa capacité à raconter des histoires.

Puis, il y a eu sa remarquable prestation lors de la sortie de la chanson *Tous les mêmes*. Le chanteur parle de la relation entre un homme et une femme. Pour le clip, Stromae devient mi-homme, mi-femme. Son maquillage, sa gestuelle, ses vêtements, sa coiffure : tout est préparé pour renforcer le contraste entre les deux personnages qu'il joue. Sur le plateau d'une émission télévisée, le chanteur a proposé une interview entre ses deux moitiés. La presse et les réseaux sociaux ont salué cette prestation.

« CARMEN » : UNE CRITIQUE DE TWITTER

Dans le clip de *Carmen*, réalisé par Sylvain Chomet, l'auteur du dessin animé les *Triplettes de Belleville*, Stromae nourrit un oiseau bleu avec ses followers. Les paroles anti-Twitter de Stromae peuvent étonner, surtout lorsqu'elles s'adressent à un public connecté autant que lui. Il est difficile de croire à la critique du culte de la personnalité sur les réseaux sociaux de la part de celui qui les utilise avec talent. D'ailleurs, ce clip de *Carmen*, a été envoyé en avant-première à la plateforme américaine Buzzfeed et diffusé grâce à Facebook. Stromae et son équipe ont même créé une page Instagram pour publier de faux selfies dessinés également par Sylvain Chomet. Stromae dit ne pas juger ces comportements mais les dénoncer. Il est vrai que le chanteur fait la différence entre la vie privée de Paul Van Haver, sur laquelle il reste discret, et la vie publique de Stromae, star 2.0.

CARMEN

L'amour est comme l'oiseau de Twitter
On est bleu de lui seulement pour 48 heures
D'abord on s'affilie, ensuite on se follow
On en devient fêlé, et on finit solo

Prends garde à toi et à tous ceux qui vous like
Les sourires en plastique sont souvent des coups d'hashtag
Prends garde à toi ! Ah les amis, les potes ou les followers ?
Vous faites erreur vous avez juste la côte

[Refrain]
Prends garde à toi si tu t'aimes
Garde à moi si je m'aime
Garde à nous garde à eux
Garde à vous et puis chacun pour soi

Et c'est comme ça qu'on s'aime s'aime...
Comme ça consomme somme...
(x 4)

L'amour est enfant de la consommation
Il voudra toujours toujours toujours plus de choix
Voulez voulez-vous des sentiments tombés du camion
L'offre et la demande pour unique et seule loi

Prends garde à toi ! Mais j'en connais déjà les dangers moi
J'ai gardé mon ticket et s'il le faut j'vais l'échanger moi
Prends garde à toi ! Et s'il le faut j'irai me venger moi
Cet oiseau de malheur je l'mets en cage, j'le fais chanter moi

[Refrain]
Prends garde à toi si tu t'aimes
Garde à moi si je m'aime
Garde à nous garde à eux
Garde à vous et puis chacun pour soi

Et c'est comme ça qu'on s'aime s'aime...
Comme ça consomme somme...
(x 4)

Un jour t'achètes, un jour tu aimes
Un jour tu jettes, mais un jour tu payes
Un jour tu verras on s'aimera
Mais avant on crèvera tous comme des rats

10. « CARMEN » ET LES RÉSEAUX SOCIAUX

A. **Regardez une première fois le clip *Carmen* de Stromae sans le son et racontez la vidéo. À votre avis, que dénonce cette chanson ?**

B. **Lisez maintenant les paroles de la chanson. Correspondent-elles à vos hypothèses ?**

C. **En petits groupes, résumez l'idée exprimée dans chaque couplet par une phrase. Puis partagez avec le reste de la classe.**

- Dans le premier couplet, il transmet l'idée que les relations sur Twitter sont brèves, comme les relations sentimentales.

D. **Repérez dans les paroles les mots ou expressions qui ont un rapport avec Twitter ou les réseaux sociaux.**

11. L'IMAGE STROMAE

A. **Lisez la première partie de l'article intitulée « Stromae : le maestro de l'image et de la communication ». Quelles stratégies utilise Stromae dans ses différents clips pour faire parler de lui ?**

B. **Lisez le reste de l'article. Quelle ambiguïté maintient Stromae à travers son usage des réseaux sociaux ?**

12. DES ARTISTES QUI FONT PARLER D'EUX

A. **Connaissez-vous des artistes qui maîtrisent leur image aussi bien que Stromae ? Comment le font-ils ?**

B. **En groupes, choisissez une des chansons de Stromae mentionnées dans l'article. Regardez le clip puis présentez-le à la classe.**

TÂCHES FINALES

TÂCHE 1 JEU DES SIX CASQUETTES !

1. En classe, vous allez organiser un débat. D'abord, mettez-vous d'accord sur le sujet.

- Doit-on être payé pour tenir un blog ?
- Faut-il tout dévoiler de la vie des politiciens ?
- Faut-il interdire certaines photos sur Facebook ?
- ...

2. En groupes, préparez des arguments pour et contre.

3. Jouez le débat et filmez-le. Chaque fois que vous souhaitez intervenir, portez la casquette qui correspond à ce que vous avez envie d'exprimer.

4. Regardez la vidéo pour auto-évaluer vos prestations.

CASQUETTE BLEUE : l'organisation. Il anime le débat en présentant le thème et en donnant la parole à chacun.

CASQUETTE BLANCHE : la neutralité. Il doit donner des informations objectives (chiffres ou faits).

CASQUETTE ROUGE : la passion. Il doit justifier ce qu'il affirme avec beaucoup d'émotions.

CASQUETTE NOIRE : la prudence. Il est très critique. Il souligne toujours les risques et les dangers potentiels d'une idée.

CASQUETTE JAUNE : l'optimisme. Il apporte des arguments constructifs et aide les autres à développer leurs idées.

CASQUETTE VERTE : la créativité. Il propose des idées neuves et recherche des solutions alternatives.

CONSEILS

- Avant de commencer le débat, vous devez choisir un ou deux modérateurs (casquette bleue), qui jouent ce rôle pendant tout le débat.
- N'hésitez pas à exagérer votre prestation.
- Si vous n'avez pas de casquette, utilisez des foulards ou des petits papiers de couleur.
- Mettez-vous d'accord sur les critères d'auto-évaluation.

TÂCHE 2 PUBLIEZ UN MANIFESTE !

1. Vous en avez marre de certains comportements sur les réseaux sociaux. En groupes, faites une liste de ce qui vous énerve.

- Les photos de petits chats.
- Les gens qui partagent des photos de tout ce qu'ils mangent.
- Les gens qui font des déclarations d'amour publiques.

2. Vous allez écrire un manifeste pour critiquer ces attitudes. Mettez-vous d'accord sur un thème.

- *Je crois qu'on pourrait rédiger un manifeste contre les gens qui partagent tout ce qu'ils mangent sur les réseaux sociaux.*

3. Rédigez votre manifeste en plusieurs paragraphes courts et publiez-le en ligne.

4. Lisez les autres manifestes et likez celui que vous préférez. Quel est le manifeste qui a eu le plus de succès ?

Contre les "Je me régale !"

1. D'abord, nous pensons que cela n'intéresse personne de savoir ce que vous mangez.
2. Ensuite, nous trouvons que ce que vous préparez n'a pas l'air bon.
3. De plus, nous ne croyons pas que ce soit vous l'auteur du plat.

...

CONSEILS

- Pensez à des gens que vous avez en contact sur les réseaux sociaux et dont le comportement vous énerve.
- N'hésitez pas à faire de l'humour dans la rédaction de votre manifeste.
- Soyez créatifs en illustrant votre manifeste.

DOSSIER CULTUREL

STRASBOURG

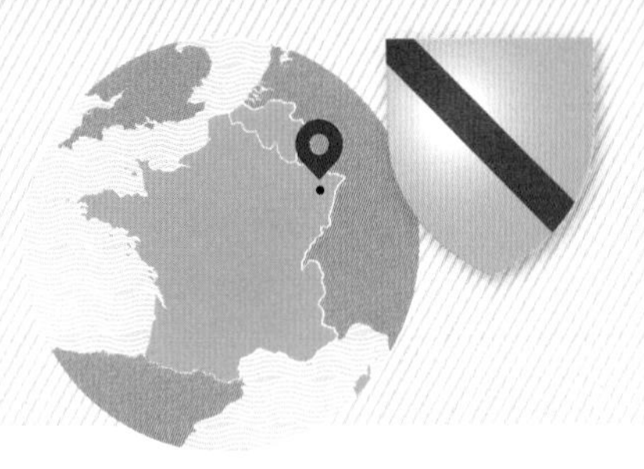

Le Parlement européen

Géographie
La ville de Strasbourg se situe à l'est de la France, au bord du Rhin, à la frontière de l'Allemagne et au cœur de l'Europe.

Spécialités culinaires
La choucroute, le baeckeoffe et la flammekueche (tarte flambée), le vin blanc et le schnaps après le repas, le Munster, (fromage très odorant), le fameux kouglof (un dessert).

Strasbourg, c'est...
Une ville-frontière de 280 000 habitants (450 000 avec la banlieue).
Un grand port sur le Rhin.
Une ville passionnante, jeune et dynamique : un Alsacien sur trois a moins de 25 ans.
Un centre politique de première importance.

La langue
Les Strasbourgeois parlent français et beaucoup d'entre eux parlent aussi l'alsacien.

Expressions alsaciennes
« prendre une schluck » (= prendre un verre, un pot)
« manger un schtuck » (= manger un morceau)
« être schlass » (= être fatigué)
« un schmutz » (= un bisou)
Et si vous dites « Merci », on vous répond « Service ».

Une capitale européenne

Strasbourg occupe une place stratégique au cœur de l'Europe. Elle est située au bord du Rhin, à la frontière avec l'Allemagne et les principales villes d'Europe : Paris, Genève, Milan, Prague, Francfort, Bruxelles, Amsterdam... sont à moins de 600 km.

Après la deuxième guerre mondiale, la ville devient le symbole de la réconciliation franco-allemande. C'est pour cette raison qu'elle a été choisie comme siège du Conseil de l'Europe puis comme siège officiel du Parlement européen. C'est aussi le siège de la Cour européenne des Droits de l'homme.

La cathédrale de Strasbourg

Le kouglof

La cathédrale, symbole de la ville

La ville a plus de 2 000 ans. Le centre ville (la Grande Île) est un quartier presque entièrement médiéval inscrit au Patrimoine mondial de l'UNESCO. De tous côtés, on peut voir l'extraordinaire cathédrale gothique en grès rouge, qui a fêté ses 1 000 ans en 2015. À l'intérieur de la cathédrale, l'horloge astronomique qui date de 1842 est très célèbre : chaque jour à midi et demie, des centaines de visiteurs viennent pour voir les douze apôtres passer l'un après l'autre devant le Christ. Au passage des 4e, 8e et 12e apôtres, un coq chante en battant des ailes.

Un quartier unique, la Petite France

C'est un quartier plein de charme, avec ses canaux, ses vieilles rues pavées et ses maisons à colombages comme, par exemple, la maison Kammerzell, bâtie au XVe siècle. Au sud, trois ponts couverts du XIIIe siècle traversent l'Île.

Les ponts couverts

Le quartier médieval

Le marché de Noël, une véritable institution

C'est le plus ancien marché de Noël de France puisqu'il date de 1570. Il dure presque tout le mois de décembre. Chaque année, ses 300 chalets attirent plus de deux millions de personnes. On boit du vin chaud, qui sent bon les épices, et on se régale avec les spécialités alsaciennes : saucisses, tartes, bredles (petits gâteaux spécialement confectionnés à cette occasion), pain d'épices...

Des Strasbourgeois célèbres

Gustave Doré est célèbre pour avoir illustré au XIXe siècle les œuvres de Dante, Perrault, La Fontaine et Victor Hugo.

Thierry Mugler, grand couturier et grand créateur de parfums, est également photographe, réalisateur de films, de clips vidéo, de spectacles de music-hall... Un point commun à toutes ses activités : sa fascination pour la femme fatale.

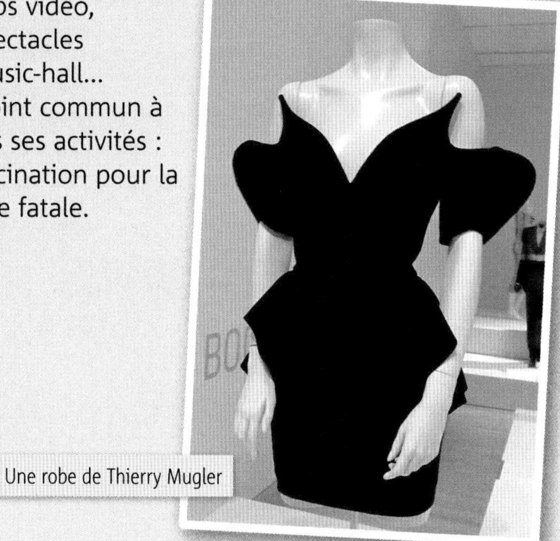
Une robe de Thierry Mugler

Une illustration de Gustave Doré dans le Petit Chaperon Rouge

Strasbourg, c'est aussi...

- **La Laiterie, une ancienne brasserie transformée en salle de concert**
  Pour écouter de la bonne musique, surtout du rock.
- **La piste cyclable franco-allemande**
  Pour faire du sport et découvrir une vingtaine de forts.
- **l'École nationale d'administration**
  Pour savoir où se sont formés une grande partie des hommes politiques français.

TUNIS

Géographie

Tunis est la capitale de la Tunisie depuis 1159. Située au nord-est du pays et construite sur un ensemble de collines, elle descend vers le lac de Tunis, et au-delà, vers la Méditerranée.

Spécialités culinaires

La brik (sorte de crêpe), le tajine tunisien (sorte de quiche fourrée de viande, de légumes, de fromage et d'œufs), la boukha (alcool de figues).

Tunis, c'est...

Plus d'un million d'habitants et 2,5 millions d'habitants pour le « grand Tunis ».
20 000 Français.
Près de 30 000 étudiants dont une majorité de filles.
Une ville à la fois ancienne et ultra moderne.

La langue

La langue des Tunisiens est l'arabe mais la plupart des gens, en particulier à Tunis, comprennent et parlent le français, qu'ils étudient dès l'enfance.

Expressions tunisiennes

« une gazelle » (= une jolie fille)
« un kiosque » (= une station service)
« donner un backchich » (= un pourboire ou un pot-de-vin)

La médina de Tunis

La médina

C'est le cœur historique de la ville. Fondée en 698 autour de la plus ancienne mosquée de Tunis, la Zeitouna, elle compte aujourd'hui plus de 120 000 habitants. C'est un entrelacs de ruelles dans lesquelles le non-initié risque bien de s'égarer. On y trouve des mosquées, des palais richement décorés entourés de jardins, des maisons d'habitation et aussi des souks (marchés traditionnels arabes).

L'avenue Habib Bourguiba

La brik

L'avenue Habib Bourguiba

Ce sont les Champs-Élysées de Tunis. Cette magnifique avenue de plus d'un kilomètre est le centre même de la ville : centre économique avec ses nombreux magasins et hôtels de luxe ; centre culturel avec son théâtre Art Nouveau et ses immeubles à l'italienne du XIXe siècle ; centre politique aussi.

Le grand Tunis

Dans la banlieue nord de Tunis, il y a de très beaux sites. Un joli petit train, le TGM, mène Tunisois et touristes de Tunis à La Marsa en passant par La Goulette, Sidi BouSaïd et Carthage.

La Goulette se développe à partir du XIXe siècle ; elle a été longtemps le symbole de la coexistence des communautés juive, italienne et arabe. Aujourd'hui, c'est toujours une ville où il fait bon vivre. L'été, on y vient pour ses restaurants de poissons et de fruits de mer et pour sa longue plage où se mêlent joyeusement Tunisois et touristes.

Sidi Bou Saïd est un village d'une beauté légendaire : maisons d'un blanc éclatant, volets et portes bleues, ruelles silencieuses, fréquenté dès le XIXe siècle par des artistes du monde entier dont Chateaubriand et Flaubert. Encore aujourd'hui, de très nombreux artistes, tunisiens et étrangers, y habitent.

La ville de **Carthage**, fondée au IXe siècle avant J.-C. par les Phéniciens et connue pour avoir engagé trois guerres contre les Romains, possède encore de nombreux sites archéologiques. C'est aujourd'hui une banlieue chic de Tunis. C'est ici que se trouvent le Palais présidentiel et plusieurs ambassades.

Les ruines de Carthage

La plage de La Goulette

Le village de Sidi Bou Saïd

Une mosaïque dans le musée du Bardo

Le musée du Bardo

Ce musée, installé dans un palais magnifique, est mondialement connu pour ses mosaïques et ses statues romaines, mais il abrite aussi beaucoup d'autres œuvres d'art de l'Antiquité et du monde islamique, telles que le *Coran bleu de Kairouan* qui date du IXe siècle.

Le festival de Carthage

Ce festival a lieu chaque été dans le théâtre antique de Carthage. C'est avant tout un festival des musiques du monde dont la programmation est exceptionnellement riche mais il propose aussi des pièces de théâtre ou des ballets venus de tous les horizons.

Le théâtre ancien

Tunis, c'est aussi...

- **Les palais Dar Ben Abdallah et Dar Hussein**
  Pour se plonger dans le XVIIIe siècle.
- **Le café des Nattes, à Sidi Bou Saïd**
  Pour boire un thé à la menthe.
- **Le mur de 130 mètres décoré par les taggeurs de « Au-delà des murs »**
  Pour découvrir le *street art* à la tunisienne.
  Pour faire ses courses le dimanche matin.

NOUVELLE-CALÉDONIE

Géographie

La Nouvelle-Calédonie est un ensemble d'îles situé en plein cœur du Pacifique sud, à 17 000 kilomètres de la France. Elle fait partie des pays et territoires français d'outre-mer. Les îles les plus importantes sont Grande Terre où se trouve Nouméa, la capitale, et l'ensemble des îles Loyauté.

Spécialités culinaires

Le bougna : viande ou poisson arrosés de lait de noix de coco accompagnés de légumes (ignames, taros, tomates, patates douces), le tout enveloppé dans des feuilles de bananier et cuit dans un four de pierres chaudes, dans la terre.

La Nouvelle-Calédonie, c'est...

Une population de 270 000 habitants, très métissée : Kanaks, Européens, Asiatiques...
Une capitale, Nouméa, où vit plus de la moitié de la population.
Le plus grand et le plus beau lagon du monde, entouré de sa barrière de corail.
Une ancienne prison pour les déportés.

Expressions de Nouvelle-Calédonie

« Il est fin beau » (= très beau)
« Il est fin colère » (= très en colère)
« Il est bon à peau » (= bon à rien)
« Casse pas la tête » (= ne t'inquiète pas, ne t'en fais pas)
« Tata ! » (= au revoir)
« C'est choc ! » (= c'est super !)

Jean-Marie Tjibaou (graffiti)

Une histoire très mouvementée

La Nouvelle-Calédonie a été colonisée par la France en 1853 qui y installe une prison pour des criminels de droit commun mais aussi pour des exilés politiques. Beaucoup d'entre eux ont ensuite choisi de rester sur l'île pour s'occuper des terres appartenant aux autochtones (les Kanaks).

À partir des années 1970-80, un mouvement pour l'indépendance est né. Depuis 2004, elle a le statut de Pays d'outre-mer (POM), ce qui lui donne une plus large autonomie.

Le centre culturel Jean-Marie Tjibaou

Le centre culturel Jean-Marie Tjibaou

Pour construire son centre culturel dans les environs de Nouméa, Renzo Piano, qui a réalisé aussi le centre Pompidou à Paris, s'est inspiré de l'architecture des cases traditionnelles kanakes et a utilisé du bois calédonien et de l'acier. Ce centre porte le nom de Jean-Marie Tjibaou, figure emblématique du mouvement indépendantiste kanak, assassiné en 1989. C'est à la fois un musée, une médiathèque, une salle de spectacle et un centre de conférences qui permet de mieux faire connaître la richesse de la culture kanake et, au delà, de favoriser le dialogue interculturel.

Des paysages très variés

Grande Terre (la plus grande île de la Nouvelle-Calédonie) a des paysages très variés : les côtes, bien sûr, mais aussi la montagne qui la traverse de bout en bout. Sur la côte ouest, c'est la brousse où pousse le niaouli, un arbre typique de cette région. À l'est, la côte est plus escarpée et plus sauvage. Au sud, le rouge de la terre, le bleu du lagon et le vert des forêts forment un paysage d'une beauté étonnante. Tout autour de Grande Terre, les récifs de corail sont classés au Patrimoine de l'UNESCO. Au Sud-est, la célèbre île des Pins est une île corallienne d'une beauté paradisiaque.

Une biodiversité extraordinaire

La biodiversité de la Nouvelle-Calédonie est exceptionnelle. Sa flore est unique au monde car elle n'a pas changé ou presque depuis le temps des dinosaures. Ce patrimoine végétal est précieux pour tous les chercheurs. On rencontre aussi certains animaux qui n'existent pas ailleurs, comme par exemple la roussette. L'animal emblématique est le cagou.

La roussette

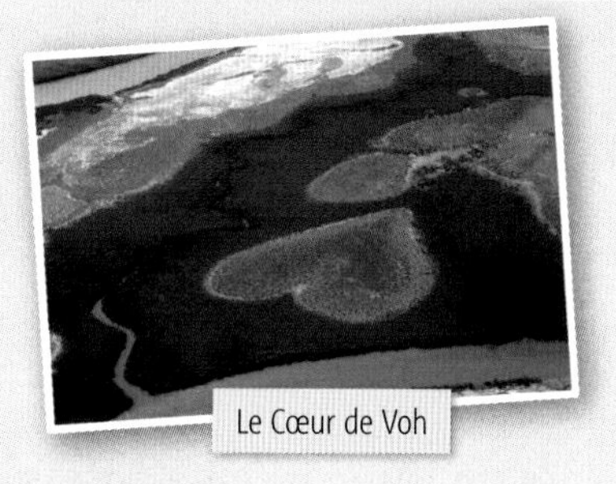
Le Cœur de Voh

L'île des Pins vue du ciel

Le cagou

La population

Les **Kanaks** sont les premiers habitants de Nouvelle-Calédonie. Ils ont conservé en grande partie leur mode de vie et leurs traditions, surtout dans les îles Loyauté. Ils sont organisés en clans regroupés en tribus.

Les **Caldoches** sont les Européens « historiques », descendants des déportés du XIXe siècle. Ceux que les Kanaks surnomment les **«Zoreilles»** (ou les **«Métros»**) sont les expatriés venus de métropole pour travailler en Nouvelle-Calédonie.

Des femmes kanakes

La grande richesse du pays, le nickel

La Nouvelle-Calédonie a une croissance un peu supérieure à celle de la métropole en raison de la richesse de son sous-sol et, en particulier, grâce au nickel qui représente 30 % des ressources mondiales. Le nickel représente 90 % des exportations calédoniennes. Cependant, l'extraction intensive de ce métal a des conséquences graves pour l'environnement.

L'usine de Doniambo à Nouméa

La Nouvelle-Calédonie, c'est aussi...

- **L'île des Pins**
  Pour observer les poissons et coraux dans une piscine naturelle sur l'île qu'on appelle « l'île la plus proche du paradis ».
- **La baie d'Upi**
  Pour faire une balade sur une pirogue traditionnelle à balancier.
- **Le pont de Mouly, à Ouvéa**
  Pour regarder passer les tortues, les raies et les requins.

TOULOUSE

La place du Capitole

Géographie
Située au sud-ouest de la France, entre mer et montagne, on peut aller se baigner ou aller faire du ski à moins de deux heures de voiture. En effet, Toulouse est à égale distance de l'Atlantique et de la Méditerranée et à peu de distance des Pyrénées. Elle est traversée par le canal du Midi qui relie la Garonne à la Méditerranée.

Spécialités culinaires
Le cassoulet toulousain (haricots blancs et confit de canard), la saucisse de Toulouse, le fenetra (gâteau aux amandes et au citron).

Toulouse, c'est...
Une ville de 460 000 habitants (1,3 million pour l'agglomération toulousaine) en pleine expansion.
Une ville universitaire depuis 1229 (plus de 100 000 étudiants aujourd'hui).
Une ville chaleureuse où il fait bon vivre.

Expressions toulousaines
« Adieu, pitchoun ! » (= Bonjour, petit)
« Fais-moi un poutou » (= Fais-moi un bisou)
« Oh boudou ! Ate ton collègue! » (= Oh mon Dieu ! Regarde ton copain !)

Au cœur de Toulouse, la place du Capitole

L'immense place du Capitole, avec son marché, ses bars, ses restaurants et ses magasins, est le centre vital de la ville, l'endroit où aiment se retrouver les Toulousains. La place date du XVIIIe siècle et se trouve devant le Capitole, superbe monument qui abrite l'hôtel de ville et le théâtre municipal. Le Capitole est depuis le XIIIe siècle le siège du pouvoir politique mais le bâtiment actuel, néoclassique, date du XVIIIe. Ses huit colonnes de marbre rose représentent les huit « capitouls » (magistrats de la ville).

Le cassoulet

La ville rose

Toulouse, la ville rose

On l'appelle «la ville rose» à cause de la couleur de ses maisons construites en briques de terre cuite. Ce mode de construction est très ancien, il date des Romains. On peut admirer toutes ces nuances de rose au fil des heures, du rose le plus pâle le matin au rose presque rouge à la tombée de la nuit.

Le Concorde

La capitale européenne de l'aéronautique

C'est à Toulouse qu'ont été construits les premiers avions à la fin du XIXe siècle. Et cette vocation s'est maintenue depuis, avec l'Aéropostale dès les années 1920 et plus tard avec la Caravelle (1955), le Concorde (1969) puis toute la série des Airbus. L'aventure continue avec l'Airbus 380. Le siège mondial d'Airbus se trouve à Blagnac, dans la banlieue toulousaine. L'industrie aéronautique et aérospatiale est le premier employeur de la région toulousaine.

La statue de Claude Nougaro

Les Toulousains célèbres

En 1967, le chanteur **Claude Nougaro**, né à Toulouse, compose une chanson dédiée à sa ville bien aimée, *Toulouse*, qui devient comme l'hymne même de la ville. On la chante lors des rencontres de rugby du Stade Toulousain. Le jour de l'enterrement de Claude Nougaro à Toulouse, le 4 mars 2004, l'air de *Toulouse* est interprétée par les cloches de la basilique Saint-Sernin ; quant aux paroles de la chanson, elles sont inscrites sur les quais de la Garonne.
Il ne faut pas non plus oublier **Zebda**, un groupe de musique festive, qui chante avec l'accent toulousain et qui est l'auteur du tube *Tomber la chemise*, qui a fait danser tous les Français en 1998.

La violette de Toulouse

La violette est l'emblème de Toulouse. On la cultive depuis le milieu du XIXe siècle. On la vend en bouquets, bien sûr, mais on la transforme aussi en liqueur, en bonbons, en sirop... Elle a même donné son nom à une monnaie locale et citoyenne, le Sol-violette. Vers le 15 février, la fête de la Violette a lieu chaque année, place du Capitole.

Des bonbons à la violette

Les abattoirs

Installé dans les anciens abattoirs de Toulouse depuis 2000, le musée d'Art moderne et contemporain de la ville de Toulouse est labellisé « Musée de France ».

Les abattoirs

Toulouse, c'est aussi...

- **Le Stade Toulousain**
  Pour vibrer avec les Toulousains lors d'un match de rugby de leur club fétiche.
- **Chez Authié**
  Pour bien dîner ou simplement pour boire un verre dans le plus vieux café de la ville.
- **Le canal du Midi**
  Pour louer un bateau, se balader et prendre le temps de vivre.

LA FRANCOPHONIE ARTISTIQUE DE 1 À 5

1 Film

***Pierrot le Fou*,**
Jean-Luc Godard
Suisse

2 Livres

***Rue Darwin*,**
Boualem Sansal
Algérie

***Dora Bruder*,**
Patrick Modiano
France

3 Événements

Le concours ***Dis-moi dix mots***
de **la Semaine de la Francophonie**

Le festival de la BD
francophone du Québec,
Canada

Le festival du cinéma francophone
d'Angoulême, France

4 Œuvres d'art

***Nanas*, à Hanovre,**
Niki de Saint
Phalle, France

***La cité radieuse*,**
à Marseille,
Le Corbusier, Suisse

***Décalcomanie*,**
Magritte,
Belgique

***La danse*,**
Henri Matisse
France

5 Chansons et morceaux musicaux

Dans le port
***d'Amsterdam*,**
Jacques Brel
Belgique

Comme des
***enfants*, Cœur**
de Pirate,
Canada

***Kalthoum*,**
Ibrahim
Maalouf,
France-Liban

Dimanche à
***Bamako*, Amadou**
et Mariam
Mali

***Je veux*,**
Zaz
France

5 RIEN NE VA PLUS !

+ DE RESSOURCES SUR **espacevirtuel.emdl.fr**

- Des activités autocorrectives (grammaire / lexique / culture / CE / CO)
- La carte mentale de l'unité à compléter

www.consommateursauxaguets.en

Consommateurs aux aguets

Victoire des consommateurs

Même les plus grandes enseignes peuvent être condamnées pour pratique commerciale trompeuse. Mais seulement avec votre aide.

A

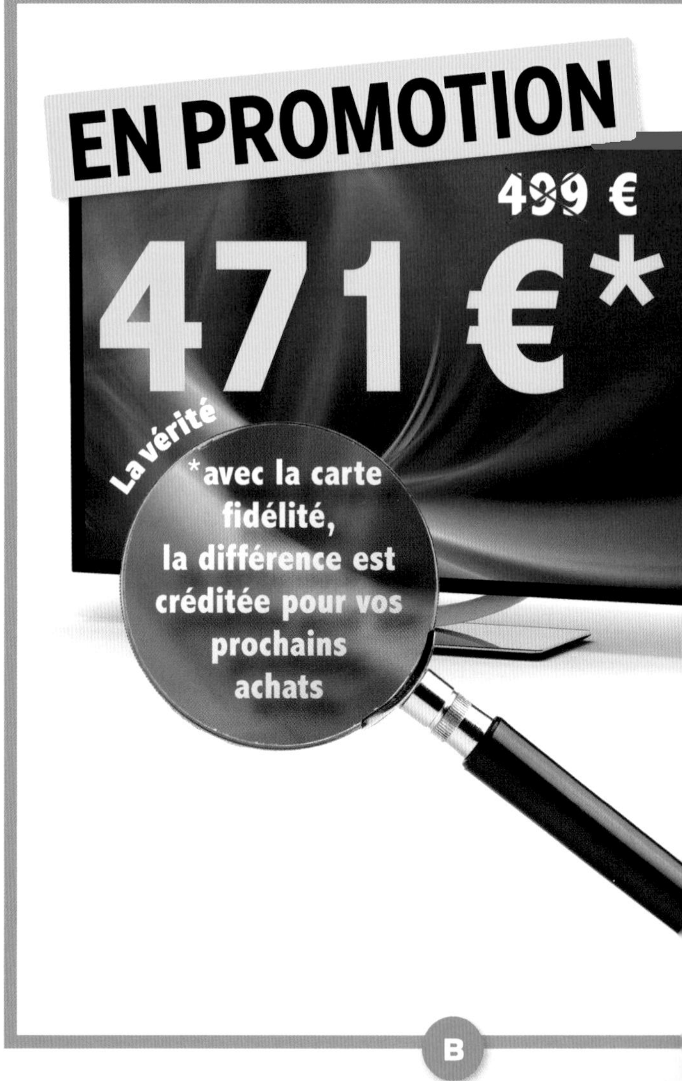

B

> « Souvent les opprimés ne le sont que parce qu'ils manquent d'organe pour faire entendre leur plainte. »

Jean-Jacques Rousseau, écrivain et philosophe suisse, XVIIIe siècle

1. PUBLICITÉS MENSONGÈRES

A. **Observez cette page Internet. Quel est le point commun des publicités présentées ?**

B. **À quelle(s) pratique(s) commerciale(s) trompeuse(s) est associée chacune des publicités présentées par le site ?**

- L'application d'une réduction sous conditions
- Une information floue et peu lisible
- La disponibilité d'un service

C. **Avez-vous d'autres exemples de pratiques commerciales trompeuses à citer ? Faites des recherches si nécessaire, puis discutez-en entre vous.**

- Par exemple, quand on nous dit qu'on a gagné un voyage, mais qu'il faut d'abord participer à un concours.
- Ah oui, un jour j'ai reçu un mail…

Et vous ?
Avez-vous déjà fait une réclamation suite à une publicité mensongère ?

2. BEAU TEMPS STATIONNAIRE

A. **Lisez ces plaintes envoyées à un jeu concours météo. Qu'est-ce qui fait l'originalité de chacune d'elles ? Parlez-en entre vous.**

le style | le type de messagerie | l'humour | la raison de la plainte | ...

Jeu concours IL FAIT TROP BEAU !

Vous avez été nombreux à vous exprimer à travers notre concours de plaintes sur le beau temps. Parmi les 540 plaintes qu'il a reçues sur Facebook, Twitter ou par courrier, notre jury en a sélectionné 5 qu'il vous laisse découvrir en attendant de vous retrouver samedi soir à l'heure du bulletin météo : la meilleure plainte sera lue en direct par notre présentatrice. Le gagnant ou la gagnante recevra des lunettes de soleil pour conjurer le sort.

3

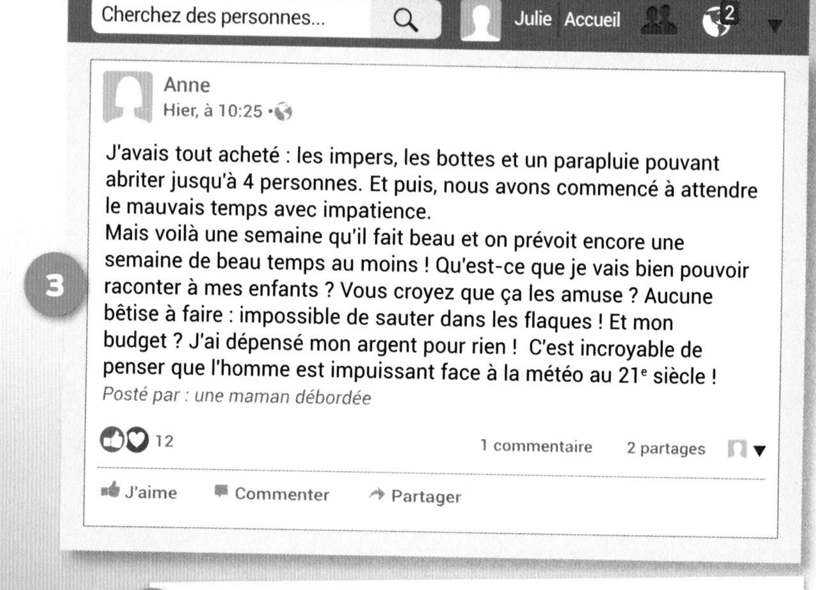
Cherchez des personnes... Julie Accueil 2

Anne
Hier, à 10:25

J'avais tout acheté : les impers, les bottes et un parapluie pouvant abriter jusqu'à 4 personnes. Et puis, nous avons commencé à attendre le mauvais temps avec impatience.
Mais voilà une semaine qu'il fait beau et on prévoit encore une semaine de beau temps au moins ! Qu'est-ce que je vais bien pouvoir raconter à mes enfants ? Vous croyez que ça les amuse ? Aucune bêtise à faire : impossible de sauter dans les flaques ! Et mon budget ? J'ai dépensé mon argent pour rien ! C'est incroyable de penser que l'homme est impuissant face à la météo au 21e siècle !
Posté par : une maman débordée

12 — 1 commentaire — 2 partages

J'aime — Commenter — Partager

1

Nana Lolita
@NanaLolita

De l'eau, que de l'eau, s'il vous plaît !
Du beau : j'en ai vraiment assez !

22:00 - 28 Marzo 16

2

Mon chéri,

Combien de fois devrai-je te demander de ne pas te réjouir du beau temps en ma présence ?
Tu sais bien que cela n'annonce rien de bon pour notre couple. Chaque été, on se dispute si fortement que je menace de te quitter. Ce n'est pas pour rien que la Saint-Valentin a lieu au mois de février, quand il fait bien froid. Alors penses-y avant de me proposer une Saint-Valentin sous les Tropiques !

Je t'embrasse

Ta petite femme chérie

4

Clermont-Ferrand, le 2 février 2016

Cher faiseur de temps,

Vous me permettrez cette familiarité, mais j'ai l'impression de vous connaître depuis l'enfance.

Voilà maintenant un mois que l'hiver est là, enfin... si j'en crois la météo. Mais hélas, pas une trace de neige dans les environs. Pourtant, j'habite dans une région montagneuse et, à cette époque de l'année, normalement la montagne se recouvre d'un manteau blanc. Mais cette année, il n'en est rien : l'hiver est doux et il n'a toujours pas neigé.

Vous allez me répondre qu'il fait de plus en plus chaud sur Terre et que ce sont les hommes les principaux responsables.
Mais alors, vous qui êtes si puissant, pourquoi ne vous mettez-vous pas d'accord avec la météo ? Si vous savez faire la pluie et le beau temps, ce devrait être simple pour vous d'arranger les choses, non ?

Aussi, je vous en supplie : rétablissez les saisons !

Cordialement,

Votre serviteur : Olivier Hô

5

Saint-Étienne, le 15 août 2015

Objet : lettre de réclamation

Madame la Météo,

Je dois vous avouer que ma relation avec vous devient difficile depuis quelques temps. L'automne et l'hiver sont mes saisons préférées même si mes articulations souffrent de la moindre pluie. Il faut dire qu'à mon âge, il est bien naturel d'avoir ces maux-là.

Mais quand mon genou souffre, je peux aussi prédire le temps à mes voisines. Sans elles, je me sentirais bien seule chez moi. Nous passons alors la journée à bavarder dans la maison tandis que le vent jette le froid, la neige ou la pluie sur mes fenêtres. Lorsqu'il fait beau, il n'est plus possible de me plaindre du mauvais temps ou d'appeler mes enfants pour qu'ils m'emènent chez le médecin. Et cela me rend bien triste.
En avez-vous pour longtemps à me faire souffrir avec votre soleil, vos journées sans nuage et la douceur des jours ? C'est que... je m'ennuie à mourir.

Je vous demande donc instamment d'en finir avec les couleurs de l'été et d'apporter un peu de pluie afin que je retrouve enfin une vie sociale !

Dans l'attente de recevoir un cadeau du ciel, je vous prie d'accepter, Madame la Météo, mes salutations les meilleures.

Mamie Yvette

B. Relisez les messages 2, 4 et 5 puis relevez les expressions utilisées...

- pour commencer une lettre (formules d'adresse) : ...., ..., ...
- pour terminer une lettre (formules de congé) : ...., ..., ...

C. Quelle est la plainte qui a le plus de succès dans la classe ? Débattez-en, puis votez.

- Pour moi, la plainte la plus drôle, c'est celle de Mamie Yvette.
- Moi, je préfère le tweet : c'est de la poésie !

D. À votre tour, imaginez des sujets de plaintes décalées ou drôles.

3. SAVOIR RÉCLAMER

PISTE 25

A. Écoutez cet entretien avec M. Rivière, expert en réclamations. Quelles sont ses recommandations ?

Sur la forme | Sur le contenu de la réclamation | Sur le style de la lettre

PISTE 25

B. Écoutez à nouveau l'entretien. Parmi ces formules d'adresse, lesquelles sont mentionnées ?

- ☐ Salut
- ☐ Madame la Directrice
- ☐ Madame
- ☐ Monsieur
- ☐ Chère Madame
- ☐ Cher Antoine
- ☐ Bonjour
- ☐ Monsieur le Premier Ministre
- ☐ Mon chéri
- ☐ Madame, Monsieur

C. Classez les formules ci-dessus selon qu'elles appartiennent au registre formel ou informel.

REGISTRE FORMEL	REGISTRE INFORMEL
	Salut

D. Relisez les lettres de plainte sur la météo. Quelle est celle qui respecte le plus les conseils de M. Rivière ? Pourquoi ?

Et vous ?
Dans quelles situations rédigez-vous des lettres de réclamation ?

4. ATTENTION AUX ARNAQUES !

A. Lisez cet article. Quel est son objectif ?

http://www.stop.arnaques.en

ACHATS EN LIGNE : HALTE AUX ESCROCS !

Comment acheter tranquillement sur Internet ? C'est la question que se posent les internautes, de plus en plus nombreux à être victimes d'arnaques en tout genre. Il est évident que les fraudeurs font tout pour pirater vos données bancaires. Mais par quels moyens ? Voici quelques exemples concrets suivis de nos recommandations.

1 Il est possible que vous soyez contacté par mail pour un besoin urgent d'argent. L'escroc se fait passer pour une victime et vous demande de lui transférer de l'argent. Il est bien inutile d'essayer de comprendre le malheur de cette personne. Lorsque vous recevez ce genre de mail, supprimez-le tout de suite !

2 Vous venez de recevoir un mail vous indiquant que vous êtes le gagnant d'un concours. Pour recevoir votre prix, il faut que vous appeliez un numéro... surtaxé ! Finalement, l'appel dure longtemps et vous avez dépensé plusieurs dizaines d'euros pour un lot d'une valeur de 2 € seulement. De manière générale, il est préférable de ne pas appeler, surtout si vous savez que vous n'avez jamais participé à un concours de ce genre.

3 Faites également attention aux adresses usurpées des e-commerçants lorsque vous naviguez sur un site d'achats en ligne et que vous décidez de réaliser un paiement en ligne. Pour éviter les problèmes, il est souhaitable de contrôler la barre d'adresse du navigateur et de ne pas ouvrir les mails adressés par un e-commerçant chez qui vous n'avez rien acheté. Si vous avez déjà donné vos coordonnées bancaires, faites opposition auprès de votre banque, le plus vite possible.

Il existe bien d'autres cas d'escroqueries, alors restez vigilants. Et sachez que, dans tous les cas, il faut dénoncer ces arnaques auprès des associations de consommateurs. Elles pourront vous aider dans vos démarches si vous devez porter plainte.

B. Relisez l'article. Parmi les escroqueries citées, laquelle est selon vous la plus difficile à démasquer ? Et la plus facile à éviter ?

C. Observez les formes surlignées dans l'article, puis complétez la règle.

LES VERBES IMPERSONNELS

- Les verbes impersonnels s'emploient uniquement à la troisième personne du singulier. Le sujet de ce verbe est le pronom .... Ce pronom ne remplace rien (ni chose, ni personne).
Ex. : .... *est possible que vous soyez contacté.*

⚠ Après ***il faut***, on utilise .... ou ***que / qu'*** + ...
Ex. :
Il faut .... ces arnaques.
Il faut ***que*** *vous .... un numéro surtaxé.*

- En règle générale, les verbes impersonnels sont suivis de ***de*** + ... ou de ***que / qu'*** + ...
Ex. : *Il est préférable* ***de*** *ne pas .... / il est préférable* ***que*** *vous n'****appeliez*** *pas le numéro reçu.*

- Lorsqu'un verbe impersonnel est utilisé pour rapporter un fait ou pour montrer une évidence, il est suivi d'un verbe à .... .
Ex. : *Il est évident que les fraudeurs .... tout pour pirater vos données bancaires.*

Et vous ?
Avez-vous déjà été victime d'une arnaque ?

5. UNE ARNAQUE TROUBLANTE

PISTE 26

A. Écoutez le témoignage de Théo. Comment s'est-il fait arnaquer ? Combien d'argent a-t-il perdu ?

B. En groupes, choisissez une des arnaques suivantes. Puis rédigez des recommandations pour éviter ce genre d'escroquerie. Faites des recherches si nécessaire.

- *En cas d'arnaque à la carte bancaire, il est préférable de faire opposition. Il faut immédiatement contacter sa banque pour bloquer sa carte.*

LES VERBES IMPERSONNELS

EX. 1. Complétez ce message d'alerte face à la fraude sur Internet avec l'infinitif, l'indicatif ou le subjonctif.

Attention !
Depuis quelques jours, des courriels circulent sur la toile avec l'intitulé : « Mise à jour de vos comptes ».
Il est préférable de ne pas les ... (ouvrir) car les informations qu'ils contiennent sont fausses. Il est écrit que la banque centrale ... (revoir) la sécurité de vos comptes bancaires et qu'elle ... (devoir) avoir accès à vos codes secrets.
Il est évident qu'aucune institution bancaire ne ... (demander) les codes secrets de ses clients par mail. Il faut absolument que vous ... (supprimer) ce courriel dans les meilleurs délais. Il est également recommandé de ... (prévenir) vos proches ainsi que vos collègues rapidement.

EX. 2. Complétez ces recommandations avec les expressions suivantes. Puis associez les phrases créées aux photos correspondantes.

dans la poche arrière de votre pantalon.

lorsque votre véhicule est à l'arrêt.

avec un animal qui ne vous appartient pas.

1. Il est recommandé de ne pas se laisser photographier ....
2. Il est préférable de ne pas laisser votre portefeuille ....
3. Il est souhaitable de laisser les vitres fermées ....

A

B

C

PISTE 27

EX. 3. Écoutez l'interview de M. Bernard sur les arnaques à touristes. Quelles solutions propose-t-il pour chacune de ces escroqueries ? Complétez cet extrait de son blog.

LE BLOG DE BERNARD

Partez en vacances à l'étranger l'esprit tranquille ! Suivez mes conseils et évitez les arnaques.

MES CONSEILS DU JOUR :

- Pour éviter les les taux de change élevés, il est recommandé de ... ou de ...

lire la suite

- Pour ne pas payer trop cher dans les boutiques à l'étranger, il faut que vous ..., mais il est également souhaitable que vous ....

lire la suite

+ d'exercices : page 187

6. FAITES ENTENDRE VOTRE VOIX !

A. Observez ce reportage photo. Quel est le point commun de ces photos ? D'après vous, quel est le thème de l'article ?

B. Lisez le texte. Pourriez-vous trouver un titre pour chacune de ces photos ?

COMMENT LE LEUR DIRE ?

Les temps changent : les réseaux sociaux se font l'écho du mécontentement des gens qui cherchent à dénoncer des faits de société sans violence. C'est ce qu'a voulu nous démontrer le journaliste Jérôme Lagarde avec son dernier reportage photos.

Elles se sont retrouvées, armées de tee-shirts roses et de banderoles. On le leur avait bien dit sur les réseaux sociaux : pas de violence, une simple manifestation pacifique ! Et c'est ce qu'elles ont fait, avec courage et détermination, grâce à un flashmob de protestation que je vous laisse découvrir.

Qui ne connaît pas les Indignés ? Un mouvement mondial sans leader, qui se traduit par des campements pacifiques, des discussions collectives, des chaînes humaines ou encore des comités de quartiers. Les Indignés portent souvent un masque devenu célèbre dans le monde entier. On le leur envoie dès qu'ils en font la demande pour ne pas qu'ils soient repérés par la police.

La vélorution en marche grâce au vélo comme moyen de transport alternatif. Ces cyclistes n'ont rien trouvé de mieux que de se réunir dans les rues de Madrid. On les leur réserve le dernier jeudi de chaque mois au grand mécontentement des automobilistes. Ce mouvement concerne aujourd'hui 350 métropoles.

Souvenez-vous, c'était en 2011. Les étudiants chiliens cherchaient à se faire entendre auprès des politiques. Ils le leur avaient même écrit : ne supprimez pas le droit à l'enseignement des plus vulnérables. Alors, pendant deux mois et demi, 1800 heures exactement, ils ont couru sans interruption autour du Palais de la Moneda en écho aux 1,8 milliard dépensés par l'État pour cette cause.

On nous l'avait bien fait comprendre : interdiction de réaliser une marche pour le climat pendant la COP 21, en raison de l'état d'urgence. Alors, nous avons été des milliers à déposer une chaussure sur la place de la République ce jour-là. De nombreuses personnalités célèbres ont participé à ce mouvement, preuve de l'importance de notre mobilisation.

C. À présent, observez les formes surlignées, puis complétez la règle.

LA DOUBLE PRONOMINALISATION

Lorsqu'un verbe est accompagné d'un pronom COD et d'un pronom COI,
- le pronom .... est placé juste avant le verbe (ou l'auxiliaire) quand il est utilisé à la troisième personne.

Ex. : *Comment **le leur** dire ?*
- le pronom .... est placé juste avant le verbe (ou l'auxiliaire) quand le pronom .... est utilisé à une autre personne.

Ex. : *On **nous l'**avait bien fait comprendre.*

D. Formez deux équipes et mettez-vous dos à dos. Prêtez les accessoires suivants à des personnes de votre équipe. Ensuite, mettez-vous face à face et posez des questions à l'équipe adverse sur le modèle suivant. Puis, retrouvez à qui appartiennent ces accessoires.

montre | chaussure | lunettes | collier | lacet | bague | bracelet | ...

- *Tu lui as donné ta montre ?*
- *Oui, je la lui ai donnée.*

7. BILLET D'HUMEUR

A. Lisez ce post laissé par un internaute sur Facebook. À qui s'adresse-t-il ? Pourquoi est-il si mécontent ?

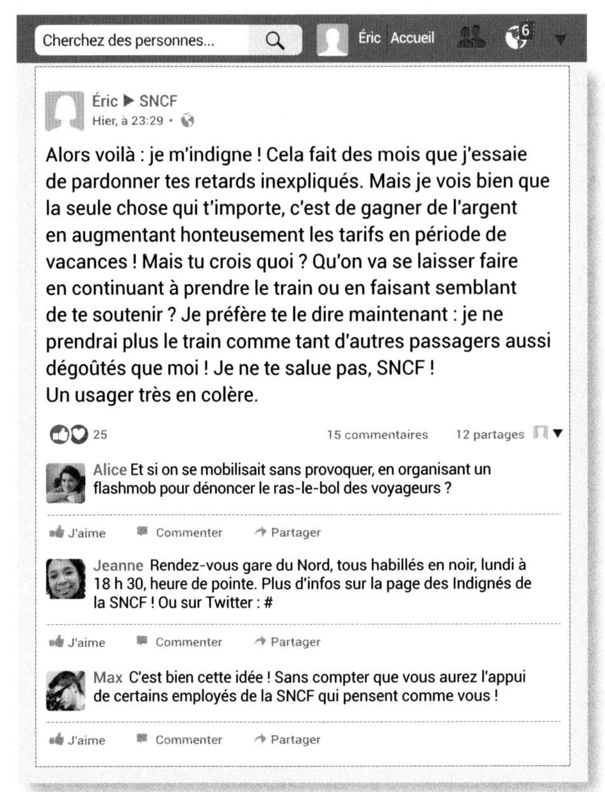

B. Lisez les commentaires des internautes. Quel genre d'actions les usagers en colère veulent préparer ?

C. Lisez la règle, puis complétez-la avec des exemples issus du texte.

EXPRIMER LA MANIÈRE

Pour exprimer la manière dont se déroule une action, on utilise :
- Le **gérondif**, quand deux actions, dont le sujet est identique, sont simultanées. Il se forme avec la préposition .... + participe présent du verbe.
Ex. : *Et si on se mobilisait en .... un flashmob ?*
- La préposition ***sans***, pour exprimer l'absence ou le manque de quelque chose. Après la préposition ***sans***, le verbe est toujours à l'.....
Ex. : *Si on se mobilisait sans ....*

D. Comment feriez-vous pour éviter les problèmes suivants ? Constituez des groupes et faites deviner vos propositions aux autres groupes en les mimant.

rues sales | embouteillages | logements anciens | pollution des véhicules | ...

- *Tu proposes de réduire la pollution en ville en construisant des pistes cyclables ?*
- *Oui, c'est ça !*

LA DOUBLE PRONOMINALISATION

EX. 1. Les organisateurs d'un flashmob se sont réunis pour les derniers préparatifs avant le grand jour. Répondez à leurs questions en remplaçant les noms ou propositions par des pronoms COD ou COI.

1. • Vous avez bien distribué les tee-shirts à toutes les participantes du flashmob ? ○ Oui, je ....
2. • Vous avez bien envoyé les instructions à chaque groupe du flashmob ? ○ Oui, ...
3. • Vous avez dit à vos amis que vous alliez y participer ? ○ Non, je ...., mais je vais le faire.
4. • Vous avez commandé les tracts à l'imprimerie ? ○ Oui, nous ....

EX. 2. Lisez les questions suivantes, puis remettez les mots dans l'ordre pour y répondre.

1. Avez-vous transmis le message à vos amis ?
leur / je / Oui, / ai / transmis / le → ....

2. Vous leur avez rappelé les instructions ?
je / ai / Bien sûr, / rappelées / leur / les → ....

3. Tu m'as déjà donné l'heure du rendez-vous ?
Oui, / donnée / l' / ai / te / je → ....

EXPRIMER LA MANIÈRE

EX. 3. Complétez les déclarations suivantes pour encourager les gens à se mobiliser. N'oubliez pas de conjuguer les verbes.

être identifié | rester à la maison | signer la pétition | faire une chaîne humaine | porter un masque

1. Pas besoin de sortir manifester, vous pouvez le faire en .... : signez la pétition en ligne !
2. En ...., votre action est visible de tous et vous alertez automatiquement l'opinion publique car les médias ne manqueront pas de montrer le symbole qu'elle représente.
3. Vous pouvez aussi défiler dans la rue sans ...., en ....
4. En ...., vous vous mobilisez aussi contre les violences faites aux femmes.

EX. 4. Complétez cet échange en utilisant le gérondif ou la préposition *sans*.

- Salut, comment on s'organise pour demain ?
- Bon, je passe te prendre vers 10 h. Et puis, sur place, on aidera Pascal .... (expliquer) aux participants de la chaîne humaine où ils doivent se placer.
- Il faut aussi penser qu'ils devront rester au même endroit pendant plusieurs heures .... (avoir la possibilité) d'aller s'acheter quelque chose à manger ou à boire.
- Oui, des collations et de l'eau sont prévues. On leur apportera tout ça. .... (s'organiser) bien, on n'aura pas de problème.
- Alors, c'est parfait. Et puis, les organisateurs ont l'habitude. La chaîne devrait se constituer .... (poser) de problème.

+ d'exercices : pages 187-188

8. UNE RÉCLAMATION PAS COMME LES AUTRES

A. Lisez la lettre de Johanna. Qu'est-ce qui rend sa lettre de réclamation insolite ?

Johanna Vitaly
29b, rue Gabriel Vicaire
14000 Caen

Hasbro France SAS
Service Consommateurs
1 Rue du Commerce
47160 Strasbourg

Caen, le 1er janvier 2016

Madame, Monsieur,

J'ai eu l'immense plaisir de recevoir, en cadeau pour mon anniversaire (qui était hier, le 31 décembre), le jeu Trivial Pursuit MASTER.

Ne pouvant plus attendre, j'ai voulu y jouer tout de suite. Alors que je venais de remporter un triangle marqueur jaune, j'ai été choquée de constater que le jeu n'en contenait AUCUN. Je l'ai donc remplacé par celui d'une autre couleur que j'avais déjà remportée, mais j'ai passé la partie à me tromper dans mes déplacements et je me suis étonnée à plusieurs reprises de ne pas avoir encore gagné de triangle jaune.
J'ai quand même réussi à obtenir tous les triangles marqueurs, mais mon camembert rempli manquait considérablement d'harmonie avec ses deux triangles de couleur identique. Je dois vous avouer que j'ai regretté d'avoir gagné la partie sans ce petit camembert jaune.

Je vous transmets sans plus attendre les numéros de fabrication du sachet contenant les pions car je serais ravie que ce petit oubli soit réparé : 763167620000.

Le jeu Trivial Pursuit m'a apporté de très bons moments en famille ou avec mes amis et je ne supporterais pas que la société Hasbro (qui le distribue) ne me réponde pas.

En cas de non-réponse, et en l'absence d'un geste commercial de votre part, je serai malheureusement contrainte et forcée d'en informer les différentes associations de consommateurs.

En vous souhaitant une bonne année 2016,

Cordialement,

Johanna Vitaly

B. Johanna n'a jamais reçu de réponse. Lisez la lettre qu'elle aurait pu recevoir. Quel geste commercial lui est proposé ?

Hasbro France SAS
Service Consommateurs
1 rue du Commerce
47160 Strasbourg

Johanna Vitaly
29b rue Gabriel Vicaire
14000 Caen

Strasbourg, le 7 janvier 2016

Chère cliente,

Nous avons bien reçu votre lettre du 1er janvier dernier. Je suis navré que vous ayez été aussi déçue. Au nom de la société Hasbro, je vous présente toutes nos excuses.
Je comprends votre mécontentement car ce jeu est avant tout un moment de détente privilégié. Vous avoir à ce point stressée me chagrine.
J'ai donc tout de suite procédé au remplacement de votre jeu. Vous devriez recevoir un nouveau jeu dans les tous prochains jours.

Je serais également heureux que vous acceptiez de participer à la soirée exclusive en compagnie de nos clients les plus fidèles que nous organisons au restaurant de la tour Eiffel, le 20 mars prochain. Aussi, je vous adresse un carton d'invitation valable pour deux personnes avec ce courrier. J'espère que vous ne nous tiendrez pas rigueur de ce regrettable oubli.

Dans l'attente de vous rencontrer, je vous renouvelle nos plus plates excuses et vous prie, chère cliente, d'agréer l'expression de nos salutations distinguées.

Le responsable du service clientèle

C. À présent, relisez les lettres. Soulignez les phrases dans lesquelles les auteurs expriment leurs sentiments, puis complétez la règle.

EXPRIMER LES SENTIMENTS

Après un verbe exprimant un sentiment, on utilise :
- l' .... si le sujet est le même que celui du premier verbe. La subordonnée est introduite par ....
Ex. : *J'étais choquée .... que le jeu n'en contenait aucun.*
- le .... si le sujet est différent de celui du premier verbe. La subordonnée est introduite par ....
Ex. : *Je serais ravie .... ce petit oubli .... réparé.*

Verbes exprimant des sentiments :

je suis indigné(e)	***je ne supporte pas***
je suis ravi(e)	***je suis choqué(e)***
je suis navré(e)	***je suis heureux(se)***
je regrette	***ça me chagrine***

D. Classez les situations suivantes en fonction de votre degré d'irritation. Puis discutez-en entre vous en exprimant vos sentiments.

SITUATIONS	MA RÉACTION
☐ recevoir une lettre ouverte	
☐ ne pas recevoir une commande à temps	
☐ recevoir un colis déchiré ou cassé	
☐ voir quelqu'un ne pas respecter une file d'attente	
☐ voir quelqu'un téléphoner dans les transports en commun	
☐ voir quelqu'un jetter un papier par terre.	

- *Je ne supporte pas que les gens ne respectent pas les files d'attente et je ne me laisse pas faire !*
- *Moi, ça me chagrine mais je ne dis rien.*

EXPRIMER LES SENTIMENTS

EX. 1. Complétez ce témoignage d'un consommateur avec *de* ou *que*.

ASSOCIATION DE CONSOMMATEURS

TÉMOIGNAGES

Mariam • 02/04/16

Il y a quelques jours, j'ai été étonnée .... constater que le colis que j'attendais depuis plus d'un mois n'était toujours pas arrivé. Je me suis donc rendue à la poste pour savoir où était mon colis. Au service clientèle, on m'a répondu que j'étais déjà passée le prendre. J'étais vraiment choquée .... apprendre la nouvelle : apparemment, il y avait une erreur. J'ai demandé à ce que l'on vérifie ma signature. Mais l'employé a refusé. Et j'ai dû le menacer pour qu'il le fasse. Finalement, mon colis a été retrouvé, mais je suis très déçue .... une erreur si banale soit l'occasion de tension et de colère. Et ce n'est pas la première fois qu'ils font des erreurs.
Je serai donc ravie .... vous alertiez les consommateurs à ce sujet en leur donnant quelques conseils.

EX. 2. Comment réagiriez-vous à la place de ces personnes ? Exprimez vos sentiments.

- *Je serais choqué de constater que...*

être heureux | être étonné(e) | être choqué(e) | être navré(e) | être ravi(e) | ...

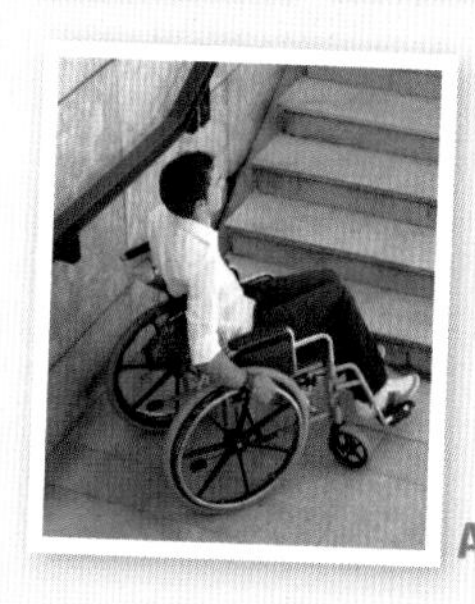
A

B

C

D

+ d'exercices : pages 188 - 189

SE PROTÉGER DES ARNAQUES

1. Associez les arnaques suivantes aux conseils qui sont donnés pour les éviter.

Les arnaques
1. Arnaque sur les tarifs pratiqués lors d'une course en taxi
2. Escroquerie sur les taux de change
3. Piratage de données personnelles
4. Fraude à la carte bancaire

Les conseils
- **A.** Faire opposition auprès de sa banque
- **B.** Ne jamais répondre à des mails vous demandant vos mots de passe
- **C.** Changer de l'argent avant de partir en voyage
- **D.** Demander à utiliser le taximètre

2. Lisez les escroqueries suivantes puis répondez aux questions.

fausse victime | appel surtaxé | prix trompeur | informations peu lisibles | ...

1. Quelle escroquerie vous révolte le plus ?
2. De quelle(s) arnaque(s) vous ou vos proches avez été victimes ?
3. Quelle(s) arnaque(s) savez-vous repérer tout de suite ?

EXPRIMER DES SENTIMENTS

PISTE 28

3. Écoutez les déclarations suivantes et retrouvez de quels sentiments il s'agit.

être désolé | se plaindre | exprimer sa tristesse

Dialogue 1 : .... Dialogue 2 : .... Dialogue 3 : ....

LES FORMES DE PROTESTATION

4. La revue *Des faits, des actes* propose un reportage photo sur les différentes formes de protestation. À quel type de protestation correspondent les photos suivantes ?

discussions collectives | manifestation | campement pacifique | chaîne humaine

1. Non à l'expulsion d'un logement pendant l'hiver

2. Non à la souffrance au travail

3. Non à l'ouverture d'une centrale nucléaire

4. Non aux violences faites aux femmes

5. Quel type de mobilisation proposeriez-vous pour défendre les causes ci-dessus ? Parlez-en entre vous.

ÉCRIRE UNE LETTRE DE RÉCLAMATION

6. Regardez le schéma de présentation d'une lettre de réclamation type et associez ses différentes parties avec leur nom.

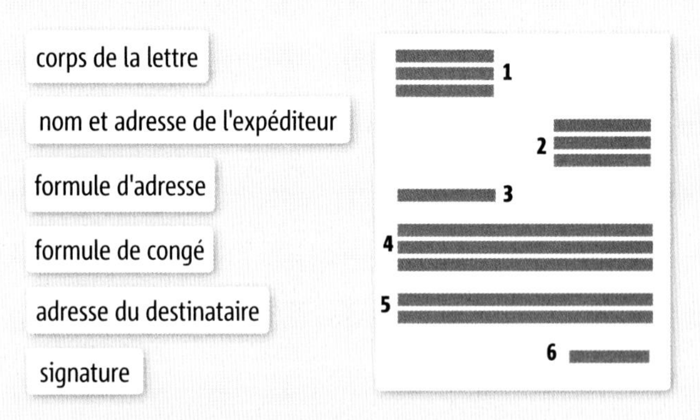

LES FORMULES DE CONGÉ FORMELLES

7. Reliez les éléments pour faire des phrases. Il peut y avoir plusieurs possibilités.

1. Dans l'attente de votre réponse,
2. Recevez, chère cliente,
3. Je vous prie d'accepter, Madame,

- **A.** mes meilleures salutations.
- **B.** l'expression de mes salutations distinguées.
- **C.** je vous prie d'agréer l'expression de mes salutations distinguées.

TROUVER DES SOLUTIONS

8. Associez les mots des colonnes suivantes pour former des expressions.

1. inviter	**A.** un objet cassé
2. présenter	**B.** un geste commercial
3. procéder	**C.** ses excuses
4. remplacer	**D.** un client à un cocktail
5. faire	**E.** au remplacement d'un produit

RIEN NE VA PLUS

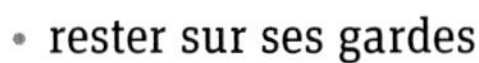
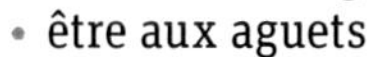

LES COMPORTEMENTS DES CONSOMMATEURS

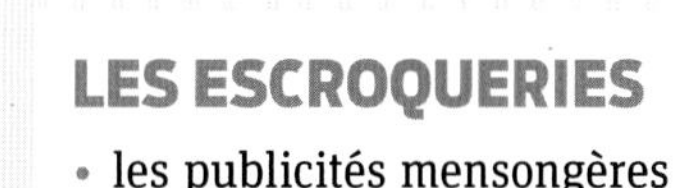

- rester sur ses gardes
- être aux aguets
- être vigilant(e)
- alerter / informer une association de consommateurs
- être victime d'une arnaque / fraude / escroquerie
- se faire arnaquer / dénoncer une arnaque
- se plaindre / porter plainte / déposer une plainte
- envoyer un courrier par lettre recommandée
- faire entendre sa voix / sa plainte
- réaliser un paiement en ligne
- transférer de l'argent
- appeler un numéro surtaxé

LES ESCROQUERIES

- les publicités mensongères
- les pratiques commerciales trompeuses
- la fraude / le fraudeur / frauder
- l'escroquerie / l'escroc
- usurper une adresse
- pirater un compte bancaire / un site / des données personnelles
- le piratage

LES SOLUTIONS

- procéder au remplacement d'un produit (remplacer un produit)
- faire un geste commercial
- faire opposition auprès de sa banque / faire bloquer sa carte
- faire une réclamation / réclamer
- écrire / rédiger une lettre de réclamation

PROTESTER

- en avoir marre / ras-le-bol
- se mobiliser
- dénoncer sans violence
- exprimer / manifester son mécontentement / son ras-le-bol
- distribuer / apporter des tracts / une banderole
- faire la grève
- s'indigner
- signer une pétition
- organiser / préparer
  - un campement pacifique
  - un comité de quartier
  - une chaîne humaine
  - des discussions collectives
  - une manifestation pacifique
  - un flashmob de protestation

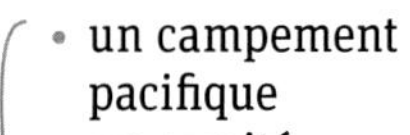

EXPRIMER DES SENTIMENTS

- ne pas supporter de / que
- se plaindre de / que
- chagriner quelqu'un (ça me chagrine)
- être choqué(e) de / que
- être contraint(e) et forcé(e) de
- être navré(e) que / de
- regretter que / de
- s'étonner de / que
- être déçu(e) de / que
- être désolé(e) de / que
- être indigné(e) de /que
- avoir le plaisir de / que
- être heureux(se) de / que

LES FRANÇAIS ET LES MANIFS : UNE GRANDE HISTOIRE D'AMOUR !

Dans leur livre *Pas si fous ces Français !*, deux journalistes canadiens racontent deux années passées en France afin d'observer et de comprendre nos habitudes et notre mentalité contestataire. Et ce que l'on y apprend peut nous étonner, voire bousculer les stéréotypes sur les Français.

Savez-vous qu'en moyenne les Américains totalisent plus de jours de grève par an que les Français ? D'après ces deux journalistes, c'est parce que l'on confond souvent grèves et manifestations publiques. Et c'est justement dans les manifestations publiques que les Français battent tous les records !

Car ce qui est important pour les Français, c'est de participer à la vie publique... en protestant afin d'exprimer leurs idées ou leur mécontentement. Il faut dire que les manifestations publiques sont légales et qu'elles sont considérées comme la seule façon d'obtenir des changements.

Manifestation devant la bourse (15 octobre, 2011)

On comprend mieux pourquoi nos deux journalistes associent la rue française à un forum politique. Et de souligner l'esprit contestataire des Français. Pour eux, les Français ont un rapport très particulier à la loi. Si cela leur semble justifié, ils l'ignorent. Ils peuvent alors griller un feu rouge ou rouler trop vite.

Marche pour le climat avant la COP21 (29 novembre, 2015)

Défier l'autorité représente donc un acte de liberté et c'est aussi comme cela que nos deux journalistes canadiens justifient les nombreuses grèves et manifestations qui ont lieu en France.

9. LES FRANÇAIS, CES ÉTERNELS RÂLEURS

A. Observez les photos et lisez le titre de l'article. D'après vous, quelle est la thématique ?

B. D'après vous, quelle(s) relation(s) les Français entretiennent-ils avec les mots suivants ?

grève | manifestation | loi | mécontentement

C. Lisez l'article. Parmi les idées émises, pensez-vous que certaines soient des stéréotypes ? Débattez-en entre vous.

10. PROTESTER À LA FRANÇAISE

A. En petits groupes, relisez l'article, puis répondez aux questions suivantes.

- Que pouvez-vous dire sur l'habitude française de faire la grève ?
- Que représentent les manifestations pour les Français ?
- À quoi est comparée la rue française ? Pourquoi ?

B. Parmi les observations de l'article, quelles sont celles qui vous surprennent le plus ? Pourquoi ?

11. À CHAQUE PAYS SA FAÇON DE SE METTRE EN GRÈVE

A. En petits groupes, choisissez une des questions suivantes et répondez-y. Puis, donnez votre réponse à la classe. Aidez-vous d'Internet si nécessaire.

- Quelle grève a duré près d'un mois en France ?
- Quelles ont été les grèves les plus marquantes de l'histoire ?
- Dans quel(s) pays enregistre-t-on le plus grand nombre de journées non travaillées pour cause de grève ?

B. En petits groupes, réfléchissez à une grève ou à une manifestation importante dans l'histoire de votre pays ou d'un autre pays. Puis, préparez une présentation pour la classe.

TÂCHES FINALES

TÂCHE 1 ORGANISER UN FLASHMOB POUR PROTESTER

1. Vous allez organiser un flashmob de protestation. En petits groupes, réfléchissez à quelque chose qui vous indigne.

la propreté dans les lieux publics | le réchauffement climatique | l'utilisation de sacs en plastique | ...

- *On pourrait parler de la propreté dans les lieux publics.*
- *C'est vrai, les gens se débarrassent souvent des publicités en les jetant par terre.*

2. Maintenant, imaginez le flashmob que vous pourriez mettre en place.

3. À présent, définissez le déroulement de votre flashmob.

4. Présentez votre flashmob à la classe. Expliquez comment cela va se passer et détaillez les rôles de chaque participant.

FLASHMOB :
action citoyenne pour laisser les gares propres

CAUSES : les voyageurs n'utilisent pas assez les poubelles
OBJECTIF : alerter les voyageurs en leur faisant prendre conscience de leurs gestes sans les provoquer
LIEU : Gare du Nord
JOUR ET HEURE APPROXIMATIVE : le 15 juin vers 12 h 00
DURÉE : 3 minutes
MUSIQUE : Elle pleure ma planète (RIDAN)
DÉROULEMENT :
- Rôle 1 : Le faux voyageur. Il passe à côté de la poubelle sans la regarder et jette sa publicité par terre...
...

CONSEILS

- Imaginez une chorégraphie simple.
- Ne multipliez pas les rôles : multipliez les participants.
- Soyez précis dans la description des rôles de chacun.
- Vous pouvez fimer votre flashmob et le poster.

TÂCHE 2 UN RECUEIL DE LETTRES INSOLITES

1. Vous allez réaliser un recueil de lettres de réclamation insolites. Formez des petits groupes et choisissez un des thèmes suivants.

les transports | les vacances | le logement | le travail | les loisirs | le sport | ...

2. Selon le thème choisi, pensez à différents sujets de réclamation possibles. Puis, réfléchissez à la façon de rendre vos futures lettres insolites.

– Réclamation à propos d'un gîte à la campagne : un coq qui réveille les touristes tous les matins à 5 h 40.
– Réclamation d'un touriste dans un hôtel de luxe : le réceptionniste est trop parfait.
– ...

3. Chacun choisit un sujet et rédige sa propre lettre individuellement. Puis lisez les lettres des membres de votre groupe et, collectivement, proposez des améliorations ou des suggestions.

4. Maintenant, tous ensemble, créez le recueil de la classe : rassemblez vos lettres par thème, puis, découvrez les lettres des autres.

Recueil des lettres de réclamation les plus insolites

Sommaire

CONSEILS

- Jouez sur tous les registres : formel / informel, couleurs, sons...
- N'oubliez pas les formules d'adresse et de congé.
- Vous pouvez faire un sommaire pour vous y retrouver.
- Pensez à illustrer votre recueil.

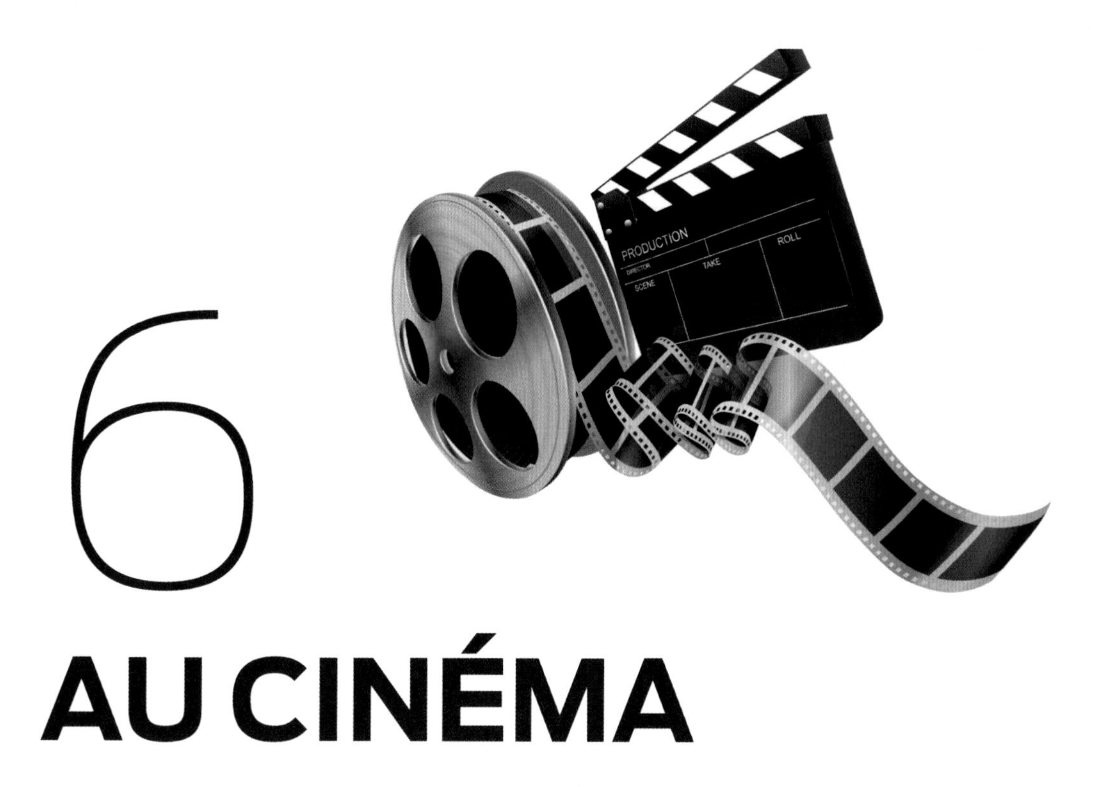

6 AU CINÉMA

DÉCOUVERTE

pages 108-111

Premiers regards
- Découvrir le lexique du cinéma
- Parler des genres des films
- Parler de nos habitudes liées au cinéma

Premiers textes
- Enrichir le lexique du cinéma
- Parler des critères d'un bon film
- Lire des synopsis

OBSERVATION ET ENTRAÎNEMENT

pages 112-119

Grammaire
- La place de l'adjectif (rappel)
- Le pronom relatif *dont*
- *Ce* + pronom relatif
- Exprimer un souhait, un désir avec le subjonctif

Lexique
- Les réactions et émotions
- Exprimer ses goûts sur un film
- Les genres cinématographiques
- Les adjectifs pour décrire un film
- Les sentiments et les comportements

Phonétique p. 160
- Les sons [y] et [u]
- Traverser des émotions

REGARDS CULTURELS

pages 120-121

Le document
- Quand le cinéma revisite Paris

TÂCHES FINALES

page 122

Tâche 1
- Présenter des films francophones, puis en choisir un pour le regarder ensemble

Tâche 2
- Inventer un film et en écrire la fiche technique, le synopsis et une critique

+ DE RESSOURCES SUR **espacevirtuel.emdl.fr**

- Des activités autocorrectives (grammaire / lexique / culture / CE / CO)
- La carte mentale de l'unité à compléter

SORTIR RESTAURANTS BARS CINÉMA ART THÉÂTRE CONCERTS & SOIRÉES

Prochainement, la semaine du cinéma français

"Un témoignage poignant."

"Drôle et sympathique."

"Une belle histoire inspirée de faits réels."

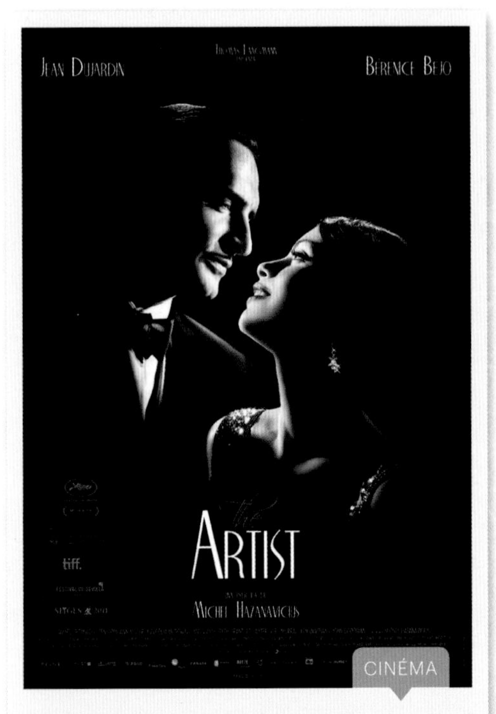

"Hommage aux chefs-d'œuvre de Chaplin."

RECHERCHE 

"Une fiction à laquelle on s'identifie."

"Un film d'animation réussi en musique."

> « Je préfère idéaliser le réel, sinon pourquoi aller au cinéma. »

Jacques Demy, réalisateur français, XXe siècle

1. LES SORTIES DU MERCREDI

PISTE 29

A. Vous allez écouter une carte postale sonore, « Écouter Paris au cinéma ». Notez les mots liés au cinéma que vous entendez ou ce que vous évoquent les bruits.

mots liés au cinéma : places, prix...

PISTE 29

B. Regardez les affiches et écoutez à nouveau la carte postale sonore. Lequel de ces six films est mentionné ?

C. Connaissez-vous les films ou les acteurs français présentés sur cette page ? Lequel de ces films voudriez-vous regarder ? Pourquoi ?

D. À votre avis, à quel genre correspondent ces six films ? Quel genre de films appréciez-vous ?

film dramatique · documentaire · dessin animé · comédie romantique · comédie · film muet

Et vous ?
Vous êtes plutôt cinéma, DVD ou films en streaming ?

2. À CHACUN SA SÉANCE

A. **Lisez ces commentaires sur le mur de parole et retrouvez quels sont les différents critères d'un bon film.**

« VOTRE INSTANT CINÉMA : POUR VOUS, UN BON FILM C'EST... »

Un film policier au scénario bien ficelé.

UN FILM QUI FAIT RÉFLÉCHIR.

Les films de science-fiction qui nous sensibilisent plus à l'avenir de notre planète que de nombreux documentaires.

CE QUI ME TOUCHE LE PLUS DANS UN FILM, C'EST LA QUALITÉ DE SA MUSIQUE.

Un cocktail d'émotions ! Ce que j'attends d'une comédie, c'est qu'elle me fasse rire et pleurer.

J'ADORE LES DESSINS ANIMÉS.

LE JEU DES ACTEURS EST ESSENTIEL. ON NE DOIT PAS VOIR L'ACTEUR MAIS SON PERSONNAGE.

Un film marquant pour la vie. J'aime surtout les fictions basées sur un réel problème de société.

Le cinéma est fait pour nous divertir. Devant un film, je veux surtout rigoler.

Un film qui fait rêver, qui nous transporte, qui fait découvrir d'autres horizons.

UN FILM QUI TOUCHE ET DANS LEQUEL ON PEUT S'IDENTIFIER AU PERSONNAGE.

B. **Complétez ce tableau à l'aide des mots laissés par les spectateurs.**

TYPES DE FILMS	ÉLÉMENTS QUI CARACTÉRISENT LES FILMS	ÉMOTIONS
....	....	....

C. **Êtes-vous d'accord avec ces critères ? Discutez-en en groupe.**

D. **À votre tour, proposez votre définition d'un bon film sur le mur de parole.**

3. CINÉ EN PLEIN AIR

A. **Avez-vous déjà vu une projection en extérieur ? Aimez-vous ce type d'événement ? Parlez-en entre vous.**

B. **Lisez les synopsis. Selon vous, quel est le thème de ce cycle de films ?**

MERCREDI 22
Le Petit Prince
Date de sortie : 29/7/2015
Durée : 1 h 47 min
Réalisateur : Mark Osborne
Voix : Clara Poincaré, André Dussollier, Florence Foresti
Genre : Animation
Nationalité : Français
Synopsis : Cet excellent film d'animation est adapté du livre d'Antoine de Saint-Exupéry. Il raconte l'histoire d'une petite fille, très sérieuse, qui vit dans un monde d'adultes. Elle fait la connaissance de son voisin, un aviateur excentrique et facétieux qui, lui, a gardé son âme d'enfant. Il va lui raconter l'histoire du *Petit Prince* et la faire voyager dans un monde merveilleux.

JEUDI 23
Monsieur Ibrahim et les fleurs du Coran
Date de sortie : 17/9/2003
Durée : 1 h 34 min
Réalisateur : François Dupeyron
Acteurs : Omar Sharif, Pierre Boulanger, Gilbert Melki
Genre : Comédie dramatique
Nationalité : Français
Synopsis : Adapté du roman homonyme de l'écrivain belge Éric-Emmanuel Schmitt. À Paris, dans les années soixante, Momo, un garçon de treize ans, vit seul avec son père qui ne s'occupe pas de lui. Son seul ami est Monsieur Ibrahim, l'épicier arabe et philosophe de la rue Bleue. Celui-ci va lui faire découvrir la vie, les femmes, l'amour et prendre un peu la place de son père...

VENDREDI 24
Mon bel oranger
Date de sortie : 21/8/2013
Durée : 1 h 39 min
Réalisateur : Marcos Bernstein
Acteurs : Joao Guilherme Avila, José de Abreu, Caco Ciocler
Genre : Comédie dramatique
Nationalité : Brésilien
Synopsis : Adapté du roman de José Mauro de Vasconcelos publié en 1968, un classique de la littérature brésilienne. Au Brésil, Zézé, jeune enfant précoce, vit à la campagne dans une famille pauvre. Il aime raconter des histoires et fait aussi beaucoup de bêtises. Il se fait souvent réprimander par ses sœurs. C'est ensuite à un oranger qu'il confie ses secrets, ses peurs, ses peines et ses joies...

SAMEDI 25
E.T. l'extra-terrestre
Date de sortie : 1/12/1982
Durée : 2 h 00 min
Réalisateur : Steven Spielberg
Acteurs : Henry Thomas, Drew Barrymore, Dee Wallace
Genre : Science fiction
Nationalité : Américain
Synopsis : C'est une histoire d'amitié entre deux êtres radicalement différents. Dans une banlieue de Los Angeles, Elliot, un garçon de dix ans, découvre un extraterrestre (E.T.) abandonné par ses compagnons. Il le prend sous sa protection et le cache dans son armoire. Ils communiquent par télépathie et deviennent vite très proches. Mais E.T est recherché. À l'aide de sa famille, Elliot tente de garder la présence d'E.T secrète...

DIMANCHE 26
Cinéma Paradiso
Date de sortie : 20/9/1989
Durée : 2 h 04 min
Réalisateur : Giuseppe Tornatore
Acteurs : Philippe Noiret, Jacques Perrin, Salvatore Cascio
Genre : Comédie dramatique
Nationalités : Italien, Français
Synopsis et détails : À Rome, à la fin des années 1980, Salvatore, cinéaste reconnu, vient d'apprendre la mort de son vieil ami Alfredo. Il se souvient alors de toute son enfance en Sicile. On l'appelait alors « Totò » et il partageait son temps libre entre son activité d'enfant de chœur et la salle de cinéma du village, où travaillait Alfredo. Le projectionniste lui a appris la vie à travers les films qu'il projetait...

PISTES 30 - 31

C. **Écoutez les conversations. De quels films parlent-ils dans chaque dialogue ? Quel film décident-ils d'aller voir ?**

D. **En groupes, pensez à des films que vous avez vus et qui ont quelque chose en commun. Proposez un cycle de films pour le cinéma en plein air et présentez-le à la classe.**

- On a pensé à un cycle de films qui se passent à Londres : « Match point », « Notting Hill », « Mary Poppins » et « Le journal de Bridget Jones ». « Match point », c'est un film de Woody Allen sorti en 2005...

Et vous ?
Combien coûte une place de cinéma dans votre pays ?

4. MON PREMIER FILM

A. Les élèves d'une école de cinéma parlent du film qu'ils ont réalisé individuellement pour leur projet de fin d'année. À votre avis, quels types de films décrivent-ils et pourquoi ?

une comédie romantique | un film d'horreur | une critique sociale | un film dramatique | un film de science fiction | ...

Nos étudiants nous parlent de leurs films

Mélanie « J'ai voulu faire un film qui fait réfléchir aux problèmes de l'écologie, mais qui montre ce que l'homme fait de mieux pour donner une vision optimiste de l'avenir. Je voudrais sensibiliser les gens pour qu'on construise un monde meilleur. »

Omar « On voit déjà assez de catastrophes tous les jours au journal télé. Je souhaite faire rire les spectateurs, les faire rêver pour qu'ils sortent de leur quotidien. »

Natacha « Il ne faut pas se voiler la face, c'est pourquoi j'ai voulu adapter ce fait réel et le porter sur le grand écran. C'est un film dur, qui dérange, mais qui va toucher les spectateurs dans leurs émotions les plus profondes. »

B. Relevez les expressions pour parler des réactions que les réalisateurs souhaitent provoquer.

LES RÉACTIONS ET ÉMOTIONS

ce film	cherche à vise à entend veut souhaite	f....
		s....
		faire peur
		f....
		f....
		d....
		t....
		choquer
		bouleverser
		faire pleurer

C. Pensez à des films qui ont provoqué ces réactions chez vous. Aidez-vous du tableau et partagez-le avec la classe.

- *Le film « Lord of War » m'a fait beaucoup réfléchir sur le trafic d'armes et de drogue dans le monde. C'est une fiction qui dénonce un fait réel...*

5. NOS GOÛTS SUR LES FILMS

PISTES 32 - 35

A. Vous allez écoutez une émission sur les goûts de certains auditeurs. Ont-ils apprécié les films qu'ils ont vus ?

1. David, *Welcome*
2. Sabrina, *Les bronzés 3*
3. Marika, *Demain*
4. Benoît, *Le prénom*

un peu | pas trop | beaucoup | pas du tout

PISTES 32 - 35

B. Réécoutez l'émission, puis, remplissez le tableau à l'aide de ces expressions.

- J'ai adoré
- C'est un navet
- C'est nul
- C'est léger
- C'est amusant
- Ça a été une déception
- Je me suis un peu ennuyé(e)
- Un film comme je les aime
- C'est une perte de temps
- J'ai passé un bon moment

EXPRIMER SES GOÛTS SUR UN FILM

	EXPRESSIONS EMPLOYÉES POUR DONNER SON OPINION SUR UN FILM
😀	*un chef d'œuvre*, ..., ...
😐	*sans plus*, ..., ... *ça n'a rien d'exceptionnel*, ..., ...
😠	...., ..., ..., ...,

C. Quel est votre film préféré ? Et le pire film que vous ayez vu ? Mettez-vous d'accord en groupe et proposez le podium des trois meilleurs ou pires films de l'année.

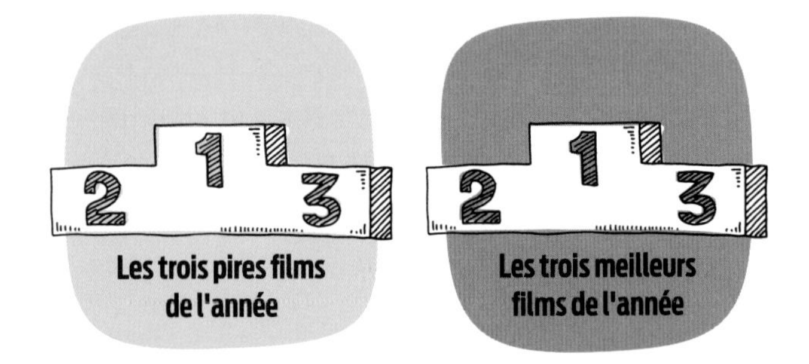

6. UN GRAND FILM OU UN NAVET ?

A. **Avez-vous vu *Casse-tête chinois* ou un des films de la trilogie de Cédric Klapisch ? Quels sont les personnages que l'on retrouve tout au long de cette trilogie ? Si vous ne connaissez pas ce film, regardez la bande annonce du film.**

B. **Lisez ces critiques. Laquelle vous donne envie de voir le film ? Attribuez un nombre d'étoiles à chaque avis en les coloriant.**

☆☆☆☆☆

Ce dernier film de la trilogie de Cédric Klapisch est le pire film de l'année. On ne croit pas à cette histoire. C'est un film lent et inintéressant, qui enchaîne les situations improbables, ridicules et caricaturales. Complètement raté. Un film médiocre. J'espère que Klapisch ne fera pas un quatrième film !

☆☆☆☆☆

Casse-tête chinois est un film léger naviguant entre les différentes communautés new-yorkaises. Klapisch a fait un film superficiel et maladroit sur un thème profond, mais les personnages sont attachants. Quand même un bon moment.

☆☆☆☆☆

En réalisant un portrait de la quarantaine mêlant amour, travail et vie de famille, Klaplisch conclue parfaitement sa brillante trilogie. On retrouve une vraie bande de copains qui nous réservent plein de surprises. Un film drôle, passionnant, émouvant… Un grand film !

C. **Relevez les adjectifs qui apparaissent dans ces critiques. Lesquels servent à décrire des films positivement ou négativement ? Ensuite, complétez le tableau.**

LA PLACE DE L'ADJECTIF (RAPPEL)

APRÈS LE NOM

La plupart des adjectifs se placent après le nom. Ex. : *un film médiocre*

AVANT LE NOM

On place devant le nom :
- Les adjectifs courants et courts comme ***beau***, ***joli***, ***mauvais***, …., …., ***petit***, ***jeune***, ***vieux***, …., …., ***meilleur***
- Les nombres numéraux et ordinaux. Ex. : …., ….

⚠ Certains adjectifs peuvent se placer avant ou après selon le sens qu'on veut leur donner.
Ex. : ***Un grand film*** = ***un film génial***

D. **À deux, choisissez un film que vous avez vu. Faites-en deux critiques : une positive et une négative. Lisez-les à la classe.**

LES RÉACTIONS ET ÉMOTIONS

PISTE 36

EX. 1. **Écoutez ces commentaires de spectateurs à la sortie d'un cinéma et associez-les aux réactions et émotions suivantes.**

- ☐ Ça l'a choqué.
- ☐ Ça lui a fait peur.
- ☐ Ça l'a fait réfléchir.
- ☐ Ça l'a bouleversé.

EXPRIMER SES GOÛTS SUR UN FILM

EX. 2. **Reliez les impressions aux expressions.**

1. a. Une mauvaise surprise
   b. Un coup de cœur
   - ☐ J'ai été agréablement touché(e) par ce film.
   - ☐ J'ai été très déçu(e). Ce n'est vraiment pas terrible.
2. a. Une bonne surprise
   b. Un navet
   - ☐ Je recommande vivement ce film.
   - ☐ C'est une perte de temps.
3. a. Un chef d'œuvre
   b. Sans plus
   - ☐ J'ai vraiment passé un très bonmoment.
   - ☐ Ce n'est vraiment pas terrible.

EX. 3. **Que pensez-vous des films de ces réalisateurs ? Discutez de deux d'entre eux en petits groupes.**

Woody Allen | Pedro Almodóvar | Charlie Chaplin | Steven Spielberg | Quentin Tarantino | Luc Besson

- • *J'adore tous les films de Quentin Tarantino.*
- ○ *Moi, toute cette violence gratuite, ça me dérange !*

LA PLACE DE L'ADJECTIF (RAPPEL)

EX. 4. **Complétez le synopsis du film *Casse-tête chinois* avec les adjectifs suivants. Faites les accords si nécessaire.**

compliqué | bon | grand | beau | talentueux

Xavier, 40 ans, n'est pas un …. écrivain. Ce …. père de famille quitte tout pour rejoindre ses enfants à New York. D'origine anglaise, Wendy a eu une carrière …. à Paris. Après une …. histoire d'amour, Xavier et Wendy se séparent et quittent Paris. En traversant l'Atlantique, ils se lancent dans une vie ….

EX. 5. **Pour chaque phrase, choisissez l'explication qui convient.**

1. Cet acteur très grand a joué dans le dernier film de Chaplin.
   ☐ un acteur génial ☐ un acteur de 1,95 m
2. Pendant sa carrière, elle a joué dans des films très différents.
   ☐ des films de genres très variés ☐ beaucoup de films
3. Dans ce film, le pauvre homme découvre qui est son père.
   ☐ un homme sans argent ☐ un homme qui n'a pas de chance
4. Le décor représente chaque personnage dans sa propre chambre.
   ☐ la chambre de chacun ☐ une chambre très ordonnée

+ d'exercices : page 191

7. PERSONNAGES ANIMÉS

A. Regardez ces personnages. Les reconnaissez-vous ? Quel est leur point commun ?

B. Lisez la description de ces personnages. Pourquoi agissent-ils ainsi ?

Cruella est une femme méchante et diabolique **dont** tout le monde a peur, surtout les chiens. En effet, elle est prête à tout pour se créer un manteau en fourrure de petits chiens dalmatiens qui serait assorti à ses cheveux noir et blanc.

Scar, qui signifie en anglais « cicatrice », veut se débarrasser du roi, **dont** il est le frère, et devenir le roi de la Terre des Lions, où il sème la terreur.

Frollo est un prêtre qui aime Esmeralda, la belle Gitane **dont** tout le monde est amoureux. Il retient prisonnier Quasimodo, le bossu, qu'il a recueilli bébé. Quand Esméralda rencontre Quasimodo, il va tout faire pour empêcher leur amitié.

C. Complétez le tableau à l'aide des exemples du texte.

LE PRONOM RELATIF *DONT*

Le pronom relatif **dont** remplace un complément précédé de la préposition **de**.
Ex. :
Cruella est une femme méchante et diabolique.
Tout le monde a peur ***de Cruella.*** → ....
Scar veut se débarrasser du roi. Il est le frère ***du roi.*** → ....
Frollo est un prêtre qui aime Esméralda. Tout le monde est amoureux ***d'Esméralda.*** → ....

D. En petits groupes, chacun prépare un panneau pour une exposition sur les méchants au cinéma.

Miranda Priestly, dont le caractère glacial terrorise ses employés, est rédactrice en chef du magazine de mode « Runway »...

8. MARION COTILLARD

A. Regardez les photos et essayez d'imaginer quel type de rôle Marion Cotillard a interprété et dans quel genre de film. Ensuite, lisez ce document réalisé par une fan pour confirmer vos hypothèses.

MARION COTILLARD

HANTÉE PAR SES PERSONNAGES

MACBETH (2015)
Personnage : **Lady MacBeth**
Elle accepte ses rôles comme des challenges personnels. En effet, elle a accepté ce rôle car ce qu'elle cherchait, c'était à comprendre l'origine de la perversité de cette femme, héroïne de Shakespeare. Pour moi, c'est le rôle le plus sombre de sa carrière.

DEUX JOURS, UNE NUIT (2014)
Personnage : **Sandra**
Pour moi, c'est le meilleur rôle de Marion Cotillard. Ce dont on ne parle pas toujours, c'est qu'elle est vraiment professionnelle et qu'elle prépare minutieusement ses rôles. Elle s'invente toute une vie autour de ses personnages, c'est ce qu'elle a fait avec le rôle de Sandra, une mère de famille dépressive qui risque de perdre son emploi.

LA MÔME (2007)
Personnage : Édith Piaf
Ce qui est étonnant dans ce film, c'est la ressemblance de l'actrice avec la chanteuse. Elle a été obsédée par ce rôle pendant des mois. Elle a, d'ailleurs, appelé son fils Marcel comme le grand amour de Piaf.

DE ROUILLE ET D'OS (2012)
Personnage : Stéphanie
Ce que je trouve impressionant dans ce film, c'est qu'elle réussit à interpréter avec une justesse incroyable le rôle d'une femme qui a perdu ses jambes suite à un accident.

B. Qu'est-ce que cette fan met en valeur de chaque rôle de l'actrice ?

C. Certains pronoms relatifs sont précédés par *ce*. Entourez ce que ce mot reprend (des éléments qui le précèdent) ou annonce (des éléments qui le suivent).

CE + PRONOM RELATIF

Ce + pronom relatif
- sert à annoncer des éléments qui suivent.
  Ex. : ***Ce qui*** *est étonnant dans ce film, c'est la ressemblance de l'actrice avec la chanteuse.*
- reprend des éléments qui précèdent.
  Ex. : *Elle s'invente toute une vie autour de ses personnages, c'est* ***ce qu'****elle a fait avec le rôle de Sandra.*

D. Discutez entre vous de ce qui vous touche, ce que vous appréciez ou ce que vous ne supportez pas dans le jeu de vos acteurs préférés ou détestés.

- *Ce qui m'énerve chez Angelina Jolie, c'est qu'elle joue toujours de la même façon et...*

LE PRONOM RELATIF *DONT*

EX. 1. Complétez cette chronique de cinéma avec les pronoms relatifs *qui*, *que* ou *dont*.

Damien : Le dernier film d'Aristide Ortega .... j'ai vu m'a beaucoup déçu. Il a fallu qu'il aille jusqu'en Islande pour trouver le décor .... il avait besoin. Et pourtant, les images ne reflètent pas l'atmosphère du grand Nord.

Ismaël : Complètement d'accord avec toi ! Ce film .... tout le monde parle est un navet. L'actrice .... joue le rôle principal est vraiment nulle. Le rôle .... lui a été attribué ne lui convient pas du tout.

EX. 2. Reconstituez les phrases.

1. Mon ami	**que**	je t'ai parlé	joue dans le prochain Audiard.
	qui	tu as rencontré	
	dont	habite à Bruxelles	
2. La maison de campagne	**où**	tu vois	apparaît dans le film.
	que	vous avez dormi	
	qui	vous rêvez	
	dont	appartenait à ma mère	
3. Le film	**qui**	vous ne gardez pas un bon souvenir	a remporté un Oscar.
	que	a été à l'affiche deux semaines	
	dont	tu m'as prêté	

CE + PRONOM RELATIF

EX. 3. Complétez de façon logique ces commentaires de spectateurs à la sortie d'un cinéma.

1. Je me demande ce que ....
2. Je n'ai pas entendu ce dont ....
3. Ce qui .... c'était ....
4. Ce que .... c'est ....

EX. 4. Complétez avec un pronom relatif précédé de *ce*, quand c'est nécessaire.

- Tu as vu *The Artist* ? J'ai adoré.
- Oui, ... fait le charme du film, c'est le choix d'un film muet.
- Moi, ... j'apprécie, c'est le format en noir et blanc.
- Tu savais que l'acteur .... joue le rôle principal est français ?
- Non mais .... je me souviens, c'est qu'il a remporté l'Oscar du meilleur acteur.

EX. 5. Faites une petite enquête dans votre groupe afin de recenser les éléments suivants.

1. Ce qui vous touche dans un film
2. Ce que vous détestez chez un acteur
3. Ce dont vous parlez en sortant du cinéma
4. Ce que vous recherchez en allant au cinéma

- *Qu'est-ce qui te touche dans un film ?*
- *Ce qui me touche, ce sont les films inspirés d'histoires vraies.*

+ d'exercices : pages 191 - 192

9. ON TOURNE

A. Lisez ces extraits du scénario du film *Paris* de Cédric Klapisch. En groupes, partagez vos doutes sur sa compréhension et résumez ensuite chaque extrait en quelques phrases. À votre avis, dans le deuxième extrait, qu'est-ce que Roland a fait ?

BOULANGERIE, INT. JOUR

LA BOULANGÈRE (énervée, tournée vers sa vendeuse en contrechamp)
À main gauche, vous tirez sur le fil et vous tournez d'un quart de tour !

Plan serré sur l'employée derrière le comptoir, qui la regarde, un peu exaspérée.

LA BOULANGÈRE (perdant patience)
Mais enfin personne ne vous apprend à faire des nœuds dans vos écoles, là ?!

Élise entre au second plan derrière une cliente.

LA BOULANGÈRE (off) C'est quand même pas croyable !...

La boulangère se tourne vers Élise.

LA BOULANGÈRE (brusque sourire)
Bonjour !

Plan serré sur Élise dont le regard va de l'employée, compatissant, à la boulangère, agacé.

ÉLISE (mollement) Bonjour.

LA BOULANGÈRE (à son employée)
Bon écoutez, moi, je ne vais pas pouvoir vous garder, hein, si ça continue comme ça !

(Elle contourne le comptoir, se dirigeant vers Élise.)

LA BOULANGÈRE Madame ?
ÉLISE Euh, je vais vous prendre une baguette. S'il vous plaît.
LA BOULANGÈRE Une tradition ?
ÉLISE Non, une normale.

La boulangère se retourne pour prendre une baguette puis désigne son employée de la main.

LA BOULANGÈRE Ils sont marrants, ils nous disent de faire travailler les jeunes, mais enfin les jeunes, on sait pas bien s'ils ont envie de travailler, hein ?

Retour sur l'employée, la mine sombre.

L'EMPLOYÉE Vous pouvez me laisser le temps d'apprendre, c'est mon deuxième jour...

LA BOULANGÈRE C'est ça !... hmm...

Élise se tourne vers l'employée, tout en cherchant sa monnaie.

LA BOULANGÈRE (en encaissant)
Moi à son âge, je vous prie de croire que c'était pas comme ça...

(Regard équivoque en direction de l'employée, puis grand sourire vers Élise.)

ÉLISE Merci, au revoir... (Elle sort à droite.)

LA BOULANGÈRE En vous remerciant !

Cédric Klapisch

CAFÉ PRÈS DE LA SORBONNE, INT. JOUR

LAETITIA (Le regard vers le portable de Roland encore dans ses mains.)
C'est vous !

Plan sur Roland, terriblement gêné.

ROLAND (timidement)
Oui... c'est... c'est moi...

Plan sur Laetitia qui le regarde et soupire.

Roland se passe la langue sur les lèvres.

ROLAND (sourire embarrassé)
Ah évidemment, c'est... c'est très embarrassant... Je me sens pas bien... je me sens pas bien du tout, là.

LAETITIA (sèche)
c'est tout ce que vous trouvez à dire ?

ROLAND Je suis sincèrement désolé... mais vraiment... désolé...

Plan sur Roland, la mine honteuse.

LAETITIA (debout)
Non mais vous êtes complètement dingue ! Vous, vous rendez compte de ce que vous avez fait ? Vous imaginez à quel point c'est humiliant ? C'est horrible !
C'est quoi votre trip ?

B. En petits groupes, essayez d'interpréter les extraits en faisant attention aux indications de jeu. Si vous pouvez, regardez les scènes du film. Le jeu des personnages est-il comme vous l'aviez imaginé ?

C. Observez les mots surlignés. Dans quelles situations vous pourriez éprouver ces sentiments ? Comment réagiriez-vous dans des situations identiques ?

D. En petits groupes, choisissez une des scènes du film et réécrivez-la pour que les personnages se comportent et éprouvent des sentiments différents.

LES SENTIMENTS ET LES COMPORTEMENTS

ÊTRE...		
énervé(e)	honteux / honteuse	dégoûté(e)
exaspéré(e)	heureux/ heureuse	ennuyé(e)
impatient(e)	amoureux/ amoureuse	frustré(e)
agacé(e)	sec / sèche	hystérique
compatissant(e)	souriant(e)	troublé(e)
gêné(e)	plein(e) d'espoir	triste
embarassé(e)	effrayé(e)	timide

10. ON RECHERCHE...

A. Regardez ce document. De quoi s'agit-il ?

Nous sommes à la recherche de 3 comédiens et de 10 figurants pour un long métrage d'action nommé *Course folle*. Le tournage aura lieu en novembre.

NOUS RECHERCHONS :

→ un homme entre 30 et 45 ans, brun, regard profond, yeux noirs / marrons. Lors de certaines scènes, il se peut que l'acteur se retrouve en sous-vêtements.
→ une femme entre 18 et 25 ans, de type asiatique, petite, mince et avec les cheveux longs. Elle doit être sportive.
* Une maîtrise des arts martiaux est nécessaire pour le rôle de ces deux acteurs.
→ une femme entre 45 et 55 ans, blonde, grande et avec les cheveux courts. Elle a les yeux bleus. Son personnage est complexe et froid et il ne laisse paraître aucune émotion sur son visage.
→ Nous aurions aussi besoin de figurants qui pratiquent les arts martiaux pour de nombreuses scènes d'action.

Pour postuler, merci d'envoyer CV et photos à :
casting_coursefolle@en.fr

PISTE 37

B. Maintenant, lisez le document puis écoutez la conversation. Quels autres critères sont importants pour être sélectionnés ?

C. Complétez la règle à l'aide des exemples issus de la conversation.

EXPRIMER UN SOUHAIT, UN DÉSIR

Après des verbes exprimant un souhait, un désir (***souhaiter***, ***vouloir***, etc.), on utilise le .... lorsque le sujet de la subordonnée est différent de celui de la principale.
Ex. :
- *On veut qu'il sache monter à cheval.*
- *On aimerait qu'elle ait un accent chinois.*
- *J'aurais voulu que ce soit quelqu'un de plus connu.*
- *L'idéal serait qu'elle ne soit pas débutante.*

D. En petits groupes, écrivez une annonce de casting. Puis, affichez-la dans la classe. Pourriez-vous participer à un des castings proposés ?

- Ah, non, celle-ci je ne peux pas parce qu'ils voudraient quelqu'un qui soit blond et qui sache parler russe.

Et vous ?
Avez-vous déjà participé à un tournage ?

LES SENTIMENTS ET LES COMPORTEMENTS

EX. 1. Complétez ce test avec les mots proposés, puis répondez-y par deux.

triste | plein d'espoir | troublé

1. Lorsque vous sortez du cinéma, vous aimez être...
a. ...., avec de l'énergie positive.
b. ...., vous avez pleuré toutes les larmes de votre corps.
c. ...., mais avec des idées plein la tête.

énervé | frustré | patient

2. Il y a une longue file d'attente devant le cinéma, vous êtes...
a. ...., vous vouliez vraiment y aller ce jour-là comme c'était planifié depuis des mois.
b. ...., c'est toujours comme ça. Vous détestez le samedi soir.
c. ...., vous attendez.

EX. 2. Entraînez-vous à jouer ces répliques de cinéma devant votre groupe avec l'un des sentiments suivants. Votre groupe devinera quelle émotion vous incarnez.

énervé | heureux | effrayé | hystérique | triste

1. « Je sais que tu veux qu'il sache tout ce qu'il a fait pour toi. »
2. « Je voudrais qu'elle soit plus responsable. Mais elle se comporte comme un enfant. »
3. « Ne t'en fais pas. Tout ira bien. »

EXPRIMER UN SOUHAIT, UN DÉSIR

PISTE 38

EX. 3. Complétez ce dialogue en prenant en compte les émotions indiquées dans le scénario. Vous pouvez l'écouter pour mieux comprendre le jeu des acteurs.

- *(songeur)* J'aimerais ....
- *(stressé)* Quoi ? Qu'est-ce que tu veux ?
- *(déprimé)* Je voudrais ....
- *(stressé)* Tu veux quoi à la fin ?
- *(lassé)* J'aimerais que ....
- *(énervé)* Mais dis-moi !
- *(lassé)* Je voudrais que ....

EX. 4. Ces acteurs expriment leurs souhaits de carrière. Terminez leurs phrases.

1. J'en ai assez de jouer le rôle de la fille sympa et sexy. J'aimerais que ....
2. On m'offre toujours des rôles comiques. Mon rêve serait que ....
3. J'aimerais que le public ....
4. Je suis très connu en France, mais maintenant j'adorerais que ....
5. Je ne suis jamais allé à une cérémonie de remise de prix. Je souhaiterais que ....

EX. 5. En petits groupes, parlez de votre vision idéale du cinéma.

- J'aimerais que les places soient moins chères.
- Moi, je voudrais qu'on puisse voir des films dans la langue qu'on veut, avec un casque qui fait une traduction simultanée.

+ d'exercices : pages 192 - 193

FICHE TECHNIQUE

1. Complétez la fiche technique du film *Les Garçons et Guillaume, à table !*

.... : Les Garçons et Guillaume, à table !
.... : Guillaume Gallienne
.... : français
.... : 86 minutes
.... : comédie

LES GENRES CINÉMATOGRAPHIQUES

2. À quel genre correspondent ces critiques de cinéma ?

film d'action | comédie romantique | film policier | drame | documentaire

1. « Un thriller dont le suspens dure jusqu'à la dernière minute. »
2. « Une belle histoire d'amour avec des protagonistes très crédibles. »
3. « Une tragédie réelle orchestrée par un maestro du cinéma. »
4. « Immersion réussie dans une école. »
5. « D'impressionnantes successions de courses-poursuites et des effets spéciaux à couper le souffle. »

3. Le saviez-vous ? Complétez ce document sur le cinéma français.

écrans | projections | cinéma | création | salles | entrées

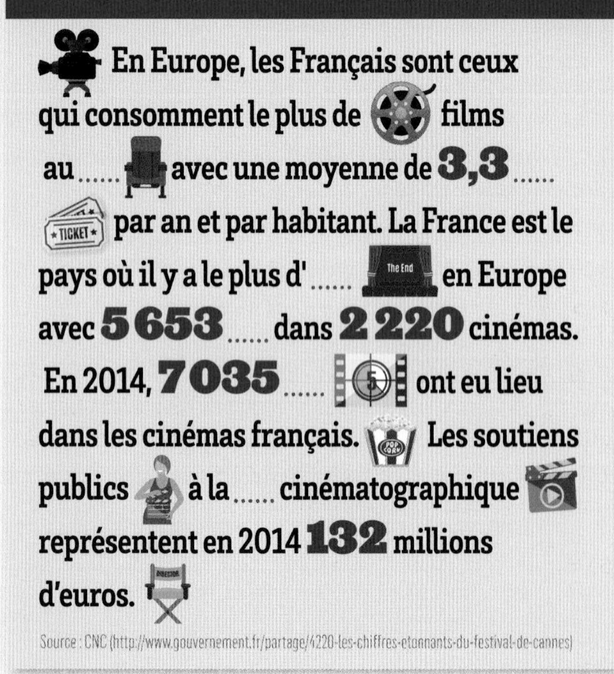

LA CRITIQUE DE CINÉMA

4. Suivant ce modèle, choisissez un film que vous avez vu et imaginez les phrases tirées de la presse qui accompagnent la sortie du film. Pensez à utiliser des adjectifs.

AU FIL DE L'UNITÉ

5. Complétez cette présentation d'un documentaire extraite d'un forum de cinéma avec les mots suivants.

documentaire | palmarès | sensibilise | sortie | scénario | meilleur | prix

Hier, j'ai été voir le film *Le Sel de la terre*. C'est un .... dont la date de .... est prévue mercredi en France. Il parle de la vie du photographe Salgado. Le .... a été co-écrit par son fils et Wim Wenders. Il a déjà un beau .... . Il a remporté le César du .... film documentaire et le .... spécial « Un certain regard » à Cannes. Les images sont magnifiques. Ce film .... à la protection de l'environnement.

6. Dans chaque liste, trouvez l'intrus. Vous donnerez ensuite un nom à chaque liste et une définition pour chaque mot intrus.

1. comédie / drame / documentaire / prix
2. Palme / navet / Oscar / César
3. acteur / réalisateur / synopsis / scénariste
4. séance / projection / avant-première / guichet
5. un navet / un film raté / une réussite / une déception

7. Tous ensemble, choisissez une lettre de l'alphabet. Vous avez une minute pour remplir individuellement le plus rapidement possible le tableau suivant. Le premier qui a terminé demande aux autres de poser leur stylo.

LETTRE	
ACTEUR	
RÉALISATEUR	
TITRE DE FILM	
ÉMOTION	
GENRE	

ALLER AU CINÉMA

- regarder les films à l'affiche / un programme
- acheter une place de cinéma / une entrée au guichet
- être invité(e) à une avant-première
- assister à une projection / une séance
- voir un film
- lire un synopsis / une critique

- le public = les spectateurs

- on se fait une toile ?
- ça te dit d'aller au ciné ?
- on va voir le dernier Klapisch / Tarantino... ?

LES GENRES CINÉMATOGRAPHIQUES

- un dessin animé = un film d'animation
- une comédie dramatique
- une comédie romantique
- un film d'action
- un documentaire
- un film policier
- un thriller
- un film musical
- un classique
- un film de science-fiction

LES ÉMOTIONS À L'ÉCRAN

un film qui
- touche
- fait peur / réfléchir / découvrir d'autres horizons / réagir / rire / passer du rire aux larmes
- sensibilise
- dérange

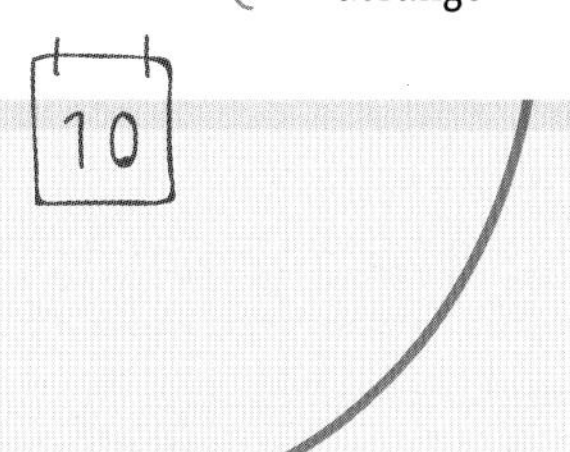

CINÉMA

ACTION !

- un acteur, une actrice
- un réalisateur, une réalisatrice
- une star
- interpréter un personnage
- jouer un rôle
- recevoir un prix / une récompense
- remporter un César / Oscar...
- avoir un palmarès
- écrire un scénario
- tourner une scène

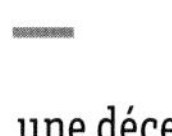

LA CRITIQUE DE CINÉMA

+

- une révélation
- un coup de cœur
- une réussite
- un chef-d'œuvre
- un hommage
- une bonne surprise
- un film grandiose / brillant / passionnant / émouvant / léger / profond
- un bon / grand film
- le meilleur film

–

- une déception
- une perte de temps
- un navet
- un film raté / nul / lent / inintéressant / ridicule / médiocre / caricatural / superficiel / maladroit
- un mauvais film
- le pire film

www.parcourscinema.en

QUAND LE CINÉMA REVISITE PARIS

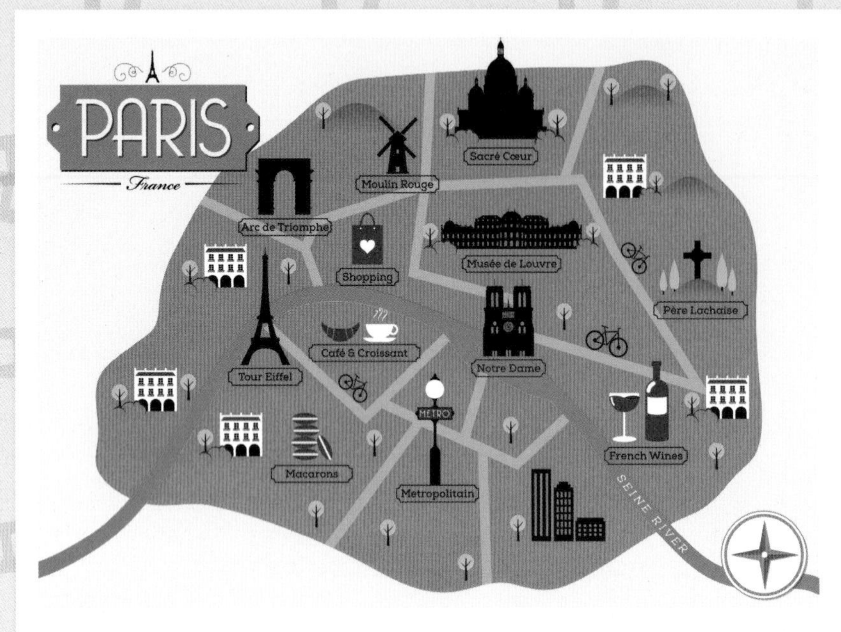

La première fois que j'ai été à New York, j'ai eu l'impression de connaître cette ville. Times Square, Central Park... On les a tellement vus au cinéma que ces lieux nous semblent familiers. Alors, aujourd'hui, je vais vous parler de Paris. Pas de ma ville, mais de la ville des réalisateurs étrangers. Car Paris est la ville la plus filmée au monde. La mairie autorise en moyenne dix tournages par jour. Chaque année, ce sont donc plus de 950 tournages (long métrage, fiction télé, spot publicitaire, documentaire, court métrage) qui utilisent les rues de Paris comme décor.

Beautiful
Issu de Tourisme

Ratatouille

C'est en découvrant la tour Eiffel que le rat, Rémy, réalise qu'il est à Paris. Il va enfin pouvoir réaliser son rêve : devenir un grand chef dans ce pays réputé pour sa gastronomie. Comme dans beaucoup de films, la tour Eiffel permet de situer l'action du dessin animé *Ratatouille*. Il y a aussi une course-poursuite qui se déroule sur les bords de la Seine. Depuis la tour Eiffel, le fleuve passe au pied de l'Assemblée nationale, de l'île de la Cité jusqu'aux tours de la Bibliothèque nationale.

Beautiful
Issu de Tourisme

Moulin Rouge !

Dans *Moulin Rouge !*, c'est le Paris de la Belle Époque qui est à l'honneur. S'inspirant de *La Dame aux camélias* d'Alexandre Dumas, ce film musical, dont le premier rôle est interprété par Nicole Kidman, a crée un décor utilisé pour l'occasion en mélangeant les siècles selon les souhaits du réalisateur. Le cabaret du Moulin rouge a inspiré de nombreux films dès les années 30. L'emblème du cabaret parisien aujourd'hui détrôné par le Crazy Horse ne paraît pourtant pas aussi scintillant dans l'actuel quartier de Pigalle.

Beautiful
Issu de Tourisme

Midnight in Paris

L'affiche du film *Midnight in Paris* donne le ton. Elle reprend le tableau de *Nuit étoilée* de Van Gogh. Après Barcelone et avant Rome, Woody Allen se fait plaisir en offrant une belle carte postale de la ville de Paris. On y retrouve le Paris artistique fantasmé des années 20 auprès de Picasso, Dalí et Scott Fitzgerald. Des pavés de Montmartre aux caves à vin de Saint-Germain-des-Prés, on se demande si ce Paris a bel et bien existé. Cette image correspond certainement à l'imagination de ceux qui passent du temps au marché aux puces de Saint-Ouen.

Beautiful
Issu de Tourisme

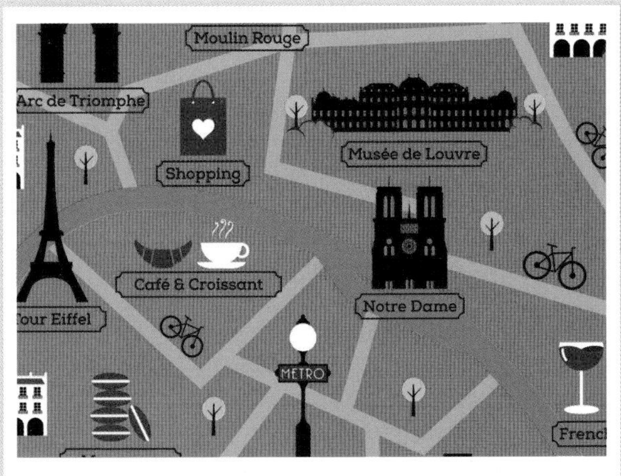

Si vous êtes fans de cinéma, découvrez la ville de Paris à travers les films qui lui rendent hommage. Téléchargez sur le site de la ville de Paris les « Parcours cinéma ».

Beautiful
Issu de Tourisme

11. PARIS À L'ÉCRAN

A. Regardez les photos de l'article. Avez-vous vu ces films tournés à Paris ? Lesquels ? En connaissez-vous d'autres ?

B. Lisez l'article. Quels stéréotypes de Paris apparaissent dans ces films ?

12. ENDROITS DE PARIS

A. Retrouvez sur la carte de Paris les endroits qui apparaissent dans les films.

B. En groupe, consultez la rubrique « Parcours cinéma » du site Internet de la ville de Paris et présentez un des films cités à la classe.

13. LES VILLES AU CINÉMA

A. Avez-vous déjà eu envie de visiter une ville après avoir vu un film ? Échangez avec votre voisin.

B. Est-ce que votre ville / région apparaît dans un film ? Les images sont-elles représentatives de votre vie quotidienne ? Discutez-en entre vous.

C. Choisissez un film se déroulant dans la ville de votre choix et situez trois scènes sur une carte de la ville. Rédigez une brève présentation de ces lieux. Présentez votre parcours cinéma à la classe.

Dans le film « Frida Kahlo », réalisé par Julie Taymoren en 2003, on peut découvrir plusieurs endroits de Mexico et ses environs.

La plupart des scènes du film se passent dans cette maison : c'est la maison où Frida Kahlo est née et morte, mais c'est aussi là qu'elle a hébergé Trotski. C'est aujourd'hui un musée dans l'ancien village de Coyoacan, qui est aujourd'hui un quartier de Mexico. C'est un endroit absolument charmant plein de maisons colorées et de petites places.

Dans le film, on peut voir Frida et Trostski qui montent les marches des pyramides. C'est très émouvant. Ce lieu magique se trouve à 1 h de Mexico.

C'est dans cette maison que se passe la scène où Frida découvre que Diego la trompe avec sa sœur. C'est aujourd'hui un musée en plein centre de Mexico.

TÂCHES FINALES

TÂCHE 1 ON SE FAIT UN CINÉ ?

1. Rappelez-vous un film francophone que vous avez aimé ou choisissez un des films évoqués dans cette unité. Trouvez des camarades qui ont aimé ou qui s'intéressent à votre film et formez un groupe.

2. En groupes, préparez une affiche ou un diaporama pour présenter votre film : Pour cela, recherchez des informations sur le réalisateur, les acteurs, la date de sortie, l'histoire... Enfin, dites pourquoi vous avez aimé ou pourquoi il vous intéresse.

3. Faites votre présentation. Ensuite choisissez tous ensemble le film que la classe va regarder.

- *On vous propose de regarder « Ratatouille » car c'est un film drôle, où on peut découvrir Paris et la cuisine française. C'est un film dont on a beaucoup entendu parler. Rémy, le rat cuisinier, a l'air trop attachant !*

4. Après le visionnage, échangez vos réactions.

- *D'habitude, je n'aime pas trop les dessins animés mais j'ai adoré « Ratatouille » !*
- *Moi, ce qui m'a le plus plu c'est quand...*

CONSEILS

- Pour trouver des renseignements sur le film de votre choix, vous pouvez consulter la page officielle du film, sa page « Wikipedia » et sa fiche sur le site « Allociné » ou sur le magazine spécialisé en ligne « Première ».
- Dans votre présentation, écrivez des phrases très courtes que vous pourrez développer à l'oral.
- Vous pouvez regarder le film avec des sous-titres en français plutôt que dans votre langue.

TÂCHE 2 SILENCE, ON TOURNE !

1. En groupes, vous allez inventer votre propre film, écrire la fiche technique et rédiger une critique. D'abord, choisissez un genre.

- *Un film d'action ?*
- *Non, un film policier !*

2. Rédigez un court synopsis de votre film et donnez-lui un titre.

3. Choisissez les acteurs que vous aimeriez voir jouer dans votre film et attribuez-leur un rôle.

- *J'aimerais que ce soit un acteur noir, beau et pas trop jeune qui joue le rôle du commissaire...*

4. Écrivez la fiche technique de votre film en y ajoutant des avis susceptibles d'être publiés dans les magazines. Échangez vos fiches avec les autres groupes. Quel(s) film(s) aimeriez-vous aller voir ?

Titre : *L'inconnu du métro*
Réalisateur : ....
Acteurs : ....
Nationalité : ....
Durée : ....
Genre : *Policier*
Public : *Interdit aux moins de 16 ans*
Synopsis : ....
Les avis de la critique : ....

CONSEILS

- Dans votre synopsis, commencez par une situation stable et introduisez un élément perturbateur. Décrivez aussi brièvement les personnages.
- Essayez de varier les critiques positives et négatives.

7 ÉDUCATION SENTIMENTALE

+ DE RESSOURCES SUR **espacevirtuel.emdl.fr**

— Des activités autocorrectives (grammaire / lexique / culture / CE / CO)
— La carte mentale de l'unité à compléter

IL VAUT MIEUX EN RIRE

“ L'éducation ne consiste pas à gaver, mais à donner faim. ”

Michel Tardy, professeur de psychopédagogie, XXe siècle

1. L'ÉDUCATION EN DÉBAT

A. **Observez ces dessins de presse regroupés par les professeurs d'une école. Quel est le message que chaque dessin cherche à transmettre ?**

PISTE 39

B. **Écoutez ces profs qui commentent les dessins. De quels dessins parlent-ils ? Qu'est-ce qu'ils en pensent ?**

NUMÉRO DU DESSIN	COMMENTAIRES
....	
....	
....	
....	

PISTE 39

C. **Réécoutez et notez les mots-clés sur l'éducation. Connaissez-vous d'autres mots sur ce thème ?**

D. **Lequel de ces dessins vous interpelle le plus ? Pourquoi ? Parlez-en entre vous.**

- Le dessin n°5 me choque. Pour moi, l'école est un lieu de rencontres pour socialiser avec les autres élèves. Je n'aimerais pas qu'un ordinateur devienne mon professeur !

Et vous ?

Rencontrez-vous ces mêmes débats sur l'éducation dans votre pays ?

2. LE PROF DE MA VIE

A. Vous souvenez-vous d'un professeur qui vous a marqué positivement ou négativement ? Pourquoi ?

B. Lisez ce document. Les personnes qui témoignent ont-elles un souvenir positif ou négatif de leur professeur ? Quelle a été leur expérience ?

www.aeduc.en

Ces profs qui ont marqué nos vies

À l'occasion de la Journée mondiale des enseignants, la rédaction est allée interroger des passants sur « le prof de leur vie ». Bon ou mauvais, on a tous un souvenir associé à un enseignant qui a changé notre vie.

Cours de français, lycée Lamartine, Châlon

Alexia, 35 ans, devenue auteure pour la jeunesse, raconte : « Il s'appelait M. Dupré et c'était mon instituteur en primaire, dans une petite école de campagne. Je lui avais confié que je voulais devenir écrivaine. Et cet homme extraordinaire m'a dit : " Si tu le veux vraiment, si tu travailles beaucoup, tu le deviendras. " Ça a été énorme, il m'a laissé penser que, dans une vie, tout était possible. Il m'a donné la confiance et l'assurance dont j'avais besoin. »

De son côté, Stéphane se souvient encore de son prof d'éducation physique au collège ! Il nous explique pourquoi : « Je n'aimais pas le sport et j'étais nul. À chaque cours, le prof m'humiliait devant mes camarades : "Ah, tu réussiras peut-être un jour à monter à la corde... Dans dix ans !", se moquait-il devant les autres élèves pour me ridiculiser pendant que j'essayais désespérément de grimper. J'avais tellement honte. C'était horrible. »

Cours de sport à l'école René Cassin, Dijon

« Mon plus grand souvenir de prof s'appelle Mme Lohier, témoigne Fanny. Elle était professeur de lettres dans mon lycée. C'était une grande dame discrète. Mais dès qu'elle commençait à parler de littérature, son regard s'allumait, sa voix devenait plus forte, enthousiaste. Elle nous racontait des tas d'anecdotes sur les écrivains, et on avait l'impression qu'elle les avait tous connus ! Elle était tellement passionnée qu'elle nous donnait envie de tout découvrir et de tout lire ! Et puis, quand on avait des difficultés, elle nous répétait toujours qu'on pouvait y arriver, qu'il ne fallait pas se décourager. Grâce à elle, j'ai trouvé ma voie et j'ai eu envie moi aussi d'enseigner la littérature ! Je suis devenue prof de français.»

C. D'après ces témoignages, quelles pourraient être les qualités d'un bon professeur ? Et les défauts d'un mauvais ? Avez-vous d'autres idées ?

- *Un bon professeur doit...*

D. Compliments ou reproches, avez-vous déjà osé dire à un prof ce que vous pensiez de lui ?

- *Oui. Un jour, dans une librairie, j'ai croisé ma toute première prof de français. Je lui ai dit que, grâce à tous ses conseils de lectures, j'avais aujourd'hui une immense bibliothèque chez moi !*

3. DES PÉDAGOGIES QUI DONNENT ENVIE

A. **Connaissez-vous des formes d'éducation dites « alternatives » ? Pour vous, que signifie la notion d'« éducation » alternative ?**

B. **Lisez la présentation de ces pédagogies alternatives. Laquelle vous séduit le plus ? Pourquoi ?**

- *Je préfère la pédagogie Steiner pour ses activités artistiques et son lien avec la nature.*

Aujourd'hui, il existe en France près de 700 écoles dites « expérimentales ». Ces écoles différentes s'inspirent de pédagogies alternatives comme Freinet, Steiner, ou encore Montessori. Mais qui étaient ces pédagogues et quelle est leur philosophie ? Découvrons les spécificités de deux d'entre eux.

Maria Montessori (1870 - 1952)

« Aide-moi à faire seul. »

SES PRINCIPES

- Respecter le rythme de chacun : il existe certaines périodes où l'enfant est mieux disposé à acquérir certaines compétences.
- Utiliser un matériel adapté : tous les meubles ont une taille appropriée pour les enfants.
- Donner la liberté : les enfants choisissent eux-mêmes les activités qu'ils souhaitent faire, pendant le temps qu'ils le désirent.
- Faire travailler ensemble des groupes d'âges mixtes : les plus jeunes élèves observent les plus âgés qui leur servent de guides.

ACTIVITÉS CARACTÉRISTIQUES

- La manipulation d'objets (cubes, cylindres, objets emboîtables, lettres découpées dans divers matériaux...) pour expérimenter : par exemple, compter grâce à des perles.
- Le rangement et le ménage : les enfants sont responsables de leur environnement et apprennent, par exemple, à mettre la table, à débarrasser, etc.

Rudolf Steiner (1861 - 1925)

LA PÉDAGOGIE STEINER

« Éduquer l'enfant tout entier, tête, cœur et mains. »

SES PRINCIPES

- Développer un apprentissage à travers tous les sens.
- Placer l'imagination au cœur de l'apprentissage : les contes, l'imaginaire, les jeux d'imitation, les arts plastiques, l'art dramatique et l'artisanat sont très présents dans la classe.
- Inculquer à l'enfant une conscience écologique.
- Enseigner des compétences de la vie quotidienne.

ACTIVITÉS CARACTÉRISTIQUES

- La réalisation de travaux artistiques et manuels (jardinage, taille du bois, tricot, couture, musique, sculpture...).
- L'utilisation de matériaux bruts en matières naturelles : tissus, coquillages, morceaux de bois, jouets en bois et en tissu...

PISTE 40

C. **Écoutez le témoignage de ce journaliste. Comment a-t-il vécu sa scolarité dans un système alternatif ? Pourquoi ?**

D. **Relisez les caractéristiques de chaque pédagogie. Avez-vous un souvenir d'une activité marquante pratiquée en cours (positive ou négative) qui se rapproche d'une des deux pédagogies ? Présentez-la à la classe.**

- *En maternelle, je me souviens qu'on avait un lapin dans la classe. C'était la mascotte, et on devait s'en occuper à tour de rôle : changer sa cage, lui donner à manger. Ça m'a appris le respect de la nature et des animaux...*

4. LES FRANÇAIS ET L'ÉDUCATION DES ENFANTS

A. **Qu'est-ce qu'un enfant « bien élevé », pour vous ? Et un enfant « mal élevé » ?**

B. **Observez ce document. D'après les résultats de cette étude, comment pouvez-vous qualifier les principes éducatifs des Français ?**

sévères | laxistes | stricts | ouverts | souples | ...

LES ENFANTS D'AUJOURD'HUI SONT-ILS MOINS BIEN ÉLEVÉS QU'AVANT ?

Les trois quarts des Français jugent les enfants d'aujourd'hui en général moins bien élevés qu'à l'époque où ils étaient eux-mêmes enfants. 85 % des Français jugent la plupart des parents « pas assez sévères » avec leurs enfants.

PRINCIPES D'ÉDUCATION

1) Le top 3 des bonnes manières

Pour la majorité des Français (environ **90 %**), une éducation réussie implique :

La politesse
(« bonjour », « s'il vous plaît », « merci », « au revoir »)

Le respect
(des autres, de la différence...)

Bien se tenir
(à table, dans les lieux publics...)

2) La vie quotidienne

Pour la plupart des Français, il y a un temps pour tout !

L'heure de coucher
20 h 20 à **6-7 ans**
20 h 50 à **10-11 ans**
21 h 40 à **14-15 ans**

Regarder la télévision à **6 ans**

Aller sur Internet à **12 ans**

Avoir un téléphone portable à **13 ans**

Avoir un compte Facebook à **15 ans**

Partir en vacances avec des amis à **16 ans**

L'ÉCOLE

En matière d'enseignement, la moitié des Français sont très critiques :

Bonne ou mauvaise qualité ?
51 % des Français pensent que l'enseignement à l'école est de mauvaise qualité
48 % pensent qu'il est de bonne qualité

Publique ou privée ?
Plus de la moitié des Français (**55 %**) préférerait inscrire leur enfant dans une école publique, contre **44 %** qui préférerait l'inscrire dans une école privée.

C. **Complétez le tableau avec des phrases issues du document.**

LES EXPRESSIONS DE QUANTITÉ

DES POURCENTAGES	DES FRACTIONS	DES EXPRESSIONS
• 25 % / 50 %... Ex. :	• Un quart (1/4) • Un tiers (1/3) • La moitié (1/2) • Les deux tiers (2/3) • Les trois quarts (3/4) Ex. : .... Ex. :	• Une minorité • La majorité • La plupart Ex. : .... Ex. : ....

⚠ Après l'expression d'une fraction ou d'un pourcentage suivi d'un complément, le verbe peut se conjuguer au .... ou au ....
Ex. : *Plus de la moitié des Français ....*
51 % des Français ....

D. **En petits groupes, interrogez-vous pour confirmer ou non les affirmations suivantes et comparez avec les tendances françaises actuelles.**

- Dans cette classe, 50 % des personnes se couchaient à 19 h 00 quand elles avaient 10 ans.
- Dans cette classe, la majorité des personnes avaient un téléphone portable au collège.
- Dans cette classe, un tiers des personnes a eu le droit de sortir en boîte de nuit avant 18 ans.
- *Chez moi, dès l'âge de 10 ans, on ne se couchait jamais avant 23 h 00, l'éducation de mes parents était moins stricte que celle des Français !*

5. GIFLE OU PAS GIFLE ?

A. Un journaliste prépare un article sur les punitions en Europe. Quelles sont les différentes punitions évoquées dans les témoignages ? Vous surprennent-elles ?

En Suède, la plupart des parents interrogés conseillent de privilégier une éducation non violente. Gustav, jeune papa suédois, confirme : « Chez nous, la gifle est interdite. Lorsque mon enfant fait une bêtise, je l'envoie au coin ou dans sa chambre. »

Au Royaume-Uni, la majorité des personnes interrogées se demande s'il ne serait pas mieux d'interdire la gifle dans leur pays. « Quand il n'est pas sage, je le prive de sorties ou d'argent de poche ! » déclare Juliet.

En France, Camille, 30 ans, explique que, quand son fils fait des caprices, une fessée peut être bien méritée.

B. Observez les verbes surlignés et classez-les dans le tableau suivant.

LE DISCOURS RAPPORTÉ : LES VERBES INTRODUCTEURS

Pour rapporter les paroles de quelqu'un, on utilise le plus souvent le verbe ***dire***. Mais d'autres verbes peuvent servir pour introduire le discours indirect comme :

- Pour introduire une question : ...., ***demander***, ***vouloir savoir***, ***s'interroger***
- Pour introduire une réponse, un fait, une opinion : ...., ..., ..., ***affirmer***, ***ajouter***, ***s'exclamer***, ***annoncer***, ***signaler***, ***remarquer***
- Pour introduire un conseil, une demande, un ordre : ...., ***supplier***, ***interdire***, ***inviter***, ***ordonner***

C. En petits groupes, donnez votre avis sur les questions éducatives suivantes. À tour de rôle, un porte-parole est chargé de rapporter à l'ensemble de la classe les opinions de son groupe.

scolarité | politesse | punitions | règles de la vie quotidienne | fessée

- *Alexander affirme qu'il est contre la fessée et Pierrick ajoute que la violence n'est pas une méthode éducative.*

LES EXPRESSIONS DE QUANTITÉ

PISTE 41

EX. 1. Écoutez ces statistiques sur l'école dans les pays membres de l'OCDE (l'Organisation de coopération et de développement économiques). Notez les pourcentages que vous entendez.

1. Enfants scolarisés en France : ....
2. Enfants scolarisés dans tous les pays de l'OCDE : ....
3. Fonds privés en Australie, Corée, Japon : ....
4. Fonds privés en France : ....

EX. 2. Complétez l'extrait de l'étude avec le quantifiant qui convient en conjuguant les verbes.

plus de trois quarts | moins d'un dixième | la grande majorité | environ la moitié

D'après une étude récente, il apparaît que dans l'OCDE, ... des enfants de quatre ans (être scolarisé), tandis qu'en France, ... des enfants (être scolarisé) dès l'âge de trois ans. Des différences sont également présentes sur le plan financier. Ainsi, en Australie, en Corée et au Japon par exemple, les fonds privés (représenter) .... du financement total de l'école maternelle. À l'inverse, en France, les fonds privés (représenter) .... du financement total de l'école.

LE DISCOURS RAPPORTÉ : LES VERBES INTRODUCTEURS

PISTE 42

EX. 3. Écoutez ces phrases prononcées lors d'un débat sur les punitions, puis rapportez-les sans les modifier à un ami en utilisant le verbe introducteur approprié.

conseiller | s'interroger | s'exclamer | ajouter

1. *Elle s'exclame : « Je n'aime pas les enfants mal élevés ! »*
2. ....
3. ....
4. ....

EX. 4. Par groupes de trois, jouez cette scène entre Sandra et son professeur. Le premier rapporte les paroles et les deux autres interprètent le dialogue sans regarder le texte, uniquement d'après les indications de leur camarade.

signaler | ajouter | expliquer | répondre | demander

« T'façon tout le collège est au courant.
- Au courant de quoi ?
- Que vous nous avez insultées de pétasses.
Je criais à voix basse, dents serrées.
- Je vous ai pas traitées de pétasses, j'ai dit qu'à un moment donné, vous aviez eu une attitude de pétasses. [...] »

Extrait de *Entre les murs*, François Bégaudeau, 2007

- *Sandra signale que, de toute façon, tout le collège est au courant.*

+ d'exercices : pages 195 - 196

6. DRÔLE D'ÉDUCATION

A. Observez ce dépliant. Quel est le sujet de ce film ? Connaissez-vous des familles qui ont fait ce choix ? Qu'en pensez-vous ?

PROJECTION SUIVIE D'UNE DISCUSSION ORGANISÉE PAR L'ASSOCIATION DE PARENTS APL

CINÉ - RENCONTRE 15/11, 19h30

Être et devenir, un film qui pose la question de l'éducation autrement, de la confiance en l'enfant et de son développement personnel en nous présentant des familles qui ont fait le choix de ne pas scolariser leurs enfants.

B. Écoutez le témoignage d'une spectatrice après la projection. Quelle est sa position sur l'école ?

PISTE 43

C. Lisez cet échange de SMS entre deux amis pendant la discussion qui suit la projection du documentaire puis le mail adressé par l'un d'entre eux à une autre amie quelques jours après. Que remarquez-vous ? Complétez le tableau.

Alors, c'est intéressant la discussion ? Vous parlez de quoi ? 16:59

Une des spectatrices explique que ce qu'elle a préféré dans le film, c'est la phrase « les enfants sont des géants ». Elle dit qu'elle est d'accord et qu'elle a déscolarisé ses enfants car elle a une confiance énorme dans leur génie et leur talent. 17:06

Ah oui ? Et elle est contente de son choix ? 17:07

Elle a l'air. Elle dit qu'elle ne reviendra pas au système scolaire traditionnel. 17:09

Salut Jade,

J'étais à la projection du documentaire *Être et devenir* la semaine dernière et il y a eu une discussion après le film qui t'aurait beaucoup intéressée.

Une spectatrice a expliqué qu'elle avait déscolarisé ses enfants et qu'elle ne reviendrait pas au système traditionnel. Son témoignage était captivant ! Elle a ajouté qu'elle avait une confiance énorme dans le génie et le talent de ses enfants. Je suis assez d'accord avec elle !

Alors, convaincue ?! Prête pour l'école à la maison à la rentrée prochaine ?! ;-)

LE DISCOURS RAPPORTÉ AU PRÉSENT ET AU PASSÉ

Pour raconter à quelqu'un ce qu'une personne a dit, on peut :
- répéter ses paroles sans les modifier (c'est le discours direct).
- rapporter ses paroles (c'est le discours indirect).

DISCOURS DIRECT (la phrase de la spectatrice)

*« Et **j'ai déscolarisé** mes enfants car **j'a**i une confiance énorme dans leur génie et leur talent ! Je ne **reviendrai** pas au système scolaire traditionnel. »*

DISCOURS INDIRECT (la phrase de la spectatrice rapportée dans le SMS et dans le mail)

Verbe introducteur au présent : *Elle explique qu'....*	**Passé composé** : ***elle a déscolarisé** ses enfants car*	**Présent de l'indicatif** : *elle **a** une confiance énorme dans leur génie et leur talent.*	**Futur simple** : ***Elle ne reviendra pas** dans le système scolaire traditionnel.*
Verbe introducteur au passé : *Elle a expliqué qu'....*	**Plus-que-parfait** : *elle **avait déscolarisé** ses enfants car*	**Imparfait** :	**Conditionnel** : ....

D. Avez-vous déjà expérimenté ou connaissez-vous d'autres façons originales d'apprendre ? Lisez le chapeau de ces articles et choisissez celui que vous préférez. Imaginez le développement de l'article et racontez-le à la classe comme si vous l'aviez lu.

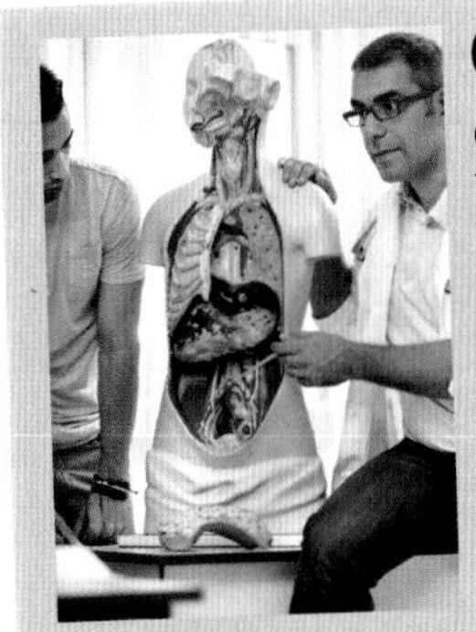

Ce prof de bio enseigne le corps humain à ses élèves de façon très originale

Un jour, il est monté sur son bureau et a commencé à retirer ses vêtements pour révéler un costume représentant tous les os du corps.

Bon élève grâce au vélo

Des études officielles ont montré que les enfants pratiquant le monocycle avaient de meilleurs résultats scolaires. Parce qu'ils sont obligés, pour ne pas tomber, de faire le calme à l'intérieur d'eux-mêmes.

Et je ne suis jamais allé à l'école...

Histoire d'une enfance heureuse. Un enfant qui a grandi loin de toute scolarisation, sans stress, sans compétition, sans programme préétabli ni référence à une quelconque moyenne.

La ferme des enfants

L'école est construite au sein d'un écovillage à vocation pédagogique et intergénérationnelle. À quelques pas de l'école se trouvent les animaux : les vaches, les poules, les truies et les poneys.

LE DISCOURS RAPPORTÉ AU PRÉSENT ET AU PASSÉ

EX. 1. Une jeune maman écrit un mail à une amie pour lui raconter son rendez-vous avec la directrice de l'école de son fils. À partir de ce discours rapporté, transcrivez le dialogue qui a eu lieu entre les deux interlocutrices. N'oubliez pas la ponctuation.

> Salut Amandine,
>
> J'ai demandé à la directrice ce qu'elle pensait de l'école à la maison.
>
> Elle m'a répondu qu'il y avait forcément des avantages et des inconvénients. Elle m'a conseillé de me renseigner sur cette option pour bien réfléchir et elle a ajouté que c'était une décision qui m'appartenait.
>
> Elle m'a dit qu'elle restait à ma disposition pour en discuter si je le souhaitais.

PISTES 44 - 45

EX. 2. Vous allez entendre deux avis de deux personnes différentes sur l'école à domicile. Formez deux groupes dans la classe. Chaque groupe écoute l'un des avis et doit rapporter le discours entendu à l'autre partie de la classe.

EX. 3. Quand elle était jeune maman, Valérie a reçu beaucoup de conseils et d'avis de différentes personnes pour élever son petit Marcel. Elle les raconte aujourd'hui à son fils adolescent.

- *Ta grand-mère me conseillait d'apprendre le respect à mes enfants.*

« Tu dois inscrire tes enfants dans une école Montessori. » (ta marraine)

« Il ne faut pas mettre vos enfants devant un écran avant l'âge de 3 ans ! » (ton pédiatre)

« Tu ne veux pas que ton fils ait un téléphone portable ? » (ton oncle)

« Il faudra apprendre le respect à tes enfants ! » (ta grand-mère)

« Moi je n'ai jamais giflé un enfant ! » (ton grand-père)

EX. 4. Nos aînés ont toujours des conseils à nous donner. Rapportez les paroles de vos parents, grands-parents ou amis sur les thématiques suivantes et dites si vous avez suivi ces conseils.

l'amour | le travail | l'école | l'amitié | la vie | ...

- *Mes parents m'ont toujours dit qu'il ne fallait pas parler aux inconnus.*

+ d'exercices : pages 196 - 197

7. PAS D'EXCUSE !

A. Avez-vous déjà inventé des excuses pour éviter de vous confronter à une situation ? Dans quelles circonstances ?

B. Lisez ces mots d'excuses de parents d'élèves. Vous semblent-ils crédibles ? Drôles ? Sincères ? Agressifs... ? Pourquoi ?

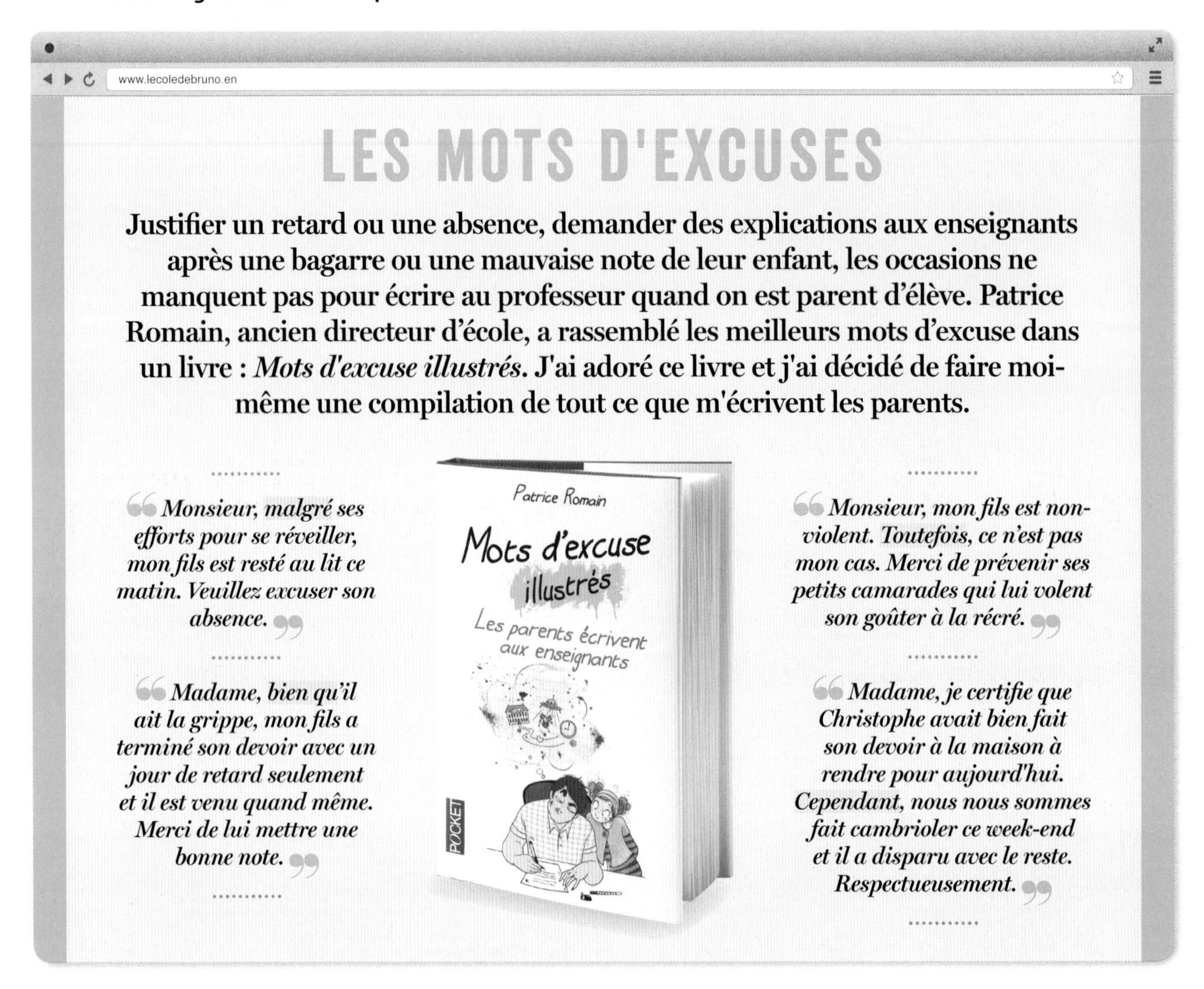
www.lecoledebruno.en

LES MOTS D'EXCUSES

Justifier un retard ou une absence, demander des explications aux enseignants après une bagarre ou une mauvaise note de leur enfant, les occasions ne manquent pas pour écrire au professeur quand on est parent d'élève. Patrice Romain, ancien directeur d'école, a rassemblé les meilleurs mots d'excuse dans un livre : *Mots d'excuse illustrés*. J'ai adoré ce livre et j'ai décidé de faire moi-même une compilation de tout ce que m'écrivent les parents.

« Monsieur, malgré ses efforts pour se réveiller, mon fils est resté au lit ce matin. Veuillez excuser son absence. »

« Madame, bien qu'il ait la grippe, mon fils a terminé son devoir avec un jour de retard seulement et il est venu quand même. Merci de lui mettre une bonne note. »

« Monsieur, mon fils est non-violent. Toutefois, ce n'est pas mon cas. Merci de prévenir ses petits camarades qui lui volent son goûter à la récré. »

« Madame, je certifie que Christophe avait bien fait son devoir à la maison à rendre pour aujourd'hui. Cependant, nous nous sommes fait cambrioler ce week-end et il a disparu avec le reste. Respectueusement. »

C. Regardez les marqueurs surlignés. Comprenez-vous leur signification ? Comment les traduiriez-vous dans votre langue ?

EXPRIMER LA CONCESSION

Pour relier deux faits et montrer qu'ils sont contradictoires, on utilise des mots de liaison comme :

- ***T...., c....*** Devant un verbe à l'indicatif, ils marquent une opposition forte (registre soutenu).
- ***Pourtant.*** Devant un verbe à l'indicatif, il rectifie une affirmation (registre courant).
  Ex. : *Il est très intelligent* ***pourtant*** *il a de mauvais résultats à l'école.*
- ***Bien que***, devant un verbe au subjonctif.
- ***Malgré***, devant un nom.
- ***Quand même***, après le verbe. Ex. : *Le prof d'espagnol est très strict mais les élèves l'aiment* ***quand même***.

D. En petits groupes, rédigez un mot d'excuse pour vous-même ou quelqu'un d'autre. Puis, faites un mini-concours d'excuses farfelues !

pour rompre | pour excuser un retard | pour décliner une invitation | ...

8. LES PERLES DU FRANÇAIS

A. Estelle, une professeur de français, raconte quelques perles prononcées par ses élèves. Comment définiriez-vous une perle dans ce contexte ?

« Un jour j'ai demandé à un élève comment il s'appelait, et il m'a demandé s'il devait me vouvouiller ou me toutouiller !!! »

« Un jour, j'ai demandé à une élève qui avait l'air préoccupée ce qui n'allait pas, et elle m'a répondu qu'elle était un peu stressée et avait beaucoup de cafards ! »

« Un jour un élève m'a demandé pourquoi il ne pouvait pas écrire dans sa copie qu'il était un étudiant étrange… »

B. Avez-vous déjà fait une confusion similaire qui a provoqué le rire des autres ? Racontez-la en classe.

C. Comment sont rapportées les questions dans les textes ci-dessus ? Complétez le tableau.

LES QUESTIONS INDIRECTES

INTERROGATIONS DIRECTES	INTERROGATIONS INDIRECTES
*(**Est-ce que**) je dois vous vouvouiller ou vous toutouiller ?*	*Il m'a demandé ....*
***Comment** vous appelez-vous ?* ***Pourquoi** je ne peux écrire que je suis un étudiant étrange ?*	*J'ai demandé à un élève ....* *Il m'a demandé ....*
***Qu'est-ce qui** ne va pas ?*	*J'ai demandé ....*

D. Sur un morceau de papier, chacun inscrit son prénom et une question qu'il se pose. Les papiers sont mélangés et chaque personne en tire un au sort. Elle doit reformuler la question au discours indirect. Le reste du groupe essaie de répondre et de deviner qui l'a posée.

- *Il voudrait savoir si Julie est célibataire.*
- *La réponse est « ça ne te regarde pas ! » et je crois que c'est Juan qui a posé la question !*

EXPRIMER LA CONCESSION

EX. 1. Voici des remarques écrites par les professeurs et destinées à des parents d'élèves. Complétez-les.

quand même | bien que | malgré | toutefois

1. On lui demande d'arrêter de parler, mais elle continue ....
2. .... des avertissements, Jennifer est éteinte en cours (à l'inverse de son portable).
3. Cet élève est bien inscrit sur la liste, ... je ne l'ai jamais vu en cours.
4. .... votre fils ait déjà touché le fond, il creuse encore. Chercherait-il du pétrole ?

EX. 2. Imaginez d'autres mots de professeurs destinés aux parents.

1. .... pourtant ....
2. .... quand même.
3. Malgré ....

LES QUESTIONS INDIRECTES

EX. 3. Un candidat raconte son examen oral à un ami. Il lui rapporte les questions qui lui ont été posées par son professeur sous forme d'interrogations indirectes. Reconstituez cet échange sans oubliez d'utiliser un verbe introducteur.

Il m'a demandé… | Il voulait savoir…

1. Je peux te poser quelques questions sur toi ?
2. Depuis combien de temps étudies-tu le français ?
3. Pourquoi as-tu choisi d'étudier le français ?
4. As-tu déjà voyagé dans un pays francophone ?
5. Que veux-tu faire l'année prochaine ?

- *Il m'a demandé…*

EX. 4. Quelles questions vous posez-vous en regardant ces photos ?

- *Je me demande combien de temps il est resté dans le placard…*

+ d'exercices : page 197

LE SYSTÈME SCOLAIRE

1. Pour mieux connaître le système scolaire français, complétez le schéma suivant.

école maternelle | premier degré | école élémentaire | lycée | second degré | collège | primaire

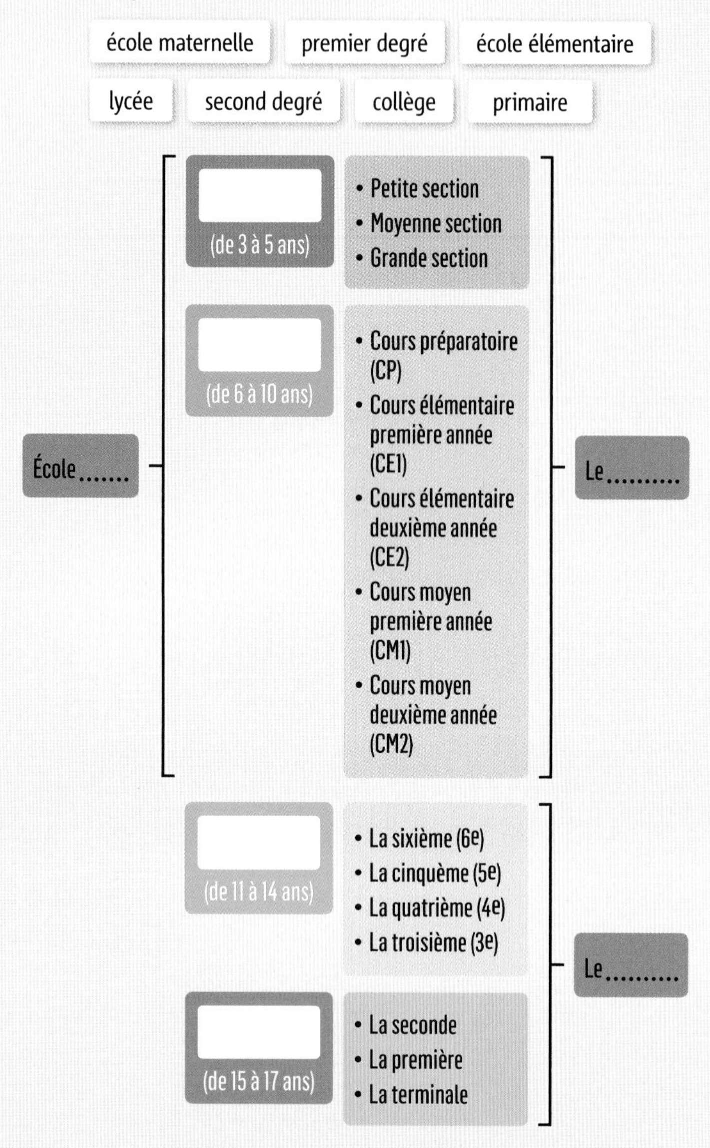

2. Un principal de collège sort une nouvelle compilation de mots d'excuses écrits par les parents aux enseignants. Complétez-les.

tricher | faire son devoir à la maison | le retard | mettre une bonne note | être absent

1. Monsieur, hier, mon fils .... car il a fait grève. Chacun son tour !
2. Madame, veuillez excuser .... de ma fille, hier. C'est son père qui l'a accompagnée et il s'est perdu !
3. Monsieur, ma fille a bien .... mais le chien l'a mangé.
4. Monsieur, mon fils n'a pas .... à l'examen. Il avait juste oublié de ranger son cahier.
5. J'ai l'honneur de vous demander de bien vouloir.... à Cédric. Son père et moi lui avions en effet promis qu'il n'aurait pas de cadeaux de Noël en cas de mauvais résultats, mais nous avons déjà acheté la plupart des cadeaux.

3. A. Parmi ces caractéristiques, lesquelles relèvent d'une pédagogie dite « nouvelle » ?

liberté | punition | autonomie | créativité | coopération | autorité | devoirs | choisir

3. B. Choisissez les trois plus importantes pour vous et expliquez pourquoi.

LES COMPORTEMENTS

4. À deux. En une minute, chacun doit trouver 5 comportements caractéristiques du bon et du mauvais élève. Quand le temps est écoulé, chacun lit sa liste à son partenaire. Vous marquez un point à chaque fois que vous avez une réponse en commun avec votre partenaire.

LE BON ÉLÈVE	LE MAUVAIS ÉLÈVE
– Il a toujours de bonnes notes.	– Il arrive toujours en retard.

LES PRINCIPES ÉDUCATIFS

5. A. Quel enfant étiez-vous ? En les mimant, faites deviner à vos camarades trois choses qui caractérisent le mieux l'enfant que vous étiez à la maison et à l'école.

sage | poli | bavard | turbulent | bon élève | mal élevé | capricieux | tricheur | ...

5. B. Expliquez ensuite comment réagissaient vos parents et vos professeurs.

- Parfois, je criais tellement pendant des heures que ma mère me donnait une petite douche froide pour me calmer.
- Moi, mon père m'envoyait au garage. J'avais tellement peur qu'il y ait des souris que j'arrêtais tout de suite de crier.

L'ÉDUCATION PARENTALE

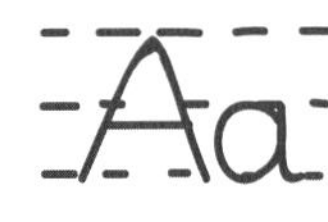

- scolariser / déscolariser
- recevoir / donner une instruction
- élever un enfant
- être bien / mal élevé
- pratiquer / faire l'école à la maison

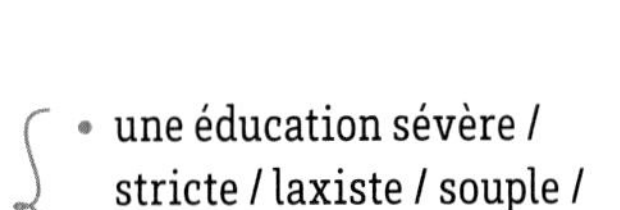

• recevoir / donner	• une éducation sévère / stricte / laxiste / souple / ouverte
• donner / mettre / recevoir	• une punition / une gifle / une fessée
• priver quelqu'un de / être privé (e) de	• télévision / argent de poche / téléphone
• mal / bien	• se comporter / se tenir

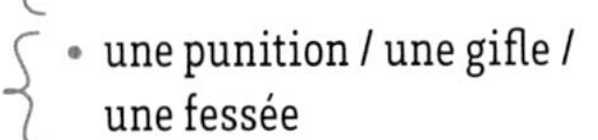

- aller / mettre / envoyer au coin
- faire des caprices

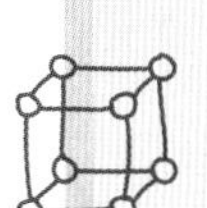

L'ÉLÈVE

- avoir des difficultés
- acquérir des compétences
- expérimenter / choisir des activités
- faire ses devoirs
- justifier un retard / une absence
- écrire un mot d'excuse
- un bon / mauvais élève
- un cancre
- redoubler
- échouer
- être en échec scolaire

L'ÉDUCATION SENTIMENTALE

L'ENSEIGNANT

+

- respecter le rythme
- inculquer des valeurs / le respect
- donner la liberté
- encourager
- donner envie / de la confiance / de l'assurance
- développer l'autonomie / la créativité
- favoriser la coopération

–

- humilier un élève
- se moquer d'un élève
- ridiculiser un élève
- mettre / recevoir une note juste / discriminatoire

LE SYSTÈME SCOLAIRE

- la rentrée
- une classe surchargée / difficile / homogène / hétérogène
- une école privée / publique
- une éducation / pédagogie alternative
- le système scolaire traditionnel
- l'école maternelle / primaire / élémentaire
- le collège
- le lycée
- un professeur (un prof)
- un pédagogue
- un enseignant

MAUX DE CANCRE

QUAND ON SOUFFRE DE NE PAS COMPRENDRE

Ils sont nombreux les mauvais élèves qui sont devenus des personnes très respectables, voire des personnalités célèbres ! Stars du cinéma, chanteurs, mais aussi écrivains, hommes politiques ou journalistes... De Johnny Depp à Jean-Paul Gaultier, en passant par Winston Churchill ou même Albert Einstein, on constate qu'il n'est pas nécessaire d'avoir fait de grandes études pour réussir sa vie !

Albert Einstein

Daniel Pennac

Johnny Depp

Winston Churchill

En 2007, Daniel Pennac, écrivain et ancien professeur de littérature, publie *Chagrin d'école*, un roman autobiographique qui parle de la « cancrerie ». L'auteur raconte qu'il songeait à écrire un livre concernant l'école :
« Je veux écrire un livre sur le cancre1, sur la douleur de ne pas comprendre... »

DEUX EXTRAITS DE CHAGRIN D'ÉCOLE

« Père polytechnicien, mère au foyer, pas de divorce, pas d'alcooliques, pas de caractériels[2], pas de tares héréditaires[3], trois frères bacheliers[4] (des matheux[5], bientôt deux ingénieurs et un officier), rythme familial régulier, nourriture saine, bibliothèque à la maison, culture ambiante conforme au milieu et à l'époque (père et mère nés avant 1914) : peinture jusqu'aux impressionnistes, poésie jusqu'à Mallarmé, musique jusqu'à Debussy, romans russes, l'inévitable période Teilhard de Chardin, Joyce et Cioran pour toute audace... Propos de table calmes, rieurs et cultivés. Et pourtant, un cancre. »

« Non seulement mes antécédents m'interdisaient toute cancrerie mais, dernier représentant d'une lignée[6] de plus en plus diplômée, j'étais socialement programmé pour devenir le fleuron[7] de la famille : polytechnicien ou normalien, énarque évidemment, la Cour des comptes, un ministère, va savoir... On ne pouvait espérer moins. Là-dessus, un mariage efficace et la mise au monde d'enfants destinés dès le berceau à la taupe de Louis-le-Grand et propulsés vers le trône de l'Élysée ou la direction d'un consortium mondial de la cosmétique. La routine du darwinisme social, la reproduction des élites... Eh bien non, un cancre. Un cancre sans fondement historique, sans raison sociologique, sans désamour : un cancre en soi. Un cancre étalon. Une unité de mesure. Pourquoi ? »

9. PAROLES DE CANCRE

A. Lisez le chapeau. Qu'ont en commun les personnes des photos ? Qu'est-ce qu'un cancre ?

B. Lisez la présentation du roman *Chagrin d'école*. Quel est le projet de Daniel Pennac dans son roman ?

10. LES FRANÇAIS ET L'ÉCOLE

A. Lisez l'extrait de *Chagrin d'école*. Pourquoi Pennac se sent-il coupable d'être un cancre ?

B. D'après l'extrait, quelle est la représentation que les Français ont des diplômes et des grandes écoles ?

11. LE CANCRE : UNE FIGURE UNIVERSELLE ?

A. Dans votre pays, la réussite sociale passe-t-elle par les diplômes ? La figure du cancre est-elle montrée du doigt ?

B. Connaissez-vous les écoles célèbres citées dans le texte ? Par groupes, faites des recherches. Chaque groupe présente une école au reste de la classe.

- Polytechnique
- Normale
- L'ENA
- Louis-le-Grand

VOCABULAIRE :

[1] **cancre :** un mauvais élève, qui n'aime pas l'école.

[2] **caractériel :** têtu, capricieux.

[3] **tares héréditaires :** grave défaut, ou anomalie, transmis des parents aux descendants.

[4] **bacheliers :** étudiants qui ont obtenu leur baccalauréat.

[5] **matheux :** étudiants qui étudient et aiment les mathématiques.

[6] **lignée :** ensemble des descendants d'une personne.

[7] **le fleuron :** le meilleur.

TÂCHE 1 UNE ÉCOLE NOUVELLE

1. Vous allez présenter à un jury un projet d'école différente que vous allez imaginer de toutes pièces. Formez deux groupes : le premier sera le jury, le second les concepteurs du projet d'école.

2. Les concepteurs définissent leur projet d'école et le jury prépare une grille d'évaluation avec des critères pour évaluer la qualité de l'école présentée.

Les concepteurs
Ils précisent ses principes pédagogiques et les activités caractéristiques qui pourront s'y dérouler. Ils peuvent aussi définir le rôle des principaux acteurs de l'établissement.

Le jury
Ils préparent une grille d'évaluation avec une dizaine de critères (originalité, projet pédagogique, organisation du temps scolaire...) pour évaluer la qualité de l'école présentée.

3. Les concepteurs présentent leur projet oralement. Le jury doit prendre des notes pour préparer son compte rendu.

4. Le jury présente sa décision. Pour cela, il résume à la classe ce qui a été dit et explique ses critères d'évaluation.

CONSEILS

- N'hésitez pas à vous appuyer sur des photos pour rendre votre présentation plus vivante.
- Soyez inventifs ! N'ayez pas peur de l'originalité ni des idées farfelues : tout est permis !
- Vous pouvez créer un slogan pour votre école afin de résumer sa philosophie.

TÂCHE 2 MON ÉDUCATION A-T-ELLE FAIT DE MOI CE QUE JE SUIS ?

1. Vous allez réaliser une infographie des types d'éducation reçus par les étudiants de votre classe. D'abord, définissez tous ensemble les thématiques qui vous intéressent.

- Caractéristiques de l'éducation parentale.
- Caractéristiques du système scolaire fréquenté.
- Influences constatées de cette éducation sur votre personnalité et vos choix de vie.
- ...

2. Formez des groupes. Choisissez une thématique et préparez deux questions simples avec deux ou trois possibilités de réponses. Chaque groupe sonde ensuite l'ensemble de la classe en posant ses questions.

1. Vous avez reçu une éducation...
☐ a) plutôt stricte.
☐ b) plutôt laxiste.

3. À partir des réponses récoltées, préparez le compte rendu de vos questions : chaque groupe fait ses calculs et établit des statistiques. Préparez des visuels et des illustrations.

4. Présentez votre compte rendu à la classe. Puis rassemblez l'ensemble des compte rendus pour constituer l'infographie éducative de la classe.

- 80 % des personnes de la classe pensent que leur éducation a fortement influencé le choix de leur métier...

CONSEILS

- Posez des questions fermées.
- Pour faciliter le sondage, chaque élève prépare trois cartons avec « a », « b », « c ». Lorsque les questions seront posées, chacun lèvera le carton correspondant à la réponse de son choix.
- Illustrez votre compte-rendu par des visuels « parlants » comme des camemberts pour bien faire ressortir les pourcentages.

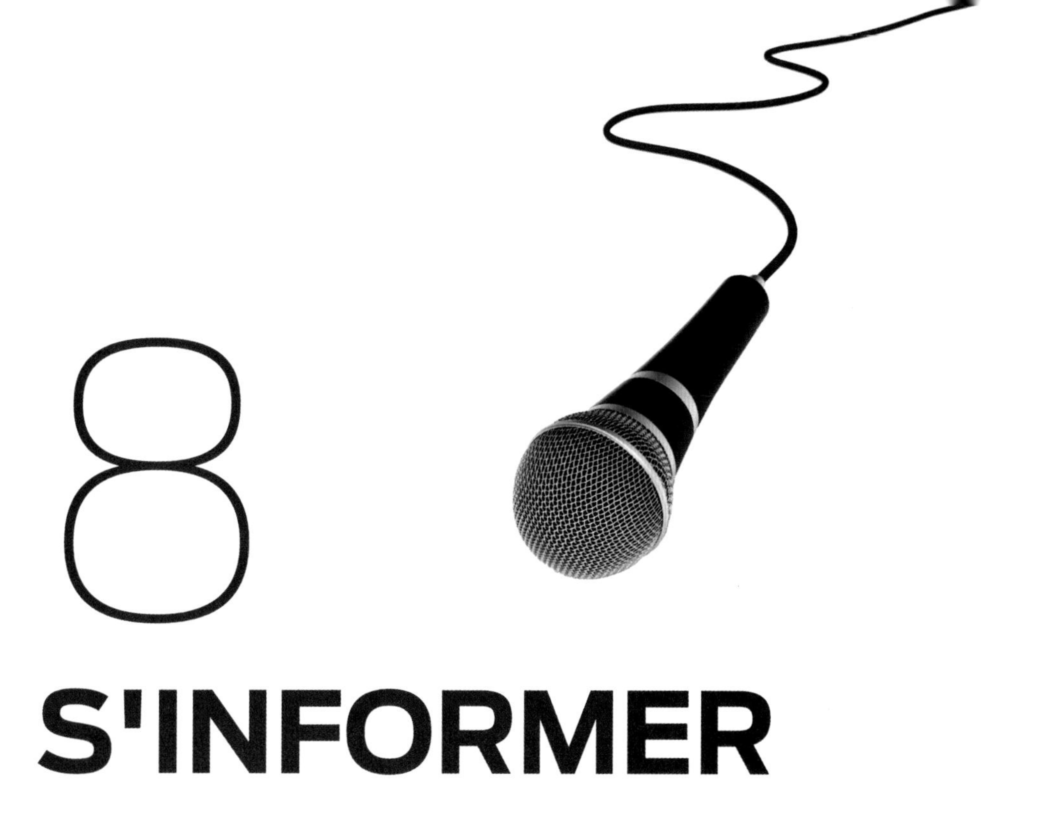

8 S'INFORMER

DÉCOUVERTE

pages 140-143

Premiers regards
- Découvrir le lexique des moyens de communication
- Parler des façons de s'informer aujourd'hui

Premiers textes
- Lire des informations et parler de l'actualité
- Parler des info-profils
- Enrichir le lexique de l'actualité, des médias et de l'information

OBSERVATION ET ENTRAÎNEMENT

pages 144-151

Grammaire
- La nominalisation (les suffixes *-tion*, *-age*, *-ement*)
- La voie passive
- Les moyens pour présenter une information incertaine (conditionnel, *selon...*, *d'après...*)
- La cause et la conséquence
- Le pronom *en*

Lexique
- Recevoir l'information
- Agir sur l'information
- Les profils d'utilisateurs
- La liberté de la presse
- Les rubriques
- Le lexique de l'actualité et des médias

Phonétique p. 162
- La prononciation de *-ent*
- Les liaisons avec *en*

REGARDS CULTURELS

pages 152-153

Le document
- Les nouveaux mouvements sociaux

TÂCHES FINALES

page 154

Tâche 1
- Réaliser un flash d'actualités positives sur son téléphone portable

Tâche 2
- Élaborer une page de journal de fausses infos

+ DE RESSOURCES SUR **espacevirtuel.emdl.fr**

- Des activités autocorrectives (grammaire / lexique / culture / CE / CO)
- La carte mentale de l'unité à compléter

MÉDIAS PARTICIPATIFS
1
TÉLÉVISION
2
3
RADIO
HOMO CONEXUS
PRESSE
6
À LA UNE
TV
L'HOMME HYPERCONNECTÉ
5
RÉSEAUX SOCIAUX
4
TÉLÉPHONE PORTABLE

RECEVOIR L'INFORMATION

Regarder un bulletin d'informations en direct à la télévision

Écouter un flash d'informations à la radio

Recevoir des notifications d'actualité sur son téléphone portable

Consulter l'information dans un journal au format papier ou en ligne (lemonde.fr, lequipe.fr...)

Recevoir une lettre d'informations dans sa boîte aux lettres électronique

Suivre le compte Twitter ou Facebook d'un journal, d'une radio ou d'un journaliste

AGIR SUR L'INFORMATION

Appeler la radio pour donner son avis sur l'actualité

Participer à une émission de télévision sur l'actualité et poser une question aux invités

Envoyer une lettre au « Courrier des lecteurs » d'un journal

Commenter un article à la une d'un quotidien en ligne

Diffuser un lien vers un article, une vidéo ou une image sur un réseau social

Créer une vidéo d'actualité sur Youtube

Filmer un événement d'actualité sur son téléphone portable et transférer la vidéo à quelqu'un

Rédiger un article sur un média participatif (agoravox.fr, mediacitoyen.fr...)

> « À s'informer de tout, on ne sait jamais rien. »
>
> Alain, philosophe français, XXe siècle

1. TROP D'INFO TUE L'INFO ?

A. Regardez le document. Comment vous sentez-vous face à toutes ces sources d'information ? Pourquoi ?

curieux/se | indifférent/e | enthousiaste | révolté/e | angoissé/e | stressé/e | ...

B. Observez les six bulles. Utilisez-vous ces moyens pour vous informer ? Si oui, lesquels et à quelle fréquence ? Échangez avec la classe.

- *J'écoute la radio plusieurs fois par jour.*
- *Moi, je reçois des notifications le matin sur mon téléphone portable...*

C. Lisez les encadrés « Recevoir l'information » et « Agir sur l'information ». Êtes-vous plutôt acteur, récepteur de l'information ou les deux ? Pourquoi ?

- *Moi, je suis plutôt récepteur, mais parfois je commente les articles en ligne de mon journal préféré et je publie les meilleures actualités sur ma page Facebook.*

D. Pensez-vous que notre société souffre d'un excès d'information ? Comparez votre point de vue en petits groupes.

- *Oui, c'est difficile de suivre l'actualité : tout va très vite !*
- *C'est vrai, mais on peut sélectionner nos sources d'information préférées.*

Et vous ?
Comment s'informaient vos parents ? Et vos grands-parents ?

2. À LA UNE

A. Regardez les photos et les titres de ces documents. Avez-vous déjà entendu parler de ces événements ? Qu'en savez-vous ?

PISTE 46-47

B. Lisez les articles et écoutez les documents audio en classe. À quelle(s) rubrique(s) pourrait-on associer chaque document ?

société | politique | culture | sciences | économie | international | sport

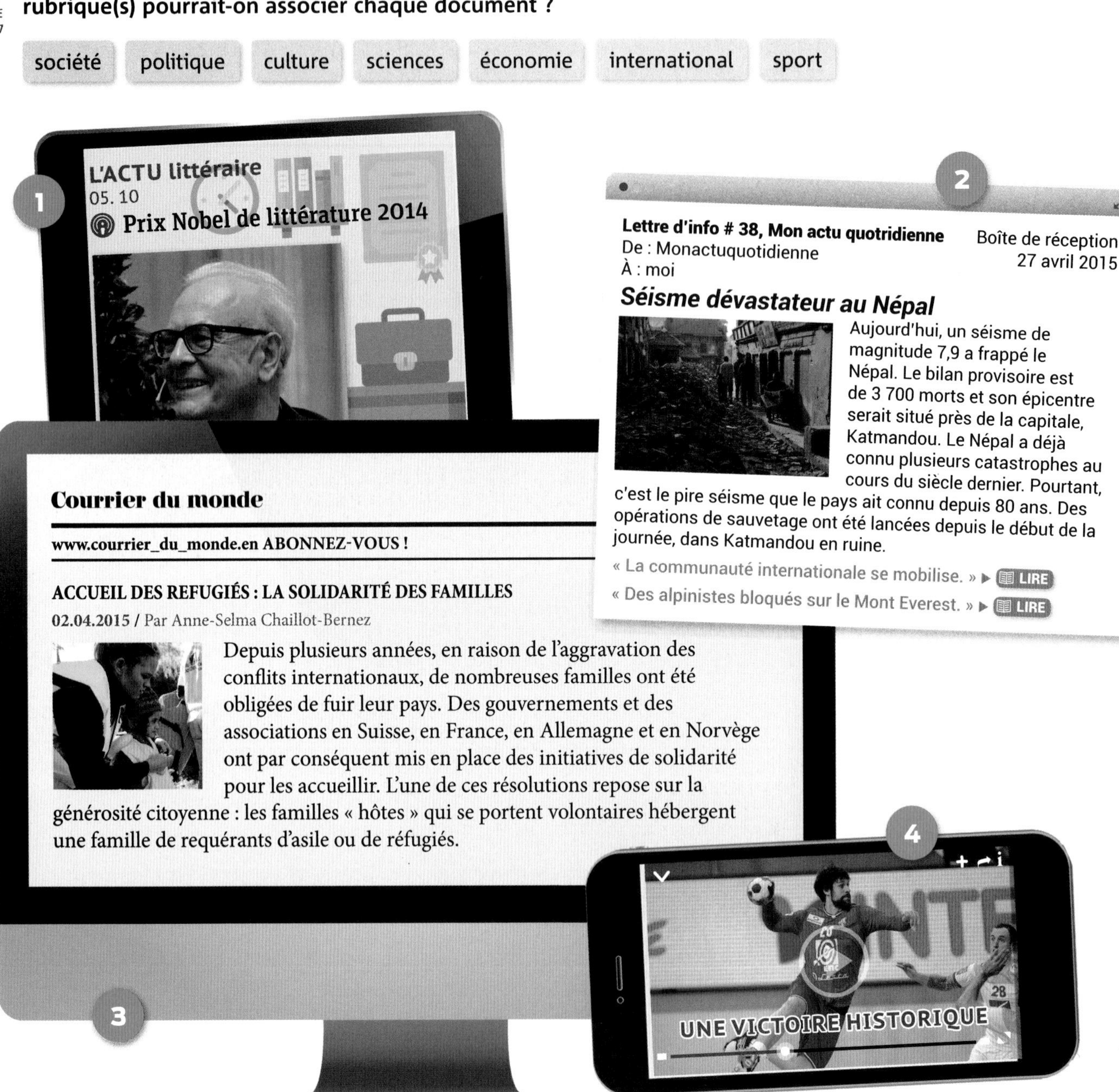

1

L'ACTU littéraire
05. 10
Prix Nobel de littérature 2014

2

Lettre d'info # 38, Mon actu quotidienne
De : Monactuquotidienne
À : moi
Boîte de réception
27 avril 2015

Séisme dévastateur au Népal

Aujourd'hui, un séisme de magnitude 7,9 a frappé le Népal. Le bilan provisoire est de 3 700 morts et son épicentre serait situé près de la capitale, Katmandou. Le Népal a déjà connu plusieurs catastrophes au cours du siècle dernier. Pourtant, c'est le pire séisme que le pays ait connu depuis 80 ans. Des opérations de sauvetage ont été lancées depuis le début de la journée, dans Katmandou en ruine.

« La communauté internationale se mobilise. » ▸ LIRE
« Des alpinistes bloqués sur le Mont Everest. » ▸ LIRE

3

Courrier du monde

www.courrier_du_monde.en ABONNEZ-VOUS !

ACCUEIL DES REFUGIÉS : LA SOLIDARITÉ DES FAMILLES

02.04.2015 / Par Anne-Selma Chaillot-Bernez

Depuis plusieurs années, en raison de l'aggravation des conflits internationaux, de nombreuses familles ont été obligées de fuir leur pays. Des gouvernements et des associations en Suisse, en France, en Allemagne et en Norvège ont par conséquent mis en place des initiatives de solidarité pour les accueillir. L'une de ces résolutions repose sur la générosité citoyenne : les familles « hôtes » qui se portent volontaires hébergent une famille de requérants d'asile ou de réfugiés.

4

UNE VICTOIRE HISTORIQUE

C. Choisissez une actualité en petits groupes, puis préparez des questions de compréhension pour les autres groupes en utilisant les étiquettes ci-dessous.

Quand ? | Qui ? | Quoi ? | Où ? | Pourquoi ? | Comment ?

- *Qui a obtenu le Prix Nobel de littérature en 2014 ?*
- *Patrick Modiano.*

D. Sur quelle actualité aimeriez-vous en savoir plus ? Pourquoi ?

- *J'aimerais en savoir plus sur la victoire de l'équipe de France de handball car je suis fan de ce sport...*

3. ACCRO OU DÉCONNECTÉ ?

A. **Répondez au test et découvrez votre info-profil. Êtes-vous d'accord avec les résultats ?**

TEST : VOTRE INFO-PROFIL

ZAPPING

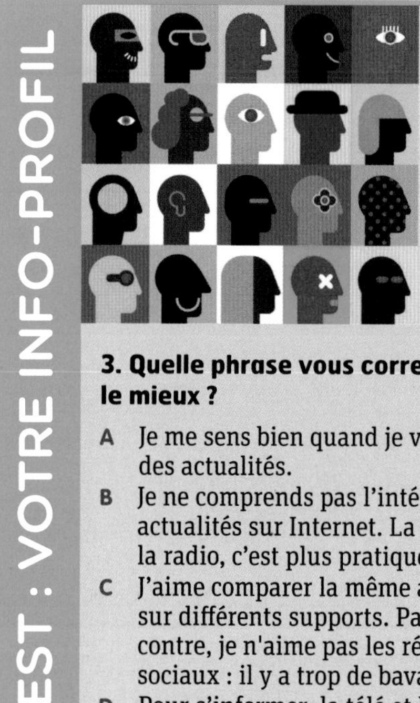

1. À quelle fréquence consultez-vous les actualités ?

A Moins d'une fois par semaine.
B Plusieurs fois par semaine.
C Plus d'une fois par jour.
D Une fois par jour.

2. Quels sont vos moyens d'informations préférés ?

A Mes amis et mes collègues.
B La télévision, la presse quotidienne et les émissions de radio.
C Uniquement des moyens d'information fiables et sûrs, comme les journaux ou les sites Internet officiels.
D J'en ai beaucoup, mais surtout Facebook et Twitter.

3. Quelle phrase vous correspond le mieux ?

A Je me sens bien quand je vis loin des actualités.
B Je ne comprends pas l'intérêt des actualités sur Internet. La télé ou la radio, c'est plus pratique !
C J'aime comparer la même actualité sur différents supports. Par contre, je n'aime pas les réseaux sociaux : il y a trop de bavardage !
D Pour s'informer, la télé et la radio, c'est rétro : vive Facebook, Twitter et les réseaux sociaux !

4. Vous arrive-t-il de créer, modifier, transférer des actualités ?

A Non, car je consulte rarement les actualités !
B Non, mais je les regarde, les lis ou les écoute.
C Oui, j'en transfère. Il m'arrive aussi de modifier les publications, mais je fais attention aux sources. Être journaliste, c'est un métier !
D Bien sûr. Je fais souvent des modifications sur les articles de Wikipedia. Il faut que l'information circule ! Nous sommes tous journalistes !

5. Consultez-vous les informations au travail ?

A Non, jamais. J'ai trop de travail.
B Non, mais je lis parfois le journal pendant la pause déjeuner.
C Oui souvent, et je les écris.
D Oui, de temps en temps.

RÉSULTATS INFO-PROFIL → Vous avez une majorité de...

A
Vous êtes **DÉCONNECTÉ(E) VOLONTAIRE**. Les infos, ça n'est vraiment pas votre truc !

B
Vous êtes **FAN DES MÉDIAS TRADITIONNELS**. Internet, ça n'est pas votre tasse de thé !

C
Vous êtes **ACCRO À UNE INFO FIABLE**. Pas question de passer un jour sans actualités !

D
Vous êtes **ACCRO AUX RÉSEAUX SOCIAUX**. Pour vous, l'essentiel, c'est que l'info circule !

B. **Écoutez les témoignages. À qui correspondent les affirmations suivantes ?**

PISTES 48-51

AFFIRMATIONS	PERSONNE	AFFIRMATIONS	PERSONNE
1. Je préfère être spectateur plutôt que de chercher l'information.	....	**2.** Nous pouvons tous être journalistes.	....
3. L'excès d'informations me stresse.	....	**4.** Il faut vérifier qui sont les auteurs des articles.	....
5. Les réseaux sociaux ne proposent pas toujours une information fiable.	....	**6.** Je préfère aller moi-même chercher l'information.	....
7. Mes trois medias préférés sont le journal, la radio et la télévision.	....	**8.** Les belles choses de la vie me plaisent bien plus que les actualités.	....

C. **Avec qui êtes-vous le plus d'accord ? Pourquoi ?**
À votre avis, à quel info-profil correspondent ces personnes ?

4. ÉVÉNEMENTS INCONTOURNABLES

A. **Quels sont les événements incontournables du XXIe siècle ? Échangez avec la classe, puis regardez le document. Ces événements figurent-ils sur la frise chronologique ?**

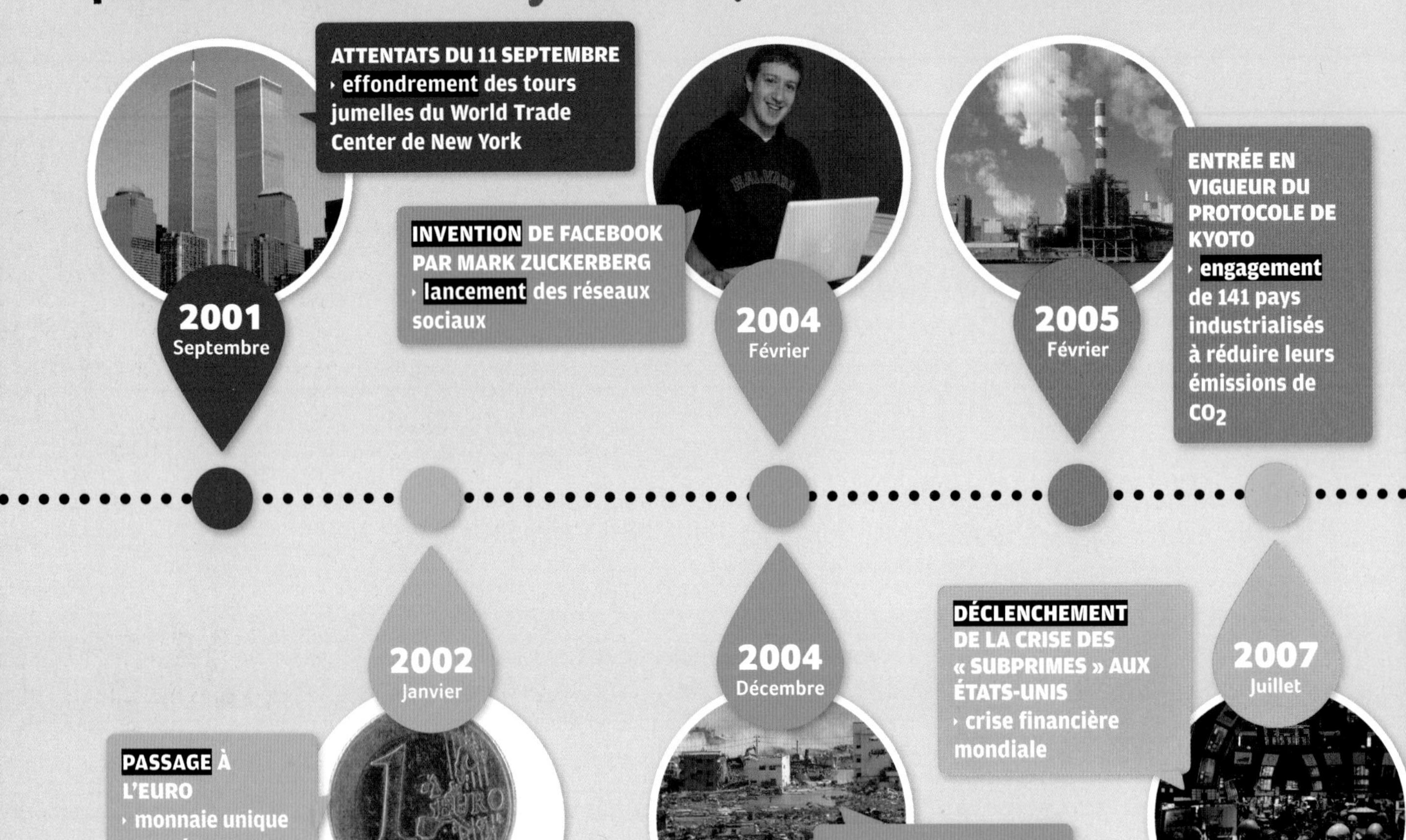

B. **Complétez le tableau. Ensuite, faites la même chose avec les autres mots surlignés dans la frise.**

NOM	VERBE D'ACTION	RADICAL DU VERBE	SUFFIXE
passage lancement disparition	passer	pass-	-age -ement -tion

C. **Complétez la règle et les exemples à partir de la frise.**

nom | féminins | masculins | verbe

LA NOMINALISATION

La nominalisation permet de former un .... à partir du radical d'un .... Ex. : *se marier* → *le mariage*
Les mots qui se terminent en **-age** et **-ement** sont ....
Ex. : *le mariage, le lancement*
Les mots qui se terminent en **-tion** sont ....
Ex. : *la disparition*

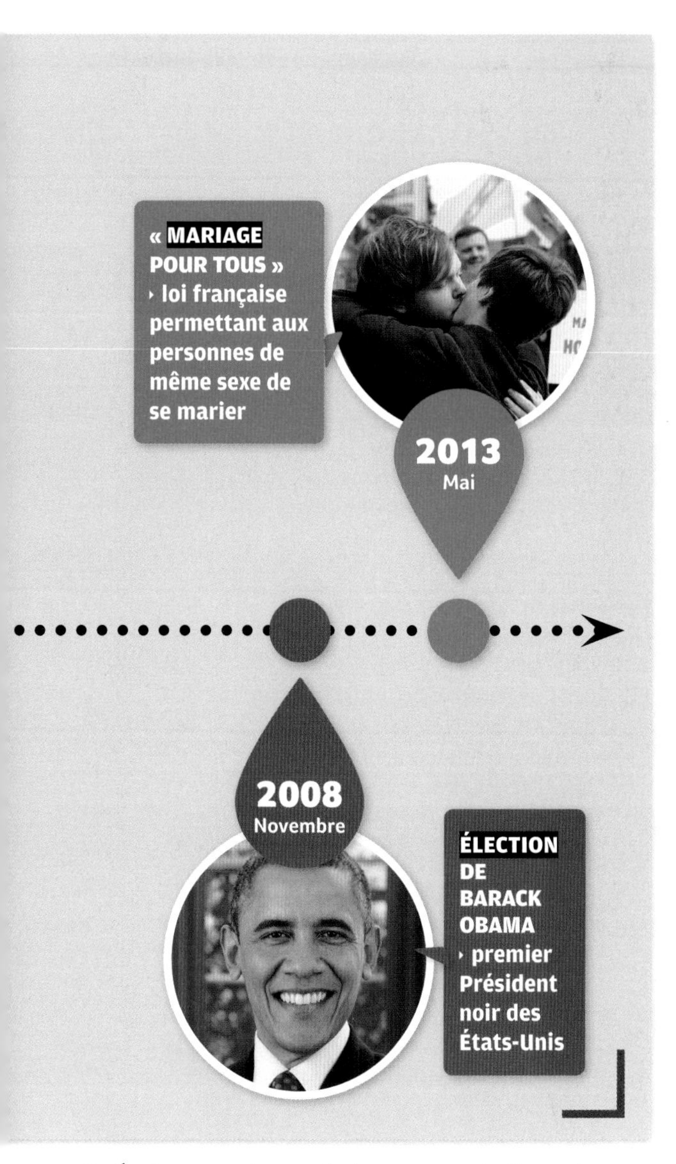

D. Écrivez quelques événements de l'année en cours en vous aidant de ces verbes. Ensuite, réalisez la frise de la classe avec les événements qui ont marqué l'année.

Élire = novembre 2016 : Élection aux États-Unis...

Et vous ?
Quelles actualités ont le plus marqué votre pays au XXIe siècle ?

LA NOMINALISATION

EX. 1. Complétez ce témoignage du courrier des lecteurs avec les suffixes *-age*, *-ement* ou *-tion*.

J'AI ADOPTÉ L'ACTUALITÉ POSITIVE

À la naissance de ma fille, j'ai commencé à ressentir une sorte d'énerv.... en lisant les journaux : licenci...., mouv.... de grève, pollu...., condamna...., etc. Ces informa.... trop pessimistes me rendaient anxieuse et stressée. J'ai donc pris un abonn.... au magazine *Psychologie positive* et téléchargé l'applica.... *PepsNews* sur mon Iphone.
Ce pass.... d'actualités négatives à des actualités 100 % positives a été très bénéfique. Aujourd'hui, j'ai fait un grand nettoy.... dans ma vie : j'ai adopté l'actu positive !
Je ne regrette pas ma décision et conseille ce chang.... de perspective à tous les amoureux de la vie.

Laure S.

EX. 2. Voici des actualités culturelles de 2015. Complétez les titres d'articles à partir des verbes surlignés.

.... du Salon du livre pour les enfants !

En décembre, comme chaque année, se prépare le Salon du livre et de la presse jeunesse.

.... du « Petit Prince » au cinéma

72 ans après la parution du livre culte « Le Petit Prince » de Saint-Exupéry, le chef d'œuvre est enfin adapté au cinéma.

.... du nouvel album de Zaz « Paris »

La jeune chanteuse française Zaz lance un nouvel album : «Paris».

EX. 3. Voici des unes de journaux sur l'environnement. Transformez les titres en phrases.

Tournage du film *Home* de Yann Arthus Bertrand dans 54 pays. → *Yann Arthus Bertrand a tourné le film « Home » dans 54 pays.*

Réduction des émissions de CO_2 au Gabon. → ....

Disparition du vol MH370 : deux ans après, toujours un mystère. → ....

Engagement des citoyens de Montréal pour protéger le Mont Royal. → ....

Protestation des manifestants péruviens contre l'exploitation de l'or. → ....

+ d'exercices : page 199

5. INFO OU INTOX ?

A. Observez ces deux titres d'articles. Qu'en pensez-vous ? Dans quel type de journal pourriez-vous les trouver ?

B. Lisez l'article. Quels sont les principaux objectifs de ces journaux selon le texte ? Et selon vous ?

IKEA – Les clients devront sculpter eux-même les pièces des meubles dans du bois.

D'après des experts, 2015 serait l'année la plus longue jamais enregistrée

PRIS AU PIÈGE PAR UN JOURNAL !

LA MODE DES « INFAUX »

Le *Gorafi*, *Boulevard 69*, l'*Agence France Presque*, *Bilboquet magazine*... Connaissez-vous ces titres de journaux ? Depuis quelques années, on en trouve beaucoup sur Internet.

Dans un premier temps, l'internaute est trompé par leur apparence, car ils ressemblent à de vrais journaux avec un titre, des rubriques et des articles. Pourtant, en lisant les articles, on découvre rapidement qu'ils sont humoristiques, qu'ils se moquent de l'actualité politique et économique ou des journaux traditionnels. Les milliers d'utilisateurs piégés sont séduits par ces fausses actualités.

« Les articles sont écrits par des amateurs. Tout le monde peut écrire un article. Nous ne prétendons pas être des journalistes, nous voulons seulement développer l'esprit critique des lecteurs », affirme le créateur du site d'infaux *Bilboquet magazine*. Quentin, étudiant en biologie et grand amateur de sites d'infaux, confirme : « Je surfe sur ces sites pour m'amuser, ça me fait rire. Je suis surpris par la créativité des rédacteurs. »

DISTRIBUTION DE NOUVELLES À MOURIR D'ENNUI

En Suisse, un étrange journal a été distribué à 800 000 exemplaires. Le titre, *Boring News*, ne laisse aucun doute : il s'agit de faits divers « à mourir d'ennui ». On y trouve des titres ennuyeux comme : « Un client a été raccompagné à son domicile par un chauffeur de taxi » ou « De la nourriture en boîte a été mangée par un chat affamé ».

C. Observez les phrases surlignées dans l'article et complétez le tableau.

LA VOIX PASSIVE

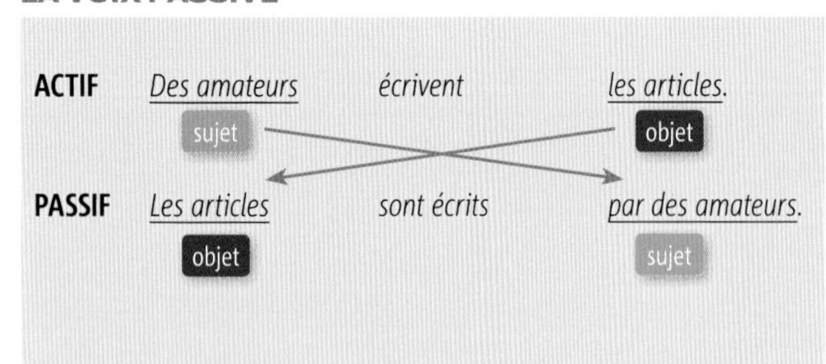

ACTIF	*Des amateurs* (sujet)	*écrivent*	*les articles.* (objet)
PASSIF	*Les articles* (objet)	*sont écrits*	*par des amateurs.* (sujet)

À la voix passive :
- L'objet et le sujet sont inversés : c'est donc l'.... qui subit l'action.
- On emploie le verbe .... + participe passé.
- On accorde le participe passé en genre et en nombre.
- On conjugue l'auxiliaire ***être*** au temps de la phrase active.

Si le sujet est ***on***, il n'y a pas de préposition ***par*** devant l'objet.
Ex. : ***On a distribué*** *un étrange journal à 800 000 exemplaires.*
→ *Un étrange journal .... à 800 000 exemplaires.*

D. Réalisez un concours de nouvelles insolites. Écrivez votre nouvelle par groupes de deux. Lisez-la ensuite à la classe, puis attribuez les prix suivants.

6. MÊME PAS VRAI !

A. Lisez cet article. Selon les scientifiques, qu'est-ce qui rendrait la vie sur Mars possible ? Qu'est-ce qui la rendrait au contraire impossible ?

BLOG SCIENTIFIQUE D'ERNESTO BASTIDE

En route pour Mars !

29/03/2016

++

Pourrions-nous vivre sur Mars ? La récente découverte d'eau salée liquide sur la planète rouge relance la polémique.

Certains scientifiques estiment qu'il serait possible d'y survivre, notamment grâce à la présence de CO_2. Selon eux, il y a plusieurs millénaires, Mars aurait ressemblé à la Terre. Ils pensent également que la présence d'eau liquide indique que les conditions nécessaires à la vie sont réunies. Une expérience dans le nord du Canada dans des conditions climatologiques similaires à la planète rouge aurait ainsi permis de faire pousser des tomates et des carottes. Depuis 2012, le robot Curiosity arpente la planète mystérieuse à la recherche de nouveaux indices. L'association Mars-One organise même un voyage en aller simple sur Mars en 2023, auquel plus de 200 000 volontaires seraient déjà inscrits !
D'après la NASA, la température (- 63°C en moyenne) et l'absence d'atmosphère autour de la planète rendraient pourtant l'installation humaine invraisemblable et les radiations solaires provoqueraient des cancers. Les voyages sur Mars se limiteront donc pour l'instant au tourisme spatial !

B. Observez les expressions et les verbes surlignés. Expriment-ils un fait certain ou incertain ? À quel temps sont-ils conjugués ? Complétez la règle.

LES INFORMATIONS INCERTAINES

- Pour présenter une information non vérifiée, on utilise le .. (présent ou passé). Ex. : ....
- Les expressions .... et .... indiquent qu'il y a différents avis sur le sujet. Ex. : ....

Les verbes d'opinion comme ***croire***, ***penser*** ou ***estimer*** nuancent également les propos. Ex. : ....

LA VOIX PASSIVE

EX. 1. Lisez ce fait divers et transformez les phrases soulignées à la forme active.

Un cambriolage pour des centimes
Dimanche dernier, un bureau de tabac a été cambriolé par deux hommes armés **(1)**... pour rien ! Le coffre du bureau de tabac a été ouvert par l'employé **(2)**. Ensuite, des centaines de sacs de pièces de monnaie ont été déposés dans un camion par les deux cambrioleurs **(3)**. Lorsqu'ils ont été surpris par la police **(4)** un peu plus tard dans la nuit, les deux hommes ont ouvert les sacs et découvert des pièces de 1 et 2 centimes ! Le total de leur butin s'élève à une centaine d'euros.

EX. 2. Lisez ce fait divers du journal *Boring News* et entourez la forme correcte.

Un Français a acheté un billet de train

Un billet de train a acheté / a été acheté par un Français. Celui-ci s'est rendu au guichet de la gare de Genève, où il a demandé / a été demandé les tarifs. Ensuite, il a été payé par / a payé son billet de train. Le billet de train a composé / a été composé par sur une borne. Des recherches ont effectué / ont été effectuées par notre journal, prouvant que le Français venait à Genève pour la première fois.

EX. 3. Rédigez une info drôle ou ennuyeuse au passif à partir d'une photographie au choix.

LES INFORMATIONS INCERTAINES

EX. 4. Conjuguez ces titres de la rubrique « Insolites » au conditionnel passé. Quel titre préférez-vous ?

1. Un tennisman .... (jouer) une partie de tennis sans raquette.
2. Deux hommes .... (cambrioler) leur propre maison.
3. Deux femmes .... (se battre) dans un restaurant pour une part de pizza.
4. Un millionnaire .... (choisir) de passer le Nouvel An dans l'espace.
5. Une jeune femme .... (échapper) au contrôleur d'un bus en se cachant sous un siège.

+ d'exercices : pages 199 - 200

7. L'INFO, LE 4E POUVOIR

A. **Par deux, lisez chacun une discussion de ce forum et résumez-la à votre camarade. Qu'ont en commun ces deux personnes ?**

B. **Répondez à l'une des questions posées par les internautes en donnant votre avis.**

- Pour répondre à Camille, je pense qu'il faut continuer à utiliser Facebook parce que la NSA ne s'intéresse qu'aux données des personnes connues...

NOTRE MÉTIER : faire respecter la liberté d'expression

CETTE SEMAINE : LA LIBERTÉ DE LA PRESSE. EXPRIMEZ-VOUS !

Snowden poursuivi à cause de ses révélations

déposé par Camille, à 5h20, le 30 juin

Le sujet : En juin 2013, Snowden, un ancien agent de la NSA (l'agence de renseignement américaine), a révélé que celle-ci collectait des données sur tous les citoyens du monde. La NSA a donc accès à nos ordinateurs, à nos téléphones portables et même à nos recherches de mots-clefs sur Internet. Par conséquent, elle contrôle les faits et dires de tout le monde ! Depuis ses révélations, Snowden a dû fuir en Russie, puisqu'il est considéré comme un « lanceur d'alerte », c'est-à-dire une personne qui informe les gens d'un danger public pour l'homme ou l'environnement.

Mon avis : Je suis inquiète, car le monde ressemble de plus en plus au livre **«1984»** de George Orwell : on nous surveille.

Ma question : Comme nous savons que la NSA a accès à Facebook et aux réseaux sociaux, est-ce qu'il faut continuer à les utiliser ?

Wikileaks, le droit de savoir

déposé par Simon, à 12h54, le 25 juin

Le sujet : En 2006, Julian Assange fonde Wikileaks. Grâce à ce site Internet, toute personne en possession d'un document d'intérêt public peut le publier et le rendre ainsi disponible au plus grand nombre. Le site devient vite très populaire. En effet, tout le monde peut publier et avoir accès à des données secrètes ! Mais tout a changé en 2010, quand Wikileaks a publié des données confidentielles sur la guerre en Irak. C'est pourquoi Julian Assange est aujourd'hui poursuivi par la justice américaine. Il a obtenu l'asile à l'ambassade d'Équateur à Londres, où il réside.

Mon avis : Julian Assange est poursuivi parce qu'il n'a pas gardé le silence. Je le trouve très courageux.

Ma question : Faut-il risquer sa vie pour défendre l'accès à l'information ?

LA CAUSE ET LA CONSÉQUENCE

LA CAUSE

Les conjonctions les plus utilisées pour exprimer la cause sont ***parce que*** et ***car***.

On peut également utiliser les conjonctions suivantes :

- ***puisque*** (cause évidente ou déjà connue) ;
- ***à cause de*** (cause négative), qui est le contraire de ***grâce à*** (cause positive) ;
- ***en effet*** ou ***comme*** (introduisent une explication).

LA CONSÉQUENCE

La conjonction la plus utilisée pour exprimer la conséquence est ***donc***.
On peut également utiliser les conjonctions suivantes, surtout à l'écrit : ***c'est pourquoi***, ***ainsi*** et ***par conséquent*** (très formel).

À l'oral ou dans le langage familier, on peut dire ***du coup***, ***alors***.

C. **Que pensez-vous des lanceurs d'alerte ? En petits groupes, écrivez des arguments pour et contre les lanceurs d'alerte. Ensuite, partagez-le avec la classe et faites une affiche tous ensemble.**

Pour :	Contre :
– Grâce à ces gens, on apprend des infos importantes pour défendre nos droits.	– Souvent, ils dénoncent des faits pour se venger de quelqu'un. Donc, on ne sait pas si ce qu'ils disent est vrai ou pas.

Et vous ?

Pensez-vous que l'on peut tout dire ? La liberté d'expression a-t-elle des limites ?

8. LA PARTICIPATION 2.0

A. Regardez la photo. Que vous évoque-t-elle ? Connaissez-vous les médias participatifs ?

B. Lisez ce programme et résumez-le en trois idées-clés. Comparez vos propositions en petits groupes. Remplacez les pronoms *en* de l'article en vous aidant de la règle.

Les cahiers du journalisme présentent :
TOUS JOURNALISTES ?
11 août 2016

9h-10h : Présentation des médias participatifs et citoyens

par **PAULINE GRANGEOT**, journaliste citoyenne

Agoravox, les blogs du Monde, Mediacitoyen, Planeta Terra... Les connaissez-vous ? Il y **en** a des centaines à travers le monde. Leurs articles originaux, drôles ou critiques sont écrits par les internautes eux-mêmes, qui **en** choisissent le contenu. Il y **en** a même qui sont soutenus, créés ou financés par les médias nationaux, comme *les blogs du Monde*.

10h-12h : Des acteurs du changement ?

Table ronde avec **PASCAL RICHÉ**, rédacteur en chef de *Rue89* et *Walter Bouvais*, blogueur écolo et ancien directeur de la publication de *Terra Eco*

Les médias participatifs soulèvent des questions : les internautes **en** sont friands, mais les journalistes s'**en** méfient. En effet, l'information n'est pas toujours fiable, comme **en** témoignent les nombreuses erreurs que l'on trouve sur Wikipedia.

PAUSE DÉJEUNER

LE PRONOM *EN*

- ***En*** remplace un complément d'un verbe ou d'un adjectif introduit par ***de***. Ex. : *Je me méfie de la presse en ligne.* → *Je m'**en** méfie.*
- ***En*** remplace également un nom exprimant une quantité ou introduit par un article indéfini. Ex. : *Je reçois des notifications sur mon téléphone.* → *J'**en** reçois sur mon téléphone.*
- Le pronom ***en*** se place toujours avant le verbe. Ex.: *J'**en** lis tous les jours.*

Il y en a des centaines à travers le monde.
-> Il y a des centaines de médias participatifs.

C. En petits groupes, inventez des devinettes sur votre manière de vous informer en utilisant *en*.

- J'en publie souvent. Qu'est-ce que c'est ?
- Des actualités sur Facebook ? Des articles en ligne ?

LA CAUSE ET LA CONSÉQUENCE

EX. 1. Lisez cet article sur la révolution du métier de journaliste et complétez-le.

parce que | puisque | grâce à | à cause de | ainsi

La (r)évolution des journalistes

Depuis la fin du XXe siècle, le métier de journaliste a beaucoup changé. ... l'apparition de la presse en ligne, le nombre de journalistes de presse écrite diminue. L'ONU annonce ... la disparition totale des journaux papier en 2040. Les médias participatifs changent également le paysage journalistique ... tout le monde peut écrire des articles. Toutefois, le métier de journaliste survit ... titres de presse spécialisés, comme la presse à scandale, écologique et féminine. La presse gratuite a fait augmenter le nombre de lecteurs, mais elle a aussi suscité des protestations ... elle contient de nombreuses publicités.

EX. 2. Deux internautes ont donné leur avis sur les médias participatifs et citoyens. Choisissez deux affirmations avec lesquelles vous êtes d'accord et expliquez pourquoi à l'écrit.

ALINE / LE 31.12
Je suis pour !
- C'est la fin du monopole des journalistes.
- C'est l'une des formes les plus innovantes de la démocratie.
- Ça permet d'éviter la censure !
- Ça répond au besoin d'expression grandissant de notre époque !

FLORENCE / LE 01.01
Je suis contre !
- Être journaliste, c'est un métier avec ses règles et ses codes.
- Il y a déjà assez d'intox en ligne !
- Les sites et les blogs citoyens ne donnent pas leurs sources !
- L'apprenti journaliste n'est pas formé à la rédaction journalistique !

LE PRONOM *EN*

EX. 3. Associez ces morceaux de phrases aux pronoms *en* qu'ils remplacent.

1. de Bocuse
2. des personnes
3. de cette actualité

Tu ***en*** as entendu parler ? Bocuse a désormais une Timeline sur Facebook ! Bocusetimeline.en **A**

B Merci David ! J'ai appris plein de choses sur lui ! Il viendrait donc d'une famille de cuisiniers ? Il y ***en*** a qui ont de la chance !

On le savait, non ?

C Tu sais, au Canada, Bocuse n'est pas aussi connu qu'en France. On ***en*** parle très peu !

+ d'exercices : pages 200 - 201

RECEVOIR L'INFORMATION ET AGIR SUR L'INFORMATION

1. Retrouvez les expressions qui s'utilisent avec les verbes suivants.

une notification | un bulletin télévisé | les actualités | un compte Twitter | une lettre au courrier des lecteurs | un article en ligne | un événement inédit | un commentaire | un flash info

1. commenter : ....
2. envoyer : ....
3. suivre : ....
4. consulter : ....
5. lire : ....
6. regarder : ....
7. recevoir : ....
8. filmer : ....
9. écouter : ....

LES EXPRESSIONS

2. Lisez les témoignages de Mohamed et Noha sur les infos en ligne et complétez-les avec les expressions suivantes. Attention : il faut conjuguer les verbes !

pression de l'information | sites d'infaux | faire les gros titres | société civile | à la une | discerner le vrai du faux | société du tout info | souffrir d'un excès d'info | trop d'info tue l'info

MOHAMED : « Avant, je recevais des notifications sur mon téléphone portable en permanence. À cause de la ...., nous sommes tout le temps connectés aux actualités. Aujourd'hui, je .... et j'ai décidé de m'éloigner de la .... et de profiter des petits moments de bonheur de la vie. À mon avis, ... ! »

NOHA : « Sur Internet, avec les .... et les autres intox, c'est difficile de .... ! En plus, les rédacteurs de ces sites jouent avec les actualités qui .... ou les informations ...., donc on ne sait plus quelle actualité est réelle ou inventée ! Selon moi, le seul avantage d'Internet, c'est qu'il redonne du pouvoir à la .... ».

LES RUBRIQUES

3. Retrouvez 8 rubriques d'un journal et entourez-les dans la grille.

S	S	C	I	E	N	C	E	S	M
P	P	S	O	C	I	E	T	E	E
O	L	F	Y	Q	M	U	S	Y	T
R	A	I	C	U	L	T	U	R	E
T	N	J	T	E	R	B	S	I	O
R	E	N	S	W	W	B	J	Z	W
A	T	E	C	O	N	O	M	I	E
J	E	S	K	O	N	A	M	R	O
E	P	O	L	I	T	I	Q	U	E

LES ACTUALITÉS

4. Retrouvez les noms formés à partir de ces verbes, puis imaginez le titre d'une actualité ou d'un fait divers.

1. partager → partage : partage du butin suite à un cambriolage.
2. s'effondrer : ....
3. inventer : ....
4. disparaître : ....
5. lancer : ....
6. se marier : ....
7. modifier : ....

ADJECTIFS POUR QUALIFIER UN ARTICLE

5. Retrouvez dans ce serpent de mots les autres adjectifs pour qualifier un article.

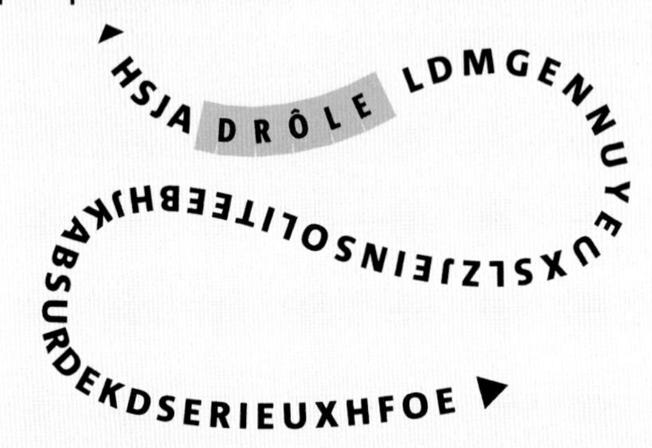

MOTS TRONQUÉS

6. À l'oral, on peut supprimer une ou plusieurs syllabes à la fin d'un mot. Saurez-vous retrouver les mots qui correspondent aux mots tronqués suivants ?

1. Actus → ....
2. Télé → ....
3. Tél → ....
4. Infos → ....
5. Docu → ....

AU FIL DE L'UNITÉ

7. Que vous évoque chacun de ces mots ? Complétez les schémas.

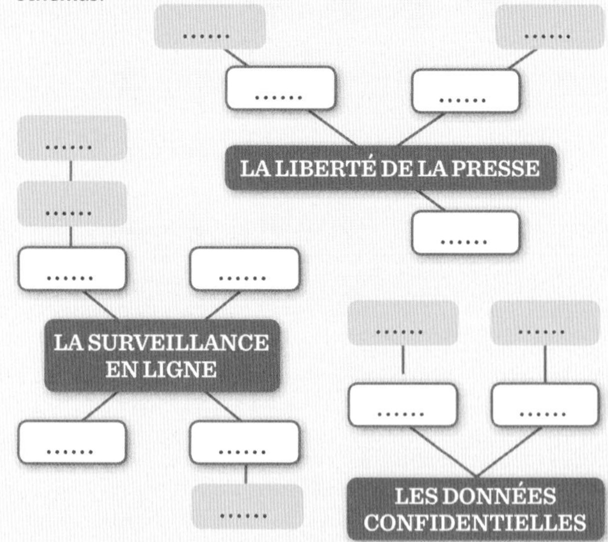

S'INFORMER

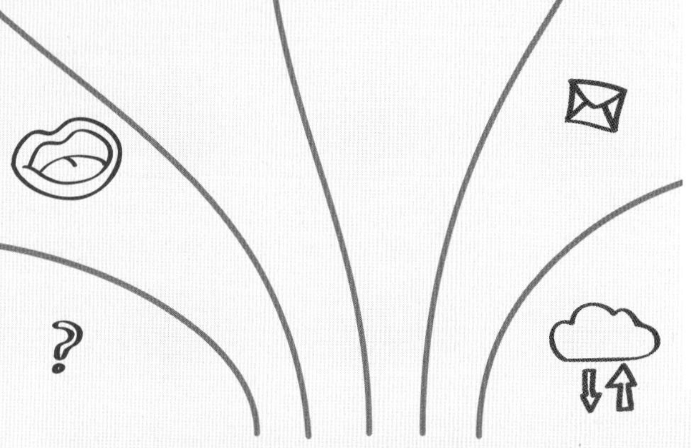

LES SUPPORTS

- la télévision
- la radio
- le téléphone portable / mobile
- les réseaux sociaux
- Internet
- le journal papier / en ligne

LES RUBRIQUES

- société
- international
- économie
- politique
- planète / sciences
- culture / art
- sport
- météo
- fait divers
- insolite

RECEVOIR L'INFO

regarder
- un bulletin d'actualités
- une chaîne d'information
- un flash info

consulter
- une lettre d'info
- un site d'infaux
- un blog d'actualités / l'actualité
- les informations / une application

- suivre un compte Facebook / Twitter
- recevoir une notification sur son mobile

AGIR SUR L'INFO

- participer à une émission télévisée
- rédiger un article / un post / un message /
- un commentaire
- diffuser un lien
- transférer une vidéo
- filmer un événement d'actualité
- poster un commentaire

LES ADJECTIFS POUR QUALIFIER UN ARTICLE

- incroyable
- insolite
- absurde
- drôle
- faux / bidon
- bizarre
- ennuyeux
- sérieux
- documenté

LES EXPRESSIONS

- trop d'info tue l'info
- mourir d'ennui
- souffrir d'un excès d'information
- vérifier la fiabilité d'une source
- être à la mode / démodé
- faire les gros titres / la une
- figurer parmi les événements incontournables
- adopter l'actualité positive

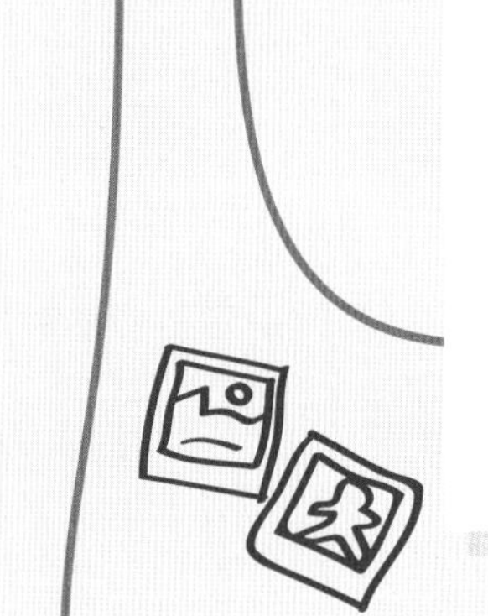

LES PROFILS D'UTILISATEURS

- un accro
  - aux réseaux sociaux
  - aux infos fiables
- un déconnecté volontaire
- un fan
  - des médias rétro
  - des réseaux sociaux
- un internaute
- un blogueur, une blogueuse

LA LIBERTÉ DE LA PRESSE

- le journalisme participatif et citoyen
- un lanceur d'alerte
- une agence de renseignements
- la surveillance en ligne
- collecter des données confidentielles / secrètes
- un document d'intérêt public
- l'accès à l'information
- la liberté d'expression

Les nouveaux mouvements sociaux : l'effet boule de neige

Les **nouveaux mouvements sociaux** sont des mouvements de protestation ou de révolte citoyenne qui fleurissent dans le monde depuis 2011. Or, les **réseaux sociaux** sont essentiels pour diffuser des informations, appeler au rassemblement ou organiser des manifestations. Retour en dates et en images sur le rôle des réseaux sociaux à **l'ère du citoyen 2.0**.

En Tunisie
de la révolution au Prix Nobel

La révolution tunisienne, ou révolution « de Jasmin », a eu lieu entre décembre 2010 et janvier 2011. Pendant quatre semaines, tout le pays était paralysé par les manifestations et les grèves. Les Tunisiens revendiquaient des élections démocratiques et la liberté de la presse. Ces revendications ont été entendues : les premières élections libres de l'histoire du pays ont eu lieu le 23 octobre 2011, puis en décembre 2014. Autre effet imprévisible : le « dialogue national tunisien » remporte le Prix Nobel de la Paix le 9 octobre 2015.

Le rôle des réseaux sociaux ?

Dans un pays où les médias étaient censurés, les appels à la grève ont principalement été relayés sur Facebook, Twitter et d'autres réseaux sociaux.

En Espagne
les Indignés « Indignados »

Indignez-vous !, le livre de Stéphane Hessel sorti en 2010, a eu l'effet d'un catalyseur. Il a ainsi donné son nom au mouvement des « Indignados », un rassemblement spectaculaire qui a lieu le 15 mai 2011 sur la place de la Puerta del Sol à Madrid. Le campement, qui a duré jusqu'en juin 2011, exprime une protestation sociale nouvelle : l'indignation citoyenne face aux problèmes de justice sociale. Le mouvement s'inspire du printemps arabe, mais son ambition est plus large : il veut faire une révolution citoyenne et changer le monde.

Le rôle des réseaux sociaux ?

Des appels à rassemblement sur des réseaux sociaux comme Twitter et la plateforme en ligne « Democracia Real Ya! » ont conduit au campement du 15 mai. Le rassemblement s'est poursuivi grâce à Internet, où il a pris son nom : les Indignés.

3

Aux États-Unis

le mouvement « Occupy »

Le mouvement « Occupy Wall Street » dit s'inspirer des mouvements tunisiens et égyptiens. Pourtant, il ressemble plutôt aux « Indignados » espagnols. Comme en Espagne, le mouvement a occupé un lieu symbolique le 17 septembre 2011 : le parc Zuccotti de Manhattan, symbole de la finance internationale. « Occupy » réclame la fin des abus des monopoles financiers et une redéfinition des institutions monétaires internationales. Ces revendications ne semblent pas avoir eu d'effets mais elles ont souligné les inégalités de revenus dans les pays du Nord.

Le rôle des réseaux sociaux ?

Les Indignés poursuivent leur action : c'est l'un des nouveaux mouvements sociaux les plus actifs aujourd'hui, à découvrir sur le site occupy.com. Le site wearethe99percent fait également circuler des témoignages de vies dans des conditions financières difficiles.

4

Au Brésil

la « révolte du vinaigre », l'esprit des Indignés ?

En juin 2013, au Brésil, a eu lieu la « révolte du vinaigre ». Les milliers de manifestants ont protesté contre la hausse des tarifs de bus et le coût de la préparation de la Coupe du monde de football 2014. Comme les autres mouvements sociaux, il s'agit d'une révolution sur les réseaux sociaux, critique à l'égard des autorités politiques, mais les manifestants n'ont pas occupé un lieu spécifique comme les Espagnols ou les Américains. Si les tarifs de bus n'ont pas baissé, le gouvernement a par contre proposé d'adopter le principe du vote par référendum !

Le rôle des réseaux sociaux ?

Le mouvement s'est structuré, organisé et diffusé sur les réseaux sociaux et les médias participatifs et alternatifs brésiliens.

9. L'EFFET BOULE DE NEIGE

A. Regardez le document. Avez-vous suivi l'actualité de ces mouvements sociaux ? Qu'en savez-vous ? Avez-vous déjà participé à l'un de ces mouvements ? Échangez entre vous.

B. Lisez les textes. Y a-t-il un lien de cause à effet entre les différents mouvements sociaux qui sont apparus à partir de 2011 dans le monde ?

10. LES RÉSEAUX SOCIAUX

A. Quel a été le rôle des réseaux sociaux dans ces mouvements ?

B. Quelles sont les revendications de ces nouveaux mouvements sociaux ?

11. LES REVENDICATIONS

A. Quelle cause vous tient particulièrement à cœur ? Seriez-vous prêts à participer à un mouvement social pour la défendre ?

B. Choisissez un mouvement social ou une manifestation récente de votre choix. Réalisez un court exposé en petits groupes. Présentez-le à la classe.

Ailleurs dans le monde

À Tel-Aviv

À Tel-Aviv, des tentes pour dénoncer l'injustice sociale.
> LE 6 AOÛT 2011

En France

En France, les Indignés de la Défense.
> DU 4 AU 15 NOVEMBRE 2011

TÂCHES FINALES

TÂCHE 1 UN FLASH D'ACTUS POSITIVES SUR MOBILE

1. Vous allez réaliser un flash info d'actualités positives. D'abord, en groupes, faites un remue-méninge des actualités positives que vous avez entendues.

2. Ensuite, chaque groupe choisit une actualité positive, puis rédige un petit paragraphe en utilisant la technique des 5 questions : Où ? Qui ? Quand ? Quoi ? Pourquoi ?

Cette semaine, il y a eu des avancées dans la lutte contre le sida, grâce à...

3. Choisissez un présentateur pour chaque groupe et décidez dans quel ordre les présentateurs liront les actualités du flash info.

4. Filmez-vous à l'aide d'un téléphone mobile, puis diffusez la vidéo sur un blog ou sur les réseaux sociaux.

CONSEILS

- Pensez à des actualités drôles ou insolites.
- Rédigez des phrases courtes.
- Pensez à relire les actualités entre vous avant de filmer.

TÂCHE 2 NOTRE PAGE D'INTOX

1. Vous allez écrire une page d'un journal de fausses infos. D'abord, pensez à des actualités insolites, drôles et ennuyeuses et mettez vos idées en commun.

2. Regroupez vos idées sous différentes rubriques : drôle, ennui, incroyable... Donnez ensuite un titre à votre page de journal.

3. Par deux, rédigez « un article d'intox » en utilisant la technique des questions (quand ? qui ? quoi ? où ? comment ? pourquoi ?).

4. Rassemblez vos articles de fausses infos pour faire votre une de journal.

CONSEILS

- Pour choisir le titre de votre journal, inspirez-vous de titres de journaux existants.
- Pour rédiger les intox, inspirez-vous de la rubrique « Faits divers » de vrais journaux.
- Vous pouvez utiliser le site http://clonezone.link/.

QUATRE LANGUES DU JOUR AU LENDEMAIN !

Ce matin, une Strasbourgeoise aurait été réveillée par une émission de radio en 4 langues.
Au petit-déjeuner, elle se serait adressée à son mari en chinois, puis elle aurait demandé du pain à sa fille en russe et de l'eau en allemand.
Elle ne parviendrait plus à parler français.

La jeune femme interrogée par des médecins aurait ainsi déclaré qu'elle n'avait jamais appris aucune langue étrangère de sa vie.

Imaginez que cela vous arrive un matin : quelles langues aimeriez-vous parler sans devoir les apprendre ?

ÉCHAUFFEMENT

ÉCHAUFFEMENT MUSCULAIRE

1. Suivez les étapes ci-dessous pour détendre les muscles de la bouche.

A. Seul ou deux par deux, face à face.
B. Ouvrez la bouche au maximum comme si votre mâchoire devait toucher le sol. La langue reste plate.
C. Maintenez cette position 5 secondes puis soufflez en faisant le maximum de bruit.
D. Imaginez maintenant que vous mâchez un chewing-gum en ouvrant le plus possible la bouche.
E. Faites régulièrement cet exercice avant de travailler la prononciation.

A. PHONÉTIQUE

L'OPPOSITION [e] - [ə]

2. Lisez les verbes suivants en tapant dans vos mains lorsque vous prononcez les sons soulignés et en respectant le nombre de syllabes.

	PASSÉ COMPOSÉ [e]	IMPARFAIT [ə]
1	J'ai goûté	Je goûtais
2	J'ai cherché	Je cherchais
3	J'ai voyagé	Je voyageais
4	J'ai travaillé	Je travaillais

PISTE 52

3. Écoutez et indiquez le temps du passé que vous entendez.

	PASSÉ COMPOSÉ	IMPARFAIT
1		
2		
3		
4		

PISTE 53

4. Écoutez et complétez les phrases suivantes avec les verbes conjugués au passé que vous entendez.

1. .... l'ascension des plus hauts sommets.
2. .... d'aller en Grèce depuis tout petit et .... ce rêve l'année dernière.
3. .... que tu ne venais pas avec nous.
4. .... l'Afrique du Sud cette année-là.

B. PROSODIE

PRONOMS POSSESSIFS : [ɛ̃] / [ɛn]

PISTE 54

5. Écoutez les quatre questions suivantes et cochez la bonne réponse en fonction du genre de l'objet (masculin / féminin).

- À qui est ce sac de voyage ?

	C'EST LE MIEN ! [ɛ̃]	C'EST LA MIENNE ! [ɛn]
1	x	
2		
3		
4		
5		

PISTE 55

6. A. Écoutez ces courts dialogues et reproduisez-les en suivant l'intonation proposée.

1.
- Je n'ai plus de crème solaire ! Je vais attraper un coup de soleil !
- Tiens, tu peux prendre ....

2.
- Il faut que j'achète un parapluie.
- Ce n'est pas la peine, j'ai pris ....!

3.
- Tu as pris ma brosse à dents ?
- J'ai pris .... mais pas ....!

6. B. Faites par deux un mini-dialogue à l'oral pour chaque pronom possessif : *le tien, la tienne, les miens, les tiennes*.

C. PHONIE-GRAPHIE

7. A. Par deux, lisez le texte suivant comme si vous racontiez votre propre témoignage. Faites attention à la prononciation des différents temps du passé.

J'y étais il y a quelques années. J'ai fait le tour de la Grèce avec des copains. Un soir, nous sommes arrivés à Delphes et nous avons eu une idée folle : on a voulu voir le lever du soleil sur le site historique le lendemain. Mais le site était surveillé et il n'ouvrait qu'à 9 h.
Le lendemain, nous avons cherché un passage... mais un gardien est arrivé : il était vraiment énervé ! Mais, nous avons insisté et il nous a laissé passer. C'était magique d'y être au meilleur moment de la journée. En plus, c'était interdit...

7. B. Racontez votre propre anecdote de voyage à haute voix en faisant attention à la prononciation des verbes au passé.

- Lors de mon voyage...

ÉCHAUFFEMENT

RYTHME ET CORPS

1. Suivez les étapes ci-dessous pour trouver votre rythme du français.

A. Seul ou en groupe. Tapez 6 fois des mains en suivant le rythme:
« clap / clap / claaaap / clap / clap / claaaap ».
♩ ♩ 𝅗𝅥 ♩ ♩ 𝅗𝅥

B. Faites ce rythme en tapant des mains et produisez en même temps le son [o] : « o / o / oooo / o / o / oooo ».

C. Continuez l'exercice avec les syllabes [do], [re], [mi], [fa] et [sɔl].

D. En tapant toujours dans vos mains, reproduisez le rythme en disant :
Do ré miiii... la perdriiiix
Mi fa sooool... prit son vooool
Fa mi réééé... dans un prééé
Mi ré doooo... tombe à l'eauuuu

A. PROSODIE

LE RYTHME DU FRANÇAIS

Le rythme à l'oral est très important car il permet de ponctuer son message comme la virgule ou le point à l'écrit. C'est une manière d'aider l'interlocuteur à suivre ce qui est dit.
En français, le rythme est marqué par l'allongement de la dernière syllabe du groupe rythmique suivi d'une pause plus ou moins longue.

PISTE 56

2. A. Écoutez puis lisez ces bouts de phrase en commençant aigu sur le *si* puis en allant de plus en plus grave en avançant dans la phrase comme si vous glissiez sur les notes d'un piano. Pensez à allonger la dernière syllabe.

Si je jouais d'un instrument...

1. Si j'avais le temps...
2. Si je peux...
3. Si jamais j'oublie...
4. Si j'habitais en ville...

PISTE 57

2. B. Écoutez et faites le même exercice en continuant la phrase.

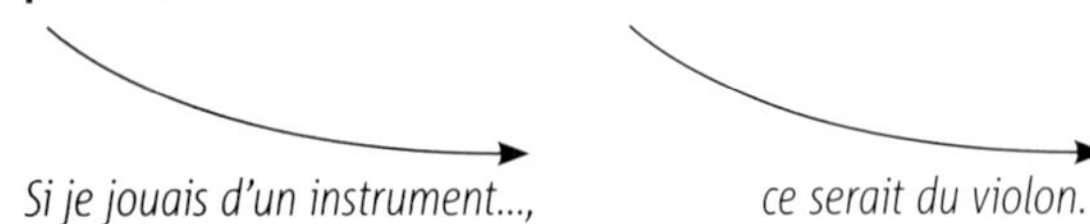

Si je jouais d'un instrument..., *ce serait du violon.*

1. Si j'avais le temps, j'apprendrais le solfège.
2. Si je peux, je viendrai à ton concert.
3. Si jamais j'oublie, rappelle-moi notre répétition.
4. Si j'habitais en ville, j'irais plus à l'opéra.

B. PHONÉTIQUE

LE *E* MUET : [ə]

Le ***e*** muet [ə] est très présent dans le français de la vie de tous les jours. C'est une manière de parler plus vite et de se focaliser sur les mots importants. Parfois, cela peut changer la forme des sons :
je suis* = *j'suis (prononcé « chui »)

PISTE 58

3. A. Écoutez et indiquez l'ordre dans lequel vous entendez les verbes conjugués suivants. Attention, ils sont prononcés dans un style relâché.

1	*Je vais*
	Je déprime
	Je me sens
	Ça me donne
	Ça me rend
	Je suis

3. B. Lisez à haute voix les phrases suivantes en respectant le style relâché.

1. J'vais bien.
2. Ça m'donne la chair de poule.
3. J'suis de bonne humeur.
4. J'déprime en écoutant ce titre.
5. Ça m'rend romantique.
6. J'me sens mélancolique.

C. PHONIE-GRAPHIE

PISTE 59

4. A. Écoutez ce texte et mettez une barre (/) à chaque fois que vous entendez la fin d'un groupe rythmique.

salut les zicos nous sommes un groupe de jeunes musiciens amateurs et débutants un guitariste bassiste un batteur et deux chanteuses nous avons quelques compos à nous mais faisons surtout des reprises de chansons françaises pour les arranger à notre manière

4. B. À votre tour, lisez le texte en reproduisant le rythme proposé.

ÉCHAUFFEMENT

OSER EN FRANÇAIS

1. Suivez les étapes ci-dessous pour oser en français.

A. Seul ou face à face, deux par deux, fermez les yeux et prenez le temps de penser à quelque chose que vous avez osé faire et dont vous êtes fier.
B. Racontez-vous cette histoire dans votre tête.
C. Ouvrez les yeux et regardez votre partenaire.
D. Sans vous mettre d'accord, commencez à raconter en même temps cet événement que vous avez osé faire. Vous ne devez pas vous laisser distraire par l'histoire de l'autre.

A. PROSODIE

L'INTONATION ET LA QUESTION

L'intonation est un moyen d'indiquer nos intentions à notre interlocuteur. Lorsqu'il n'y a pas de mot interrogatif, elle permet de signaler que nous posons une question.

PHRASE	INTONATION
Il fait beau demain.	↘
Est-ce qu'il fait beau demain ?	↘
Il fait beau demain ?	↗

PISTE 60

2. Écoutez les phrases suivantes (qui n'ont pas de sens) et dites quelle intonation vous entendez.

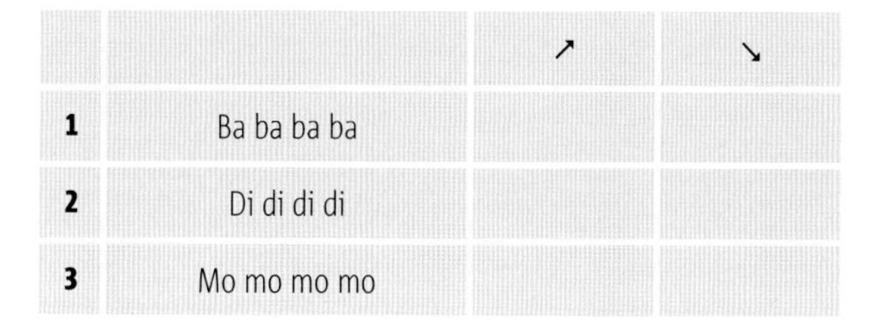

		↗	↘
1	Ba ba ba ba		
2	Di di di di		
3	Mo mo mo mo		

PISTE 61

3. A. Écoutez puis prononcez les questions suivantes à haute voix en respectant l'intonation indiquée.

(↘) intonation descendante
(↗) intonation ascendante

1. J'ai trouvé un appart. ↘
2. T'as trouvé un appart ? ↗
3. Est-ce que tu as trouvé un appart ? ↘
4. Comment ? ↗ Tu as trouvé un appart ? ↗

3. B. À l'oral, proposez différents types de questions en fonction des réponses proposées. Faites attention à l'intonation.

1. J'ai peur du noir.
2. J'aime être entouré.
3. Je fais beaucoup de sport.

B. PHONÉTIQUE

LES ADJECTIFS DE CARACTÈRE EN *-IF / -IVE*

PISTE 62

4. Écoutez et dites si vous entendez le masculin *-if* ou le féminin *-ive*.

	MASCULIN EN *-IF*	FÉMININ EN *-IVE*
1		
2		
3		
4		
5		

PISTE 63

5. A. Écoutez et lisez ces paroles de la chanson *If* d'Étienne Daho en duo avec Charlotte Gainsbourg.

If négatif, maladif, inexpressif et plus vraiment vif, cherche le motif
If trop captif et décoratif
If défensif, à cran, offensif

5. B. Repérez les adjectifs de caractère qui se terminent par *-if* puis mettez-les au féminin à l'oral.

5. C. Inspirez-vous de la chanson pour en faire une avec des adjectifs qui se terminent par *–eux/–euse*.

C. PHONIE-GRAPHIE

SI SEULEMENT

6. A. Préparez cinq phrases à l'écrit qui commencent par *Si seulement...* . Attention, vous devez utiliser un verbe différent à chaque fois.

1. ....
2. ....
3. ....
4. ....
5. ....

6. B. Par deux, chacun lit à son tour une phrase. Commencez tout doucement puis, petit à petit, parlez de plus en plus fort. Faites comme si vous osiez de plus en plus partager vos pensées.

Si seulement...

Si seulement...

ÉCHAUFFEMENT

LA VOIX EXPRESSIVE

1. Suivez les étapes ci-dessous pour oser une voix expressive.

A. Seul ou en groupe, chacun détermine un son ou une syllabe qui lui pose problème. Ex. : [ry].
B. Déposez une boîte contenant des objets du quotidien (téléphone, etc.).
C. Seul ou à deux, un objet est choisi au hasard.
D. Improvisez une mini-publicité expressive en vantant les mérites de l'objet sans parler mais en utilisant uniquement le son choisi dans l'étape précédente. Vous devez être convaincant !

A. PROSODIE

L'INTONATION POUR DONNER SON AVIS

Donner son avis est parfois difficile quand on apprend une langue étrangère. En français, une intonation montante peut indiquer à votre interlocuteur que vous n'avez pas terminé ce que vous voulez dire. N'hésitez pas à utiliser cette technique pour garder la parole.

PISTE 64

2. A. Écoutez ces morceaux d'une phrase et indiquez l'intonation que vous entendez.

		↗	↘
1	Je n'admets pas		
2	que tu passes ton temps		
3	sur ton portable.		

PISTE 65

2. B. Écoutez ces morceaux de phrases et indiquez l'intonation que vous entendez.

(↘) intonation descendante
(↗) intonation ascendante

1. Je n'admets pas que tu passes ton temps sur ton portable.
2. Je ne m'attendais pas à ce que tu t'inscrives sur Facebook.
3. Il est important que vous soyez là avec moi.
4. Je ne trouve pas qu'il soit nécessaire de passer autant de temps sur Twitter.

2. C. Par deux, lisez à nouveau les phrases ci-dessus pendant que votre partenaire essaie de vous couper la parole. Gardez la parole quoi qu'il arrive.

- *Je n'admets pas que tu passes ton temps sur ton portable.*

B. PHONÉTIQUE

LES RIMES

3. A. Regardez attentivement l'image et trouvez au moins un objet connecté qui rime avec la syllabe soulignée dans les phrases suivantes.

1. En<u>zo</u> a ....
2. Loui<u>son</u> aime ....
3. Christo<u>pher</u> est addict (à) ....

3. B. Faites deux phrases avec d'autres prénoms qui riment avec des objets connectés.
1. ....
2. ....

C. PHONIE-GRAPHIE

4. A. Lisez le texte suivant à haute voix. Vous devez faire une pause de 1 seconde pour les virgules (,) et de 2 secondes pour les points (.). Insistez sur les mots soulignés.

Bienvenue à tous. Aujourd'hui, nous parlerons de deux sujets pendant cette réunion. <u>D'abord</u>, nous nous intéresserons au chiffre d'affaire de cette semaine. <u>Puis</u>, nous continuerons avec les nouveautés à venir. <u>Enfin</u>, je vous laisserai la parole pour vos questions.

4. B. Écrivez un court texte en utilisant au moins trois connecteurs. Puis, lisez-le en respectant la même consigne.

....
....
....
....
....

ÉCHAUFFEMENT

ÉCHAUFFEMENT MUSCULAIRE

1. Suivez les étapes ci-dessous pour jouer avec les intentions et les émotions.

A. Choisissez un geste qui représente l'énervement puis faites-le en l'exagérant (ex. : avancer le bras rapidement).
B. Recommencez ce geste puis, au milieu du mouvement, arrêtez-vous 3 secondes et transformez-le en un geste doux et bienveillant (ex. : le bras devient mou).
C. Maintenant, associez cet exercice à la phrase suivante :

ÉNERVEMENT	PAUSE	DOUCEUR
Il fait moche aujourd'hui	...	je suis super content(e) !

D. Prenez le temps de penser à ce qui change au niveau de votre prononciation.

A. PROSODIE

L'IRONIE

L'ironie est une stratégie qui permet de jouer ou de manipuler le poids des mots afin de renforcer l'impact de ce que l'on dit ou ne dit pas. C'est aussi une manière de cacher ses pensées à travers un message ambigü.

PISTE 66

2. A. Écoutez et imitez le ton de chaque phrase.

1. Bravo ! Tu as obtenu ton augmentation.
2. Oh non, zut ! Tu as encore raté ton train.
3. Bof ! Ce n'est pas très réussi.
4. Ouf ! Je pensais que c'était grave.

PISTE 67

2. B. Réécoutez et associez les interjections suivantes avec le sentiment associé.

1	Bravo ! •	•	Indifférence
2	Bof ! •	•	Soulagement
3	Ouf ! •	•	Irritation
4	Zut ! •	•	Enthousiasme

2. C. Prononcez à nouveau les phrases du 2.A. en imaginant les contextes ironiques suivants.

1. Vous êtes énervé(e) car, vous aussi, vous vouliez une augmentation mais vous ne l'avez pas obtenue.
2. Vous êtes content(e) car votre ami(e) pourra rester plus longtemps avec vous mais c'est un problème pour lui-elle.
3. Vous avez fait un gâteau, vous le trouvez bien mais vous ne voulez pas être trop prétentieux / prétentieuse.
4. On vous a dit que c'était grave mais vous vous rendez compte que ça ne l'est pas du tout. Vous plaisantez gentiment sur cette exagération.

B. PHONÉTIQUE

LE SON [ɑ̃] ET LE GÉRONDIF

PISTE 68

3. Écoutez et prononcez le plus rapidement possible le virelangue suivant en faisant attention à la prononciation du son [ɑ̃].

Voici six chasseurs se séch**ant**
sach**ant** chasser sans chien

4. A. Mettez les verbes suivants au gérondif. Attention, ils ont des formes irrégulières.

1. La banque devrait me rembourser en .... (prendre) en compte que c'est un vol de carte bancaire.
2. En .... (savoir) que je ne peux pas payer, vous devriez m'accorder un délai de paiement.
3. Vous devriez me proposer un bon de réduction en .... (avoir) en tête que je suis unne bonne cliente.
4. En .... (faire) un peu attention, je n'aurais pas été arnaqué par ce site Internet.

PISTE 69

4. B. Écoutez et lisez à haute voix les phrases précédentes en faisant attention au son [ɑ̃] du verbe au gérondif.

C. PHONIE-GRAPHIE

5. A. Par deux, lisez à haute voix les phrases suivantes.

Moi, je peux apprendre le français en regardant la télévision.

Moi, je peux avoir de bonnes notes en travaillant très peu.

5. B. Écrivez deux phrases au gérondif comme ci-dessus en utilisant au choix les verbes suivants.

être | commencer | boire | écrire | voir

1. ....
2. ....

5. C. Faites une compétition deux par deux en donnant le maximum de phrases au gérondif et le plus rapidement possible. Celui qui hésite ou fait une erreur (grammaticale ou de prononciation) a perdu. Commencez avec les phrases du 5.B puis improvisez.

ÉCHAUFFEMENT

ARTICULATION

1. Suivez les étapes ci-dessous pour travailler votre élocution.

A. Seul ou en groupe, prenez un stylo ou un crayon et mettez-le à l'horizontale entre vos dents.

B. Entrainez-vous à lire à haute voix et le plus clairement possible cette réplique du film *Le fabuleux destin d'Amélie Poulain* : *« C'est l'angoisse du temps qui passe qui nous fait tant parler du temps qu'il fait ».*

C. Faites l'exercice de plus en plus vite en faisant attention à votre respiration.

A. PHONÉTIQUE

LES SONS [y] ET [u]

PISTE 70

2. A. Écoutez les mots suivants et cochez le son ou les sons que vous entendez.

	[y] COMME *TU*	[u] COMME *POUR*
1		
2		
3		
4		
5		

PISTE 71

2. B. Écoutez et complétez les phrases suivantes avec le son [y] ou [u] puis lisez-les à haute voix.

1. On retr[....]ve une vraie bande de copains qui n[....]s réservent d'inépuisables s[....]rprises.
2. Elle est prête à t[....]t p[....]r se créer un manteau en f[....]rr[....]re de petits dalmatiens qui serait assorti à sa coiff[....]re, blanche et noire.
3. Ce qui me t[....]che le pl[....]s dans un film, c'est la qualité de sa m[....]sique.

2. C. À votre tour de faire une phrase à l'oral sur la thématique du cinéma en utilisant les mots suivants.

tournage | jour | documentaire | brusque

B. PROSODIE

TRAVERSER DES ÉMOTIONS

Se laisser traverser par une émotion est parfois difficile lorsque l'on parle dans une langue étrangère. Comme un acteur ou une actrice, vous pouvez utiliser ces émotions pour renforcer vos intentions. Le corps et la respiration sont des outils précieux pour cela.

3. A. Jouez les émotions ci-dessous sans un mot mais en faisant un geste qui les représente.

tristesse | colère | surprise | joie

3. B. Faites le même exercice mais en produisant les sons proposés pour chaque émotion.

1	tristesse → *Ah !*
2	colère → *Oh !*
3	surprise → *Euh !*
4	joie → *Hé !*

3. C. Lisez à haute voix les répliques de film suivantes en adoptant l'émotion indiquée.

1. **Tristesse**
   « Ça fait tellement du bien d'aimer les gens qu'on aime que ça finit par faire mal. »
   (*LOL (Laughing out loud)*)
2. **Colère**
   « La peur mène à la colère, la colère mène à la haine... La haine mène à la souffrance ! »
   (*Star Wars : La menace fantôme*)
3. **Joie**
   « Si tu veux quelque chose dans la vie, prends-le. »
   (*Into the wild*)

C. PHONIE-GRAPHIE

4. A. En groupes, déterminez le cadre d'une histoire en choisissant les éléments ci-dessous. Essayez de trouver des mots qui comportent les sons [y] et [u].

1	Deux personnages	(ex. : *Arthur & Anouck*)
2	Un environnement	(ex. : *Luxembourg*)
3	Un moment	(ex. : *dans le futur*)

4. B. Par deux, écrivez un court synopsis en reprenant les personnages, l'environnement et le moment choisis.

4. C. Présentez à l'oral votre synopsis à la manière d'une voix off. Faites attention à votre élocution et aux émotions qui vous traversent.

ÉCHAUFFEMENT

CONFIANCE

1. Suivez les étapes ci-dessous pour prendre confiance.

A. Seul ou en groupe, imaginez une plume posée sur la paume de votre main.
B. Soufflez sur cette plume en la faisant se déplacer dans la pièce. Vous ne devez pas toucher les autres ni le mobilier dans vos déplacements.
C. Chaque inspiration puis expiration est douce et progressive. Les déplacements respectent cet état de calme et d'attention aux autres.
D. Une musique calme pourra accompagner ce travail.

A. PHONÉTIQUE

LES ADJECTIFS ORDINAUX

2. Écoutez et cochez l'adjectif ordinal que vous entendez.

PISTE 72

1	☐ 2^{e}	☐ 12^{e}
2	☐ 3^{e}	☐ 13^{e}
3	☐ 5^{e}	☐ 15^{e}
4	☐ 6^{e}	☐ 16^{e}
5	☐ 5^{e}	☐ 50^{e}

3. Lisez la charade (une sorte de devinette) ci-dessous à haute voix puis essayez de la résoudre.

Mon premier mange mon deuxième.
Mon deuxième est mangé par mon premier.
Mon troisième est un chiffre pair.
Mon tout se trouve sur cette page.

SOLUTION : charade (chat, rat, deux)

4. Regardez le document ci-dessous et expliquez à l'oral le classement de chaque pays dans l'enquête PISA en utilisant des adjectifs ordinaux.

PISA 2012 : LE CLASSEMENT EN COMPRÉHENSION DE L'ÉCRIT
Classement et score en compréhension de l'écrit

1	Shanghai	**570**
2	Hong Kong	**545**
3	Singapour	**542**
4	Japon	**538**
5	Corée	**536**
6	Finlande	**524**
7	Taïwan	**523**
16	Suisse	**509**
18	Belgique	**509**
19	Allemagne	**508**
21	**France**	**505**
	Moyenne OCDE	**501**
23	Royaume-Uni	**499**
24	États-unis	**498**
27	Italie	**490**
32	Espagne	**488**

SOURCE : **OCDE / PISA**

B. PROSODIE

NOMBRES + VOYELLE/CONSONNE

La prononciation des chiffres 5, 6, 8 et des nombres 10, 25, 26, 70, 90, etc. change en fonction de ce qu'il y a après :

- À la fin d'une phrase ou avant un nom commençant par un son voyelle, on prononce la dernière lettre du nombre.
Ex. :
*Ils sont cin**q**.* [k]
*Ils sont hui**t**.* [t]
*Ils ont vingt-cin**q** ans.* [k]

- Pour 6 et 10, on prononce [s] à la fin d'une phrase et [z] avant une voyelle.
Ex. :
*Ils sont si**x**.* [s]
*Ils ont di**x** ans.* [z]

- Avant un nom commençant par un son consonne, on ne prononce pas la dernière lettre du nombre.
Ex. : *si(**x**) / hui(**t**) / di(**x**) pourcents.*

⚠ Beaucoup de francophones prononcent le [k] à la fin de *cin**q*** dans cette situation : *Cin**q** pour cent.*

5. A. Lisez à voix haute ces phrases extraites de l'unité.

1. 85 % des Français jugent la plupart des parents « pas assez sévères » avec leurs enfants.
2. 51 % des Français pensent que l'enseignement à l'école est de bonne qualité.
3. Pour la majorité des Français (environ 90 %), une éducation réussie implique la politesse, le respect et bien se tenir.
4. Plus de la moitié des Français (55 %) préférerait inscrire leur enfant dans une école publique.

5. B. Cherchez sur Internet des chiffres (en pourcentage) sur l'éducation dans votre pays. Faites 5 phrases à l'oral en faisant attention à la prononciation des chiffres.

C. PHONIE-GRAPHIE

6. A. Par deux, posez des questions à un camarade sur son parcours éducatif afin de comparer le système de son pays avec le système français ci-dessous.

1	**COLLÈGE (11 - 14 ANS)**	6e, 5e, 4e, 3^{e}
2	**LYCÉE (15 - 18 ANS)**	2nd, 1ère, terminale

6. B. En classe, présentez à l'oral ces différences en faisant attention à la prononciation des noms des classes (6e, 5e, 4e, etc.).

ÉCHAUFFEMENT

LE REGARD ET LA VOIX

1. Suivez les étapes ci-dessous pour poser votre regard et votre voix.

A. À l'image d'un présentateur TV, lisez le texte ci-dessous à haute voix.

Madame, monsieur, bonsoir ! #
Nous sommes le mardi 23 février. #
Voici les titres du journal : #
- La récente découverte d'eau salée liquide sur la planète rouge relance la polémique. #
- Dimanche dernier, un bureau de tabac a été cambriolé par deux braqueurs toulousains. #

B. Maintenant, lisez-le à nouveau en faisant une pause et en prenant le temps de regarder l'ensemble de l'auditoire à chaque fois qu'il y a le symbole suivant : #. Utilisez un ton adapté pour intéresser le public.

A. PHONÉTIQUE

LA PRONONCIATION DE *-ENT*

Les mots qui se terminent par ***ent*** peuvent se prononcer de deux façons en fonction de leur nature.
- Ils se prononcent « an » [ɑ̃] pour :
• un nom : *un mom**ent***
• un adjectif : *prud**ent***
• un adverbe : *rapide**ment***
- Ils ne se prononcent pas ou ils se prononcent avec un ***e*** muet [ə] pour un verbe conjugué à la 3e personne du pluriel au présent simple : *ils dans**ent***.

2. A. Choisissez si la fin des mots en *-ent* ci-dessous se prononcent [ɑ̃] ou [ə]. Vous pouvez vous aider en retrouvant les mots dans la leçon.

		[ɑ̃]	[ə]
1	événement		
2	figurent		
3	librement		
4	présent		

2. B. Cherchez dans des journaux en ligne une phrase pour chaque mot et lisez-la à haute voix. Attention à la prononciation des mots qui se terminent par *-ent*.

B. PROSODIE

LES LIAISONS AVEC *EN*

On trouve des liaisons avec le pronom ***en*** :
AVANT :
• [z] après **nous, vous, ils** : ils‿en donnent.
• [n] après ***on*** : On‿en parle après.
APRÈS :
• [n] s'il est **suivi par un mot commençant par un son voyelle** : *Tu en‿achètes toujours.*

PISTE 73

3. Écoutez et choisissez le son de liaison que vous entendez avant ou après le pronom *en*. Plusieurs réponses sont possibles.

		[z]	[n]
1	Il est arrivé **en** avance.		
2	Nous **en** distribuons assez.		
3	On **en** parle très peu.		
4	Il y **en** a qui ont de la chance !		
5	Vous **en** avez entendu parler ?		

4. Répondez à haute voix aux questions suivantes en remplaçant le mot ou les mots soulignés par *en*.

1. Vous avez envie d'aller sur Mars ?
   Oui, ...
2. Combien de magazines il y a sur la table ?
   Il .... une dizaine.
3. Tu as reçu beaucoup d'e-mails aujourd'hui ?
   Oui, ... une vingtaine.

C. PHONIE-GRAPHIE

5. A. Choisissez deux faits d'actualité dans votre pays et rédigez une courte présentation en utilisant au moins une conjonction de cause et une de conséquence.

....

....

....

5. B. Présentez ces deux faits à la manière d'un présentateur TV en commençant par le texte ci-dessous. Attention à votre regard et à poser votre voix. Vous pouvez vous enregistrer.

Madame, monsieur, bonsoir ! #
Nous sommes le .... #
Voici les titres du journal : #
....

DELF

LE DELF

Le Diplôme d'Études en Langue Française (DELF) est un diplôme délivré par le Centre International d'Études Pédagogiques (CIEP), établissement public du ministère de l'Éducation nationale français.
Le diplôme est valable à vie ; il est reconnu dans plus de 170 pays.

LE NIVEAU B1

Le niveau B1 correspond à 300 / 380 heures d'apprentissage.
Le candidat de niveau B1 est capable de :

- comprendre les points essentiels quand un langage clair et standard est utilisé et s'il s'agit de choses familières dans le travail, à l'école, les loisirs...
- se débrouiller dans la plupart des situations rencontrées en voyage dans une région où la langue est parlée.
- produire un discours simple et cohérent sur des sujets familiers et dans ses domaines d'intérêt.
- raconter un évènement, une expérience ou un rêve, décrire un espoir ou un but et exposer brièvement des raisons ou explications pour un projet ou une idée.

CONSEILS GÉNÉRAUX

- Avant l'examen, pratiquez les différentes épreuves.
- Vérifiez la durée des épreuves et gérez bien votre temps.
- Pour chaque exercice, prenez le temps de bien lire les consignes.
- N'en faites pas trop ! Il vaut mieux donner une réponse courte mais correcte.

LES ÉPREUVES

NATURE DES ÉPREUVES	DURÉE	NOTE SUR
COMPRÉHENSION DE L'ORAL (CO) Réponse à des questionnaires de compréhension portant sur trois documents enregistrés (deux écoutes). Durée maximale des documents : 6 min	25 min. environ	25
COMPRÉHENSION DES ÉCRITS (CE) Réponse à des questionnaires de compréhension portant sur deux documents écrits : - dégager des informations utiles par rapport à une tâche donnée. - analyser le contenu d'un document d'intérêt général.	35 min.	25
PRODUCTION ÉCRITE (PE) Expression d'une attitude personnelle sur un thème général (essai, courrier, article...).	45 min.	25
PRODUCTION ORALE (PO) Épreuve en trois parties : - entretien dirigé ; - exercice en interaction ; - expression d'un point de vue à partir d'un document déclencheur.	0 h 15 environ (préparation : 0 h 10. Elle ne concerne que la 3e partie de l'épreuve.)	25
Seuil de réussite pour obtenir le diplôme : 50/100 Note minimale requise (pour chaque épreuve) : 5/25	Durée totale des épreuves : 2 h	Note totale sur : 100

Vous allez entendre 3 documents sonores, correspondant à des situations différentes. Pour le premier et le deuxième document, vous aurez :

- 30 secondes pour lire les questions ;
- une première écoute, puis 30 secondes de pause pour commencer à répondre aux questions ;
- une deuxième écoute, puis 1 minute de pause pour compléter vos réponses.

Répondez aux questions en cochant la bonne réponse, ou en écrivant l'information demandée.

EXERCICE 1 / CONVERSATION

PISTE 74 ▶ Écoutez le document puis répondez aux questions.

1. De quel événement parlent Manu et son amie Olga ?

☐ un concert
☐ la sortie d'un livre
☐ un rassemblement

2. Pourquoi Manu n'a pas participé ?

☐ Il était en vacances.
☐ Il n'avait pas envie.
☐ Il travaillait.

3. Que fallait-il faire pour participer ?

....

4. Vrai ou Faux ?

a. Manu adore la chanson *Mourir pour des idées.* **V / F**
b. Ce que Olga préfère dans cette chanson, c'est la mélodie. **V / F**
c. Très peu de gens ont participé. **V / F**
d. Il n'y aura pas d'autre événement de ce genre. **V / F**

5. Pourquoi ont-ils organisé un tel événement ?

....

EXERCICE 2 / BULLETIN RADIO

PISTE 75 ▶ Écoutez le document puis répondez aux questions.

1. Le film dont parle l'émission est...

☐ algérien.
☐ français.
☐ canadien.

2. Quel est le thème traité dans le film ?

....

3. Comment pourrait-on définir le genre de ce film ?
☐ documentaire
☐ critique sociale
☐ comédie romantique

4. Pourquoi le chauffeur de taxi ne fête-t-il pas Noël ?

....

5. Quel est le sentiment de l'homme vis à vis de son pays d'origine ?

☐ rejet
☐ nostalgie
☐ colère

6. Quelle est l'opinion des critiques sur ce film ?

☐ positive
☐ modérée
☐ négative

EXERCICE 3 / INTERVIEW

PISTE 76 ▶ Écoutez le document puis répondez aux questions.

1. Qui est l'invité de l'émission ?

☐ un romancier
☐ un psychologue
☐ un avocat

2. Citez deux exemples de peurs.

....
....

3. Selon l'invité, il y a deux types de peurs. **V / F**

4. Quelle image utilise l'auditrice pour parler de la peur ?

....

5. Comment peut-on se débarrasser de nos peurs selon l'invité ?

☐ Il faut les ignorer.
☐ Il faut les comprendre.
☐ Il faut en créer d'autres.

6. Selon l'invité, il n'est pas nécessaire de consulter un psychologue. **V / F**

7. Qui serait à l'origine de nos peurs ?

☐ nos parents
☐ nous-mêmes
☐ les animaux

8. Quel est le conseil donné par l'invité pour conclure son intervention ?

....

CONSEILS

- Avant les écoutes, lisez bien les questions et soulignez les mots importants.
- Pour chaque question, vous ne devez cocher qu'une seule case.

EXERCICE 1 / LIRE POUR S'ORIENTER

▶ Vous partez très prochainement pour un long voyage à l'étranger. Vous vous renseignez sur les applications utiles que vous pourriez télécharger pour votre voyage. Vous recherchez des applications totalement gratuites, qui soient accessibles hors connexion car vous n'êtes pas sûr(e)s que vous aurez toujours accès à Internet. Vous souhaitez une application qui vous aide dans votre quotidien sur place. Enfin, vous souhaitez qu'elle soit disponible en français. Lisez le document puis répondez aux questions.

ITRANSLATE

Une application gratuite très classique mais toujours utile pour traduire des mots, des expressions et même des phrases entières dans 52 langues différentes. Une fois téléchargée, pas besoin de connexion Internet. Le seul hic, elle n'est pas disponible pour le français !

BEST PICTURES

Une appli, en anglais seulement, pour le plaisir des yeux. Que du beau. Pour rêver à votre prochaine destination ! Le travail des meilleurs photographes voyageurs est répertorié pour nous offrir un incroyable festival d'images. Tout ceci a un prix, puisque l'application est disponible à partir de 5 €. Par contre, elle est ensuite disponible hors connexion.

GAMES +++

Cette appli disponible en 5 langues différentes (anglais, français, espagnol, chinois, arabe) vous propose un grand nombre d'activités amusantes gratuites où que vous soyez. En vacances à l'autre bout du monde ou près de chez vous pour le week-end, il suffit de vous connecter au réseau wifi pour avoir accès à une multitude de jeux. Alors, prêt à affronter de longs voyages ? Vous ne vous ennuierez plus jamais !

COLOUR TRAVEL

Une application rigolote pour vos futurs projets de voyages. Elle vous permet de colorier les pays que vous avez visités, ceux où vous avez vécus, ceux où vous projetez d'aller, etc. De plus, elle donne des informations sur les pays en anglais (via une connexion Internet). Point négatif, certaines cartes sont payantes !

QUICK CHANGE

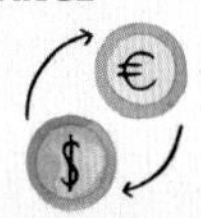

Une application multilingue (anglais, français, espagnol) très pratique pour partir à l'étranger. Elle permet d'échanger les devises gratuitement en se mettant en contact avec des voyageurs en ayant besoin. Possibilité d'échanger aussi des conseils de voyages. Seul bémol, il faut évidemment une connexion wifi.

TRAVEL EMERGENCY

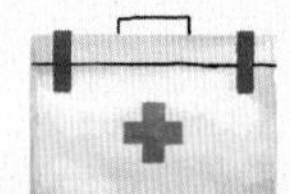
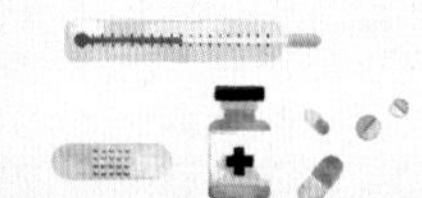

Pour trouver rapidement les numéros d'urgence du monde entier : pour contacter une ambulance, la police, un centre anti-poison, une ambassade, un hôpital, et bien plus encore. C'est toujours très utile à avoir sur son téléphone... Cette appli, accessible dans toutes les langues, est parfaite pour les stressés de la sécurité ! Elle est disponible gratuitement et hors connexion.

1. Pour chaque application, cochez la case qui correspond aux critères.

	ITRANSLATE		BEST PICTURES		GAMES +++		COLOUR TRAVEL		QUICK CHANGE		TRAVEL EMERGENCY	
	OUI	NON	OUI	NON	OUI	NON	OUI	NON	OUI	NON	OUI	NON
PRATIQUE SUR PLACE												
ENTIÈREMENT GRATUITE												
DISPONIBLE HORS CONNEXION												
DISPONIBLE EN FRANÇAIS												

2. Quelle application choisissez-vous ? ....

EXERCICE 2 / LIRE POUR S'INFORMER

▶ Lisez le texte ci-dessous, puis répondez aux questions, en cochant la bonne réponse, ou en écrivant l'information demandée.

Les chiffres sur l'école française ne sont pas très encourageants. D'après une enquête de l'OCDE datant de 2009 sur le bonheur à l'école, la France se classerait 22e sur 25. Ce mal-être viendrait principalement de la pression scolaire, du stress lié au système de notation. Comme à chaque rentrée, la question de l'amélioration du système éducatif se pose, il est peut-être temps d'écouter aussi les plus concernés, c'est-à-dire les élèves, pour recueillir leurs avis sur une école idéale. Nous sommes allés interroger plusieurs lycéens âgés de 15 ans.
En ce qui concerne les matières enseignées, on peut constater l'évocation d'un manque de matières artistiques. Les élèves souhaiteraient apprendre l'histoire de l'art, la musique, la danse, le chant, le théâtre et faire plus de sport. Ces matières sont souvent reléguées au statut d'options facultatives. Les élèves aimeraient également mieux comprendre le monde dans lequel ils vivent pour devenir des acteurs de la société. Pour cela, ils voudraient avoir des cours qui traitent de l'actualité, de la psychologie, de la philosophie et enfin, pourquoi pas, des cours très pratiques comme des cours de cuisine. Par contre, selon les élèves, il faudrait alléger l'emploi du temps pour qu'ils aient plus de temps libre. Les modèles sont des pays comme la Norvège ou l'Allemagne.
Les apprenants veulent aussi une école pour tous. L'école française reste très élitiste : on met en valeur les bons élèves et on laisse de côté les mauvais. D'ailleurs, les élèves attendent beaucoup plus de soutien de la part de leurs professeurs. Ces derniers ne seraient pas assez à l'écoute, seraient parfois démotivés et ne soigneraient pas assez le contenu de leurs cours. Le professeur idéal ? Un professeur qui encourage et qui n'humilie jamais. Un prof qui fait attention aux élèves, qui les respecte, qui est strict et juste à la fois. Enfin, un prof qui sache rigoler avec ses élèves. Les classes sont surchargées, les élèves s'ennuient, ils ne travaillent pas assez l'oral. En résumé, les professeurs devraient être aussi moins préoccupés par les notes et les moyennes. Les notes sont perçues comme quelque chose de décourageant, qui ne vient pas du tout récompenser les efforts qui ont été faits. Pour les adolescents, et cela confirme les résultats de l'enquête, l'école idéale serait une école sans note !

Librement adapté d'un article de l'article de *L'Express* « L'école idéale, selon Margaux, Anna et les autres ».

1. Quel titre pourrait-on donner à l'article ?

- ☐ une école élitiste
- ☐ une école idéale
- ☐ une école artistique

2. Qu'est-ce qui cause le plus de stress aux élèves ?

- ☐ un emploi du temps surchargé
- ☐ le système de notation
- ☐ des classes trop nombreuses

3. Le journaliste décide d'interroger...

- ☐ les parents.
- ☐ les élèves.
- ☐ les professeurs.

4. Répondez par Vrai ou Faux et justifiez votre réponse en recopiant la partie du texte concernée.

Les élèves pensent que les cours de cuisine sont démodés. **V / F**
Justification : ....

Les élèves pensent qu'on soutient trop les mauvais élèves. **V / F**
Justification : ....

5. Qu'est-ce que les élèves voudraient devenir grâce à l'école ?

....

6. Entourez les qualités que devrait avoir le professeur idéal. (2 points)

- ☐ sévère
- ☐ humiliant
- ☐ démotivé
- ☐ attentif
- ☐ amusant
- ☐ encourageant

7. L'école idéale serait...

- ☐ une école avec des notes à l'oral.
- ☐ une école sans professeur.
- ☐ une école sans note.

CONSEILS

- Si vous ne comprenez pas tout, pas de stress ! Cherchez l'information qui vous permet de répondre à la question.
- Ne rédigez pas de longues phrases, répondez directement aux questions et soyez précis.
- Pour les questions « Vrai ou Faux ? », vous devez copier la partie du texte qui justifie votre réponse.

DANS CETTE ÉPREUVE, VOUS DEVEZ EXPRIMER UNE ATTITUDE PERSONNELLE SUR UN THÈME GÉNÉRAL.

VOUS AUREZ 45 MINUTES POUR RÉDIGER UN TEXTE DE 180 MOTS ENVIRON, CE QUI CORRESPOND À 15-20 LIGNES.

QUELQUES CONSEILS POUR L'EXAMEN

- Soyez cohérent(e) et organisez vos idées.
- Essayez d'utiliser les organisateurs du discours.
- Faites des phrases courtes.
- La grammaire et l'orthographe comptent, mais ce ne sont pas les seuls critères.
- Faites un brouillon si vous pouvez et gardez du temps pour vous relire à la fin.

EXERCICE / COURRIER D'OPINION

Demain, un film engagé...

Demain, c'est un film engagé et citoyen qui fait réfléchir sur le monde que nous laisserons aux générations à venir. Ce documentaire a toute sa place au cinéma grâce à la qualité de ses images. Le film part du constat que l'on nous parle toujours uniquement du problème du réchauffement climatique ou de la fin prochaine du monde de façon alarmiste. Or, faire peur aux gens les immobilise au lieu de leur donner de l'énergie. Les réalisateurs proposent donc des solutions concrètes dans 5 domaines : l'agriculture, l'énergie, l'économie, la démocratie et l'éducation. Ils ont rencontré des gens du monde entier qui portent des initiatives positives et filmé le tout de façon sublime. C'est un élan de motivation pour tous ceux qui vont le voir. À la fin de la séance, on a envie de parler à ses voisins et de mettre en commun les idées de chacun. On en ressort avec l'énergie pour se mobiliser et la certitude que les choses peuvent changer. D'ailleurs, la réalisation du film a été entièrement financée grâce à une collecte de fonds sur une plateforme participative. C'est grâce à des films comme celui-ci que le cinéma joue son rôle politique en sensibilisant le grand public à une question de société.

Lisez cette critique du film *Demain*. À votre tour, réfléchissez à des solutions concrètes dans les 5 domaines cités. Vous souhaiteriez les mettre en place dans votre ville, école, entreprise... pour inciter les gens à changer. Écrivez un courrier au journal qui a publié cette critique pour soumettre vos idées aux lecteurs.

L'ÉPREUVE DE PRODUCTION ORALE COMPORTE TROIS PARTIES.
1. **L'ENTRETIEN DIRIGÉ (VOIR EXERCICE 1)**
2. **L'EXERCICE EN INTERACTION (VOIR EXERCICE 2)**
3. **L'EXPRESSION D'UN POINT DE VUE (VOIR EXERCICE 3)**

QUELQUES CONSEILS POUR L'EXAMEN

L'entretien dirigé :
- L'épreuve commence dès que vous êtes face à votre examinateur ! Saluez-le, puis il commence immédiatement à vous poser les questions de l'exercice 1.
- Soyez attentif/(ve) aux questions de l'examinateur. Écoutez bien et répondez directement. Faites des phrases courtes.
- Soyez zen ! L'examinateur va vous poser des questions courtes pour vous mettre à l'aise, sur des thèmes simples (vous, votre travail, votre maison....), pas la peine de stresser !

L'exercice en interaction :
- Choisissez bien le sujet.
- Soyez spontané(e) et actif(ve) ! Posez des questions et répondez à celles de l'examinateur, faites des propositions.
- N'oubliez pas les formules de politesse : *s'il te plaît, merci, au revoir...*
- Choisissez *tu* ou *vous* en fonction de la situation proposée.
- Si vous ne comprenez pas quelque chose, demandez à l'examinateur de répéter.

L'expression d'un point de vue :
- Vous pouvez choisir entre 2 sujets, lisez-les bien et choisissez celui sur lequel vous pourrez parler le plus facilement !
- Lisez bien le texte pour définir le sujet. Vous devez vous faire une opinion sur ce sujet. Pensez à des exemples pour illustrer votre pensée.
- Vous avez 10 minutes pour préparer cette partie. N'écrivez pas tout ! Notez juste les idées principales et organisez votre présentation à l'aide de quelques mots.
- Ne lisez pas vos notes ! Soyez clair(e) et spontané(e).

EXERCICE 1 / ENTRETIEN DIRIGÉ

Répondez à ces questions.

1. Présentez-vous (votre prénom, votre âge, votre nationalité...).

2. Présentez votre famille. Vous êtes marié(e) ? Vous avez des enfants ?

3. Quelle est votre profession ? Quels sont vos horaires de travail ?

4. Que faites-vous pendant votre temps libre ?

EXERCICE 2 / EXERCICE EN INTERACTION

Vous avez trois minutes pour jouer cette situation avec l'examinateur.

Vous attendiez un colis depuis plus d'un mois. Il est finalement arrivé mais en mauvais état. Vous vous rendez à la poste pour faire une réclamation. Vous expliquez la situation à l'employé de la poste et vous réclamez une réparation.

EXERCICE 3 / EXPRESSION D'UN POINT DE VUE

Vous devez tirer au sort l'un des deux documents que vous présente l'examinateur. Vous devez ensuite dégager le thème du document et présenter votre opinion sous forme d'un exposé personnel de 3 minutes environ.

Document 1

On s'est tous déjà dit au moins une fois dans notre vie qu'on aurait dû choisir un autre métier, accepter un poste à l'autre bout du monde ou bien s'installer dans cette ville quand on en avait l'occasion... À chaque fois que l'on prend une décision, on fait un choix entre plusieurs possibilités. À chaque fois, ce choix aurait pu donc être complètement différent. Doit-on vivre avec ses regrets ou éviter d'en avoir ?

Document 2

Tout le monde n'a pas forcément le temps, ni les moyens financiers pour voyager. Mais ce n'est pas parce qu'on est à la maison que l'on ne peut pas s'évader. La technologie et l'abondance d'options virtuelles permettent en effet aujourd'hui de le faire ! On peut visiter des musées virtuels, explorer le monde avec Google earth, regarder les plus belles photos de voyages des internautes, recevoir des inconnus chez soi ! Pensez-vous que l'on puisse vraiment découvrir le monde sans voyager ?

une catastrophe

décrire

EXERCICES

LES PRONOMS COD (RAPPEL)

1. Complétez le dialogue avec les pronoms COD qui conviennent.

- Bonjour Monsieur, est-ce que je peux vous aider ?
- Oui, je voudrais offrir un souvenir du Québec à un ami. Qu'est-ce que vous pouvez me conseiller ?
- La spécialité du Québec, c'est le sirop d'érable, vous connaissez ? On .... déguste généralement sur un pancake pour le goûter. Nous vendons des bouteilles d'un ou deux litres.
- Combien coûte cette bouteille ?
- Nous .... vendons à 10 $. Vous pensez en offrir à plusieurs personnes ? Si vous achetez trois bouteilles, la quatrième est à moitié prix.
- D'accord. Et ce sirop vous .... mangez aussi sur du pain ?
- Non, traditionnellement, nous .... mangeons sur des pancakes. Nous en vendons également, vous en voulez ? Il ne nous reste plus que trois paquets.
- Très bien, je .... prends aussi. Ça fera combien au total ?
- 45 $, s'il vous plaît.

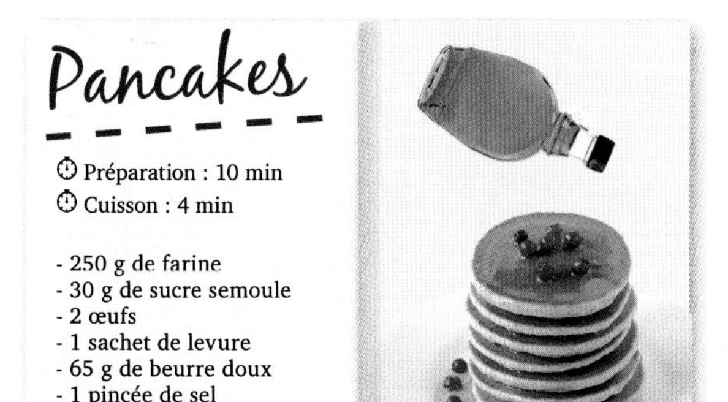

2. Faites des phrases comme dans l'exemple pour parler des habitudes des voyageurs.

consulter | écrire | télécharger | acheter | goûter

1. Un bibelot : *On l'achète pour avoir un souvenir de vacances.*
2. Une application de voyage : ....
3. Une spécialité locale : ....
4. Un blog de voyage : ....
5. Un guide touristique : ....

LES PRONOMS POSSESSIFS

3. Répondez aux questions en transformant les parties soulignées.

1. • Est-ce que cet aimant est à toi ? ○ Non, *ce n'est pas le mien.*
2. • Est-ce que ce guide est à eux ? ○ Oui ....
3. • Est-ce que cet appareil-photo est à Marc ? ○ Oui ....
4. • Est-ce que cette carte postale est à Fabrice et Laure ? ○ Non ....
5. • Cette boîte de bonbons est à vous ? ○ Oui ....

4. Trois voyageurs comparent leurs guides de voyage. Complétez le dialogue avec les pronoms personnels possessifs.

- **Fabien** : Dans mon guide, ils disent que le meilleur restaurant de la ville est fermé en ce moment. Est-ce que c'est écrit dans ...., Aurélie ?
- **Aurélie** : Non, dans .... ce n'est pas précisé. C'est bien le même restaurant, mais le guide ne précise pas quand il ferme.
- **Nadia** : C'est bizarre, mon guide n'en parle pas du tout. Ils sont de quelle année .... ?
- **Fabien** : Ils datent de 2010, on les a achetés ensemble lors de notre premier séjour à Marrakech. Ils sont un peu vieux maintenant. Je pense qu'on devrait plutôt suivre ...., Nadia, c'est le plus récent.

LES PRÉPOSITIONS DE LIEU

5. À l'aide de la carte, complétez le mail que Marco a écrit à ses parents en indiquant ses destinations. Faites l'élision si nécessaire.

Salut !
Comment ça va ? Tout se passe bien à la maison ?
Je vous envoie un petit mail pour vous tenir au courant de mes aventures. C'est un voyage génial ! J'ai atterri .... J'y suis resté une semaine puis je suis allé .... et .... Maintenant, je suis en train de traverser l'Amérique centrale. Aujourd'hui, je suis arrivé ...., et dans trois jours j'irai .... À partir de là, je prendrai l'avion pour aller .... et je terminerai mon périple par un petit séjour .... Vous vous rendez compte, sept pays en deux mois ! Moi qui ne connaissais rien de l'Amérique, j'en apprends tous les jours !
À très bientôt,
Marco

L'OPPOSITION PASSÉ COMPOSÉ / IMPARFAIT (RAPPEL)

PISTE 1

6. A. Écoutez cette historienne parler des voyages de Marco Polo et surlignez les bonnes réponses.

1. Marco Polo passe sa jeunesse avec **son père** / **son grand-père**.
2. Il part pour son voyage en Extrême-Orient quand il a **17 ans** / **27 ans**.
3. À la cour de l'Empire mongol il travaille comme **émissaire** / **soldat** de l'empereur dans les territoires d'Asie.
4. Il est fait prisonnier **en Asie** / **quand il rentre à Venise**.
5. En prison, **il écrit un livre** / **il meurt**.

6. B. À présent, complétez les phrases en utilisant l'imparfait ou le passé composé.

1. Comme son père voyageait beaucoup, Marco Polo...
   → ....
2. Quand Marco Polo est parti pour son grand voyage...
   → ....
3. Marco Polo est resté plusieurs années à la cour de l'Empire mongol. Pendant ces années, ...
   → ....
4. Il a été emprisonné quand...
   → ....
5. C'était pendant son séjour en prison qu'il...
   → ....

7. Lisez ce blog et complétez-le avec le passé composé ou l'imparfait. Faites l'élision, si nécessaire.

Le blog d'un globetrotteur

24/10/17

COMMENT JE SUIS DEVENU UN ROUTARD !

Alors, je voudrais vous expliquer comment moi, un petit travailleur parisien, je .... (finir) par devenir un routard. En fait, à Paris, je ... tellement ... (travailler) que je ... jamais ... (ne prendre) de vacances ! En 2012, mon patron m'... (imposer) trois mois de vacances, alors je ... (décider) de prendre un aller-retour pour l'île de Java en Indonésie. Là-bas, je ... (rencontrer) énormément de voyageurs qui me ... (raconter) plein d'histoires, des anecdotes incroyables et plus je ... (écouter) ces globetrotteurs, plus je ... (avoir) envie de vivre ces expériences.
Finalement, je ... (rencontrer) deux routards croates qui me .... (proposer) de voyager avec eux au Cambodge, et voilà, tout ... (commencer) comme ça.

LE PLUS-QUE-PARFAIT

8. Choisissez la réponse correcte.

1. Tu connaissais Pierre avant de venir au Maroc ?
a. Oui, je le connaissais en 2010.
b. Oui, je l'avais rencontré en 2010.

2. Vous vous êtes rencontrés pendant un voyage en Afrique ?
a. Oui, nous faisions un safari au Kenya quand nous nous sommes connus.
b. Oui, nous avions fait un voyage au Mali quand nous nous sommes connus.

3. Quand tu es allé à Paris tu parlais déjà français ?
a. Oui, j'ai déjà pris des cours de français.
b. Oui, j'avais déjà pris des cours de français.

4. Où êtes-vous allés l'été dernier ?
a. On est partis à la montagne.
b. On était partis à la montagne.

5. Vous connaissiez la Provence avant de venir à Marseille ?
a. Oui, nous avions vécu deux ans à Avignon.
b. Oui, nous vivions depuis deux ans à Avignon.

9. Jérémy raconte ses dernières vacances avec son frère. Complète l'histoire avec des verbes conjugués au plus-que-parfait.

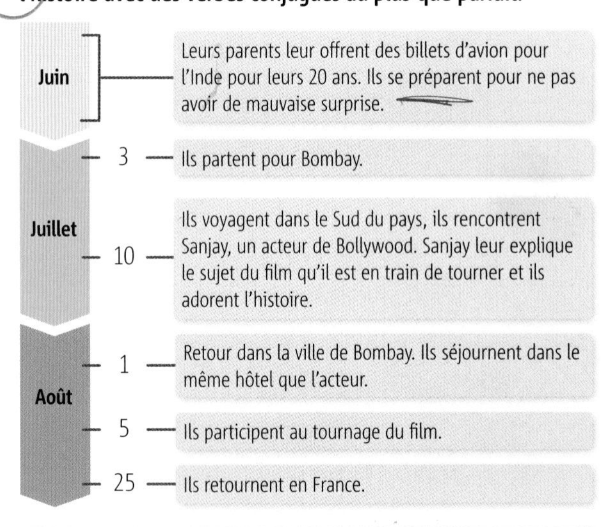

JÉRÉMY / LE 30.08

Il y a quelques mois, avec mon frère, on a fait un voyage en Inde parce que nos parents nous ... des billets d'avion pour nos 20 ans. Avant de partir, nous ... pour ne pas avoir de mauvaise surprise : vaccins, médicaments, crème solaire, nous avions tout !
Au début du mois d'août, nous avons séjourné dans le même hôtel que Sanjay, un acteur de Bollywood que nous ... quelques jours auparavant. Il nous a proposé de participer au tournage du film dont il nous ... déjà ... parlé. Comme nous ... l'histoire, nous n'avons pas hésité à dire « oui ».
Maintenant, nous sommes presque des stars de Bollywood ! 🙂

LES TEMPS DU PASSÉ

10. Écoutez les phrases. Sont-elles à l'imparfait, au passé composé ou au plus-que-parfait ?

PISTE 2

	IMPARFAIT	PASSÉ COMPOSÉ	PLUS-QUE-PARFAIT
1.		X	
2.		X	
3.			X
4.	X		
5.	X		
6.			X

L'ACCORD DU PARTICIPE PASSÉ AVEC *AVOIR*

11. Voici une page du carnet de voyages de Daniel. Complétez les phrases.

acheter perdre dîner inviter refuser

12. La mère d'Antoine surveille la préparation de son voyage en Angleterre. Répondez aux questions qu'elle lui pose en utilisant les pronoms. Faites les accords si nécessaire.

1. • Est-ce que tu as mis ta crème solaire dans tes bagages ?
   ○ Oui, je l'ai mise dans mon sac.
2. • Est-ce que tu as fait ta demande de visa ?
   ○ Oui, ...
3. • Est-ce que tu as acheté des cadeaux pour tes hôtes ?
   ○ Non, ...
4. • Tu as consulté l'application Checklist pour faire tes valises ?
   ○ Non, ...
5. • Tu as pris ton chapeau pour te protéger du soleil ?
   ○ Oui, ...

13. Faites les accords, si nécessaire.

Le blog des voyages de Rachel

LES 3 MEILLEURES ANECDOTES

Les marchés à Marseille

J'ai adoré... les marchés de Marseille pleins de couleurs. Dans un de ces marchés, j'ai rencontré... des vendeurs super sympas qui m'ont offert... une bouteille d'huile d'olive venue tout droit d'Algérie. On l'a même dégusté... ! Plus tard dans la journée, je suis retombé... sur une des vendeuses et je l'ai invité... à prendre un café pour le remercier. Les Marseillais sont super accueillants !

Les plus hautes montagnes de France

Moi qui viens de la banlieue parisienne, je n'avais jamais été dans les Alpes. Quand je les ai vu... pour la première fois, j'ai halluciné... : c'était magnifique ! La première montagne que j'ai escaladé... s'appelait la Roche Faurio, c'était un vrai challenge physique, mais je suis monté... jusqu'au sommet et je ne l'ai pas regretté... !

Le calme du Périgord

Tout en nuances de vert, le Périgord est un véritable havre de paix. Je suis resté... une semaine dans une vieille maison traditionnelle que j'avais loué.... Le week-end, un couple d'amis est venu... et je les ai emmené... visiter les grottes de Lascaux pour voir des peintures préhistoriques. C'était impressionnant de voir des dessins faits il y a plus de 17 000 ans !

COMPRÉHENSION DES ÉCRITS

A. Lisez cet article et répondez aux questions.

J'IRAI DORMIR CHEZ VOUS

Antoine de Maximy

J'irai dormir chez vous est une émission de télé animée par Antoine de Maximy.
Le principe est simple : l'animateur voyage dans le monde entier pour… s'inviter chez les gens ! En effet, le but d'Antoine de Maximy est de gagner la sympathie des gens qu'il rencontre au cours de ses voyages pour dormir chez eux. Comme il voyage seul, cela lui permet d'entrer dans l'intimité des autochtones, de connaître leur quotidien et de partager de vrais moments avec eux. Pour que la démarche soit réalisable, il voyage léger : un petit sac à dos et deux petites caméras fixées sur les bretelles de son sac à dos pour enregistrer ses aventures. Bien sûr, les gens voient qu'ils sont filmés, mais Antoine de Maximy ne leur dit pas que c'est pour une émission de télévision, le but étant de conserver une relation la plus naturelle possible. Pour jouer le jeu de la spontanéité, rien n'est vraiment prévu mis à part l'achat des billets pour se déplacer. Excepté cela, Antoine de Maximy voyage à l'aventure, et laisse libre cours à l'évolution de son séjour. C'est certainement ce qui fait le succès de l'émission ! L'animateur fait tout type de rencontres au cours de ses périples. Certaines sont plutôt superficielles et épisodiques, d'autres au contraire sont plus fortes et durables, l'important c'est que dans cette émission on voyage à travers ces rencontres : c'est une découverte de l'intérieur.

1. Quel est l'objectif d'Antoine de Maximy ?
→ ....

2. Quel système utilise-t-il pour filmer ?
→ ....

3. Quels préparatifs précèdent les voyages ?
→ ....

B. Lisez à nouveau l'article, répondez par vrai ou faux et justifiez votre réponse.

1. Antoine de Maximy dit toujours à ses hôtes qu'il filme pour une émission de télé. **V / F**
   → Justification : ....
2. Les rencontres sont toujours superficielles. **V / F**
   → Justification : ....
3. L'animateur est toujours accompagné d'un cameraman. **V / F**
   → Justification : ....
4. Il prépare minutieusement ses voyages. **V / F**
   → Justification : ....

COMPRÉHENSION DE L'ORAL

PISTE 3

C. Un jeune youtubeur reprend le concept d'Antoine de Maximy, écoutez son interview et répondez aux questions.

1. Quel est le projet de Romain ?

a. Rencontrer les différents peuples d'Afrique.
b. Rencontrer les différents peuples francophones.
c. Rencontrer les personnes déjà rencontrées par Antoine de Maximy.

2. Quelles sont les deux différences entre le projet de Romain et celui d'Antoine de Maximy ?
   → ....
   → .... un portable

3. Quel type de vidéo Romain filme-t-il ?
   → ....

4. Quel continent visitera-t-il prochainement ?
   → ....

PRODUCTION ÉCRITE

D. À votre tour, racontez un voyage que vous avez fait (ou imaginez-le) pendant lequel vous avez réalisé un projet qui vous tenait à cœur.

LES ÉMOTIONS

PISTE 4

1. Écoutez ces gens qui sortent de différents concerts et retrouvez la fin de leurs phrases.

NUMÉRO DE L'AUDIO	FIN DE LA PHRASE
	Ça m'a rendu(e) nostalgique !
	Je me sens agressé(e) !
	Ça m'a vraiment donné la pêche !
	J'en avais besoin pour décompresser.
	J'en ai encore la chair de poule !

LES PROCÉDÉS ET FIGURES DE STYLE

2. Repérez les métaphores et comparaisons dans ce magazine d'actualité musicale.

Sages comme des sauvages à la Maroquinerie
Le groupe vous propose une musique métissée entre chanson et world music, des mélodies envoûtantes comme les airs chauds des lointains pays qu'il raconte.

Jeanne Added au Divan du Monde
Cette petite nouvelle du rock français va faire parler d'elle. Inspirée par Björk et PJ Harvey, son chant de lionne se transforme parfois en sifflement de rossignol, oscillant ainsi entre férocité et fragilité. Elle ne vous laissera pas indifférent, on en est sûr.

Ibeyi à la Bellevilloise
Les jumelles franco-cubaines vous proposent un spectacle dans lequel opère toute leur magie mystique. Laissez-vous hypnotiser par ces sorcières qui mélangent avec brio le trip-hop avec leurs racines afro-cubaines.

Fauve au New Morning
Le collectif de slam jouera ce soir au New Morning. Leurs textes mélancoliques et poétiques rappellent Léo Ferré, leurs chansons sont comme des combats pour la liberté.

COMPARAISONS	MÉTAPHORES
....	....

3. Voici quelques phrases d'apprentis séducteurs. Aidez-les en complétant les comparaisons suivantes.

1. « Tu as les yeux comme ....
2. « Mon dieu, tu es belle comme ....
3. « Que tu es beau aujourd'hui, tu es comme ....
4. « Je suis bien à tes côtés, parler avec toi c'est comme ....
5. « C'est merveilleux, passer la journée avec toi c'est comme ....

4. A. Expliquez quel est le type de figure de style utilisé dans chacun de ces extraits de la chanson *Mistral gagnant* de Renaud.

1. Et entendre ton rire qui lézarde les murs
Qui sait surtout guérir mes blessures

2. Te raconter la terre en te bouffant des yeux

3. Et entendre ton rire comme on entend la mer

4. B. Reformulez avec vos propres mots ce qu'a voulu dire l'auteur de la chanson.

LE LANGAGE FAMILIER ET L'ARGOT

5. Complétez ces vignettes de B.D. qui parlent de la vie de jeunes dans une colocation avec les expressions familières vues dans l'unité.

se casser | kiffer | bouffer | se marrer

6. Réécrivez ces messages en français standard.

1. Ouah, c'était trop génial ce concert, j'ai trop kiffé ! J'me suis bien amusée. Y avait plein de monde et c'était pas cher en plus. Faut que j'retourne les voir dès qu'possible !

2. J'suis trop dégoûté ! J'suis allé à la salle de sport hier et on m'a piqué mes godasses ! Tu te barres deux secondes et les gens te piquent tes trucs ! N'importe quoi !

3. J'en peux plus de mon coloc ! Il fait que râler tout le temps, il bouffe tous les bombecs que je m'achète, en plus je lui avais prêté mon mp3 et il me l'a niqué !

DONNER DES CONSEILS (1)

7. Cet article du magazine culturel d'une ville de France donne des recommandations à l'occasion de la fête de la Musique. Regardez les annonces et complétez les conseils.

LES BONS PLANS DE MARTIAL

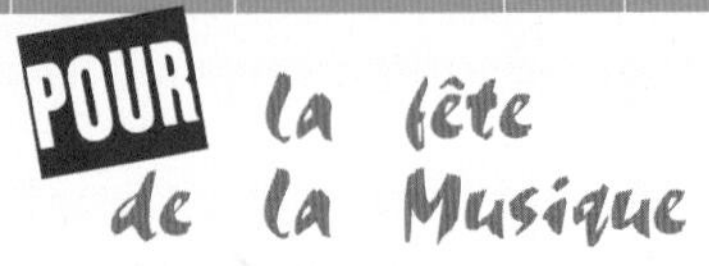

1. Si vous êtes stressé, *détendez-vous en assistant au récital de musique classique au Palais de la Musique.*
2. Si j'étais vous, ...
3. Si vous voulez connaître d'autres musiciens, ...
4. À votre place, ...
5. Si vous avez des enfants ou des neveux, ...
6. Si vous avez besoin de vous dépenser, ...

8. Associez les éléments pour retrouver les conseils qu'un professeur de musique donne à ses élèves.

1. Si l'opéra t'intéresse,
2. Si vous aimez la musique classique,
3. Si vous souhaitez mieux connaître l'histoire du jazz,
4. Si j'étais vous,

A. vous devrez un jour faire un voyage à La Nouvelle-Orléans.
B. tu peux écouter Maria Callas, c'est une cantatrice très célèbre.
C. j'irais au festival des Vieilles Charrues, c'est le plus grand festival musical de France.
D. vous devez absolument aller voir l'orchestre philharmonique de Radio France.

LE PARTICIPE PRÉSENT ET LE GÉRONDIF

9. Associez les images avec les phrases qui les décrivent.

A. Je regarde un film de vampires mangeant une pizza.
B. Je regarde un film de vampires en mangeant une pizza.

C. Une jeune fille regarde l'affiche d'un artiste en pleurant.
D. Une jeune fille regarde l'affiche d'un artiste pleurant.

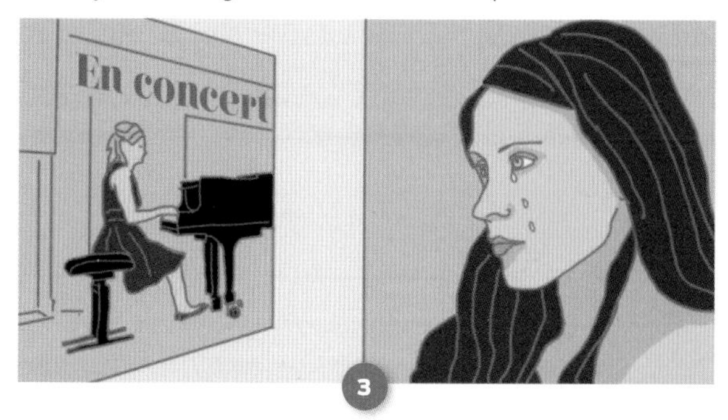

E. Le caméraman filme les musiciens en jouant de la flûte.
F. Le caméraman filme les musiciens jouant de la flûte.

10. Lisez ces phrases : quel est le sens des parties surlignées ?

1. C'est **en travaillant dur** qu'on devient un grand artiste.
   - ☐ C'est parce qu'on travaille dur.
   - ☐ C'est pour travailler dur.
2. **En chantant cette chanson** ils ont conquis leur public.
   - ☐ Dans le but de chanter cette chanson.
   - ☐ Grâce à cette chanson.
3. Nous sommes devenus célèbres **en sortant cet album**.
   - ☐ De manière à sortir un album.
   - ☐ Quand nous avons sorti cet album.
4. Vous verrez, vous vous sentirez merveilleusement bien **en écoutant cette chanson**.
   - ☐ Et vous écouterez cette chanson.
   - ☐ Quand vous écouterez cette chanson.

11. Lisez cette présentation du festival Solidays et complétez-la en mettant les verbes au gérondif ou au participe présent.

Avec **le festival Solidays** vous pouvez faire une bonne action ... (écouter) de la musique.
En effet, ce festival donne une partie de ses bénéfices à la lutte contre le SIDA. Les personnes ... (souhaiter) apporter leur aide peuvent donc le faire simplement ... (acheter) une place pour le festival. Cependant les personnes ne ... (pouvoir) pas se rendre à Paris ont la possibilité d'apporter leur don sur la page web du festival. Profitez de cette formidable occasion de vous amuser tout ... (aider) la recherche scientifique.

12. Toutes ces personnes adorent la musique. Regardez les photos et dites à quel moment elles en écoutent.

1. Elle écoute de la musique... → *en travaillant.*
2. Il écoute de la musique... → ....
3. Elle écoute de la musique... → ....
4. Il écoute de la musique... → ....
5. Elle écoute de la musique... → ....
6. Il écoute de la musique... → ....

COMPRÉHENSION DES ÉCRITS

A. Lisez cet article et répondez aux questions.

La FRENCH TOUCH vous connaissez ?

Vous avez certainement déjà entendu le terme « French Touch », mais savez-vous à quoi il se réfère ? Tout commence à la fin des années 80, dans le milieu de la nuit parisienne où la musique électronique est alors en plein essor. L'Angleterre, alors dirigée de la main de fer de Margaret Thatcher, interdit les regroupements autour des « musiques répétitives », et une grande partie de la scène techno européenne se rassemble en 1988 dans la capitale française de manière à s'épanouir loin des problèmes politiques. Des soirées sont organisées à la salle de spectacle Le Palace, où on entend parler pour la première fois de DJH comme Laurent Garnier, St Germain ou David Guetta, qui seront ceux qui marqueront les principes du mouvement musical.

En 1996, la « French Touch » connaît son plus grand succès avec l'album *Homework* des Daft Punk , suivi en 1998 du titre *Music sounds better with you* du groupe Stardust. La majorité des artistes étant français, la presse musicale anglo-saxonne décide alors de nommer ce mouvement « French Touch ».
Voilà comment le succès de la musique électronique française a fini par donner naissance à une expression qu'on utilise encore dans le monde entier pour définir un genre musical.

1. Expliquez ce qu'est le mouvement de la « French Touch ».
....
2. Dans quel but la scène européenne se rassemble à Paris en 1988 ?
   - ☐ Pour s'ouvrir et se développer librement.
   - ☐ Pour lutter contre la politique conservatrice britanique.
3. Qui sont Laurent Garnier, St Germain et David Guetta ?
   - ☐ Les artistes héritiers de la French Touch.
   - ☐ Les artistes qui ont initié le mouvement de la French Touch.
4. En 1998, pourquoi l'industrie musicale anglo-saxonne utilise le terme French Touch ?
   - ☐ Pour faire la différence entre la techno française et britannique.
   - ☐ Parce que la plupart des artistes étaient français.
5. Aujourd'hui, l'expression French Touch se réfère encore au genre musical. → V / F

COMPRÉHENSION DE L'ORAL

PISTE 5

B. Écoutez cette conversation et répondez aux questions.

1. Quel conseil demande Santi à son ami ?....
2. Retrouvez la musique diffusée sur chacune de ces radios.

r'n'b | rap | chanson française | variété | pop | rock

NOSTALGIE	LE MOUV'	FIP	FUN RADIO
....	....	....	....

3. Quelles sont les réactions que le rock et le rap provoquent chez Santi et son ami ? ....

PRODUCTION ÉCRITE

C. Lisez cet appel d'une émission radio et répondez-y.

VOS SOUVENIRS EN CHANSON

Suite au succès de notre émission d'hier *Vos souvenirs en chansons* nous avons décidé de reproposer cette rubrique chaque semaine. Racontez-nous quelle est votre chanson préférée, pourquoi elle vous a marqué, quel souvenir vous en gardez et pourquoi vous la recommandez à nos auditeurs. Nous retiendrons les dix personnes les plus convaincantes !

POSER UNE QUESTION

1. Une étudiante parle avec Monsieur Ndiaye avant sa conférence. Leurs questions sont trop familières. Reformulez-les de façon formelle.

- Mathilde : Bonjour Monsieur Ndiaye, **tu es prêt pour la conférence sur le risque ? (1)**
- Monsieur Ndiaye : Oui, tout est installé. Mais j'ai un peu d'appréhension. **Les intervenants sont où ? (2)**
- Mathilde : Ils devraient arriver d'une minute à l'autre. **Vous interrogez qui en premier ? (3)**
- Monsieur Ndiaye : Le couple Poussin ! Rien que d'y penser, j'ai le trac ! Voilà, ça y est, j'ai oublié : **Le titre de leur dernier livre, c'est quoi ? (4)**

1. ....
2. ....
3. ....
4. ....

2. Lisez cette interview d'une femme qui a réalisé son rêve de voler. Écrivez les questions.

JOURNALISTE ...?
NADIA Quand j'étais petite, j'habitais à Avignon, à côté d'un aérodrome, alors quand je levais la tête au ciel, il y avait toujours plein d'avions. Je pense que ma passion est venue de là.
J. ... ?
N. À 18 ans. Pour mon anniversaire, mes parents m'ont offert un tour en planeur avec un professeur. Bizarrement, c'est arrivé très tard, ma famille n'avait pas beaucoup d'argent alors on ne voyageait jamais très loin.
J. ... ?
N. Je suis fonctionnaire dans une mairie. Malheureusement, je n'avais pas assez d'argent pour financer des études pour être pilote de ligne.
J. ... ?
N. Non ! Pas du tout ! Je n'ai pas abandonné ce rêve ! Mon mari est aussi passionné par les avions. Ensemble nous avons économisé quelques années pour nous payer le brevet de pilotage et nous l'avons passé l'année dernière.
J. ... ?
N. Le week-end dernier ! On a fait Paris – Deauville !

3. Pensez à une personnalité qui a fait quelque chose que vous admirez. Posez-lui cinq questions (en variant les structures).

1. ....
2. ....
3. ....
4. ....
5. ....

EXPRIMER LA CONDITION

4. Dans le film *Jeux d'enfants*, un homme et une femme jouent à « Cap ou pas cap ? ». Lisez chacun votre tour un défi. Demandez à votre voisin dans quel cas il oserait le relever.

sauf si | à moins de | à condition de

1. Faire semblant d'être malade pour ne pas aller au travail.
2. Faire démarrer un bus sans chauffeur à l'intérieur.
3. Vous cacher sous la table pendant une réception.
4. Sauter à cloche-pied pendant toute une journée.
5. Grimper sur une statue dans un parc.

- Est-ce que tu oserais faire semblant d'être malade pour ne pas aller au travail ?
- Non, sauf si une personne de ma famille avait vraiment besoin de moi.

EXPRIMER DES REGRETS

5. Marc a beaucoup de regrets cette année. Combinez les deux phrases en utilisant l'infinitif passé comme dans l'exemple.

1.
a. Je regrette.
b. Ne pas prendre plus de vacances.
Je regrette de ne pas avoir pris plus de vacances.

2.
a. J'ai peur.
b. Ne pas choisir le bon cursus à la fac.
....

3.
a. J'aurais aimé.
b. faire plus la fête quand j'étais au lycée.
....

4.
a. Je regrette.
b. commencer à fumer.
....

5.
a. J'aurais préféré.
b. ne pas sortir avec Émilie.
....

6. A. Lisez ces commentaires extraits du blog Toujoursplusloin et choisissez l'auxiliaire qui convient.

1. Je n'ai réalisé le danger qu'après ***avoir* / *être*** redescendu.
2. J'ai regretté ma décision d'y aller en hiver juste après m'***avoir* / *être*** engagé.
3. Même si je ne suis pas arrivé jusqu'au bout, je suis fier de l'***avoir* / *être*** tenté.
4. Je crains de m'***avoir* / *être*** mis en danger en voulant battre ce record.
5. Je me sens moins stressé après ***avoir* / *être*** renoncé.

6. B. Imaginez qui pourrait dire ces phrases et de quel exploit ils ou elles pourraient parler.

PISTE 6

7. A. Écoutez le dialogue entre Fred et Léa et complétez le tableau.

	LIEU ET ÉPOQUE	OCCUPATION
LÉA		
FRED		

7. B. Et vous ? À quelle époque auriez-vous aimé vivre ? Qu'auriez-vous aimé faire ?

8. Julie et Camille sont amies mais ont deux personnalités très différentes. Comme dans l'exemple, imaginez ce que Camille aurait fait à la place de Julie.

1. On a offert à Julie un coffret cadeau d'activités de sport extrême. Elle, si téméraire, a bien sûr choisi l'activité la plus dangereuse.
Qu'aurait fait Camille ? → ....

2. Julie a trouvé cent euros dans la rue. Elle les a gardés pour s'acheter les chaussures dont elle rêvait depuis des mois.
Qu'aurait fait Camille ? → ....

3. Julie a repéré lors d'une soirée un garçon qui lui plaît beaucoup. Elle est allée lui parler et lui a donné son numéro.
Qu'aurait fait Camille ? → ....

4. Julie a décidé de prendre une année sabbatique et a acheté un billet ouvert pour partir faire le tour du monde.
Qu'aurait fait Camille ? → ....

9. Complétez les phrases grâce à l'image qui l'accompagne.

1. Si seulement je lui avais dit mes sentiments avant....

2. Si seulement je m'étais plus entraîné...

3. Si seulement nous n'avions pas raté notre train....

4. Si seulement j'étais partie vivre à Genève....

5. Si seulement je n'étais pas tombé malade....

DONNER DES CONSEILS (2)

PISTE 7

10. Écoutez ces personnes qui ont besoin de conseils et qui ont laissé un message sur le répondeur d'une émission de radio. Prenez des notes puis répondez-leur en essayant de varier les façons de donner des conseils.

1. ....
2. ....
3. ....
4. ....
5. ....

11. Vous en avez marre d'entendre qu'il faut sortir de sa zone de confort pour profiter pleinement de la vie. Rédigez dix conseils destinés à ceux qui n'ont pas envie d'en sortir.

10 CONSEILS POUR NE JAMAIS SORTIR DE SA ZONE DE CONFORT

1. Achetez un bon pyjama et de grosses chaussettes et passez toutes vos soirées sur votre canapé.
2. ....
3. ....
4. ....
5. ....
6. ....
7. ....
8. ....
9. ....
10. ....

LES ADVERBES EN *–MENT* (RAPPEL)

12. Complétez le tableau.

ADJECTIF MASCULIN	ADJECTIF FÉMININ	ADVERBE
généreux	....	....
....	facile	....
rare	....	....
lent	....	....
fréquent	fréquente	....
....	jolie	....
bruyant	bruyante	....
bref	....	....

13. A. Indiquez à qui se refère chaque phrase.

1. Elle a lutté de façon aveugle pour les droits de l'homme en Birmanie, inconsciente des dangers qu'elle courait.
2. Il s'est battu de façon acharnée pour le droit des homosexuels aux États-Unis.
3. Elle a toujours soutenu de façon passionnelle la cause des peuples indigènes d'Amérique latine.
4. Il a mené un long combat pour faire disparaître l'apartheid en Afrique du Sud.
5. Il a passé sa vie à convaincre les gens de pratiquer la désobéissance civile de façon pacifique pour l'indépendance de l'Inde.

Aung San Suu Kyi

Gandhi

Harvey Milk

Nelson Mandela

Rigoberta Menchú

13. B. À présent reformulez les phrases en utilisant des adverbes pour définir la lutte de chacun.

LES EXPRESSIONS

14. Retrouvez les définitions de ces expressions.

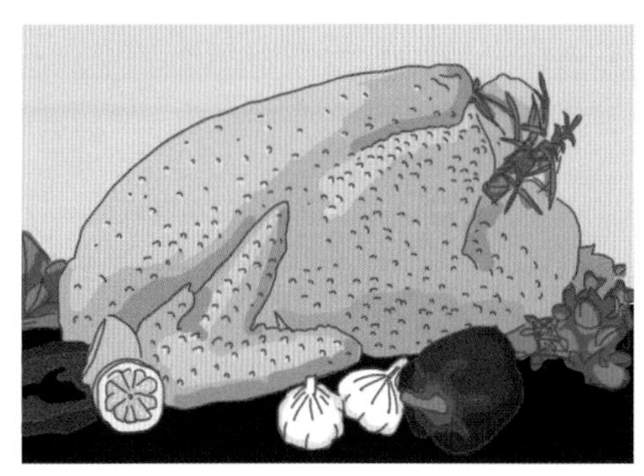

1. Ça me donne la chair de poule.

2. Ça me donne des ailes.

3. J'irai au bout de mes rêves.

4. C'est une vraie tête brûlée.

A. Être une personne téméraire, qui ne voit pas le danger.
B. Faire son possible pour réaliser ses projets.
C. Se sentir motivé par quelque chose.
D. Avoir des frissons de peur ou d'émotion.

COMPRÉHENSION DES ÉCRITS

A. Lisez ce document et répondez aux questions.

INCROYABLES DESTINS

CYRIELLE - JE SUIS DEVENUE CHAMPIONNE DE BOXE

« Quand j'étais petite, je jouais beaucoup avec les garçons et j'adorais surtout me battre avec eux. Un jour, vers 8 ans, j'ai vu un match de boxe à la télé et ça a été le déclic. J'ai convaincu mes parents de m'inscrire à des cours et c'est là que tout a commencé. Bien sûr, vous vous en doutez, ce n'est pas facile d'être une fille dans ce milieu. Au début j'avais peur du regard des autres, mais heureusement, à 18 ans, quand je suis montée à Paris, mes entraîneurs croyaient en moi et me motivaient. Ce sont eux qui m'ont convaincue de participer à la coupe du monde de boxe française en Chine. Et tous ces efforts ont fini par payer : en 2012, je suis devenue championne mondiale de boxe française ! »

FIONA — J'AI RÉALISÉ UN ALBUM

« J'ai appris le piano quand j'étais petite, mais le solfège, et le sérieux des leçons m'ont découragée assez vite. Plus tard, vers 14 ans, mes parents m'ont offert une guitare et j'ai su que je voulais travailler dans le monde de la musique. Mes parents m'ont encouragée, mais je devais passer mon bac. Quand j'ai fini le lycée, tous mes amis sont allés à la fac et j'ai fait comme eux, je n'étais pas sûre de moi. Avec des amis nous avions un groupe et nous chantions dans des cafés. C'est là qu'un jour j'ai rencontré Saad, un producteur indépendant qui a immédiatement cru en mon travail. Il m'a proposé de faire un album mais j'ai hésité. J'avais peur de regretter si je ne finissais pas mes études. Finalement, à la fin d'un été de réflexion, je me suis lancée dans l'aventure, et après deux ans de travail acharné, l'album est enfin prêt. J'espère que ça va marcher ! »

SANDRA — J'AI OUVERT MON RESTAURANT

« Pour fêter mes 10 ans, mes parents m'ont emmenée déjeuner dans un restaurant fabuleux. À la fin du repas, le chef est venu nous parler, il m'a fait visiter les cuisines et j'ai compris que c'était ce que je voulais faire dans la vie. C'est donc tout naturellement qu'après le bac j'ai fait une formation professionnelle de cuisine. J'ai ensuite travaillé à Lyon dans des restaurants luxueux, mais c'était frustrant, je me sentais comme une ouvrière au service du chef. Il y a deux ans, ma sœur qui, elle, s'était tournée vers la comptabilité, m'a proposé de tout abandonner pour ouvrir notre propre restaurant. Au début je ne voulais pas, j'avais trop peur d'échouer, ça me paralysait ! Mais ma sœur m'en a parlé tous les jours pendant six mois, et finalement nous avons fait un emprunt à la banque et nous avons ouvert un petit restaurant familial dans le Pays basque, notre région d'origine ! »

1. Quel est le point commun de ces trois femmes ? ....

2. Quel a été l'élément déclencheur de leur vocation ?

Cyrielle : ....
Fiona : ....
Sandra : ....

3. Quels sont les éléments qui auraient pu freiner la réalisation de leurs objectifs ?

Cyrielle : ....
Fiona : ....
Sandra : ....

COMPRÉHENSION DE L'ORAL

PISTE 8

B. Écoutez l'enregistrement et répondez aux questions.

1. De quel aspect de la vie de Sebastião Salgado parle-t-on dans cette émission ?

....

2. Répondez par vrai ou faux.

1. Il a vécu toute sa vie au Brésil. **V / F**
2. La forêt amazonienne qui entourait sa maison a disparu. **V / F**
3. Il a décidé de faire un projet photographique pour sauver la forêt amazonienne. **V / F**

3. En quoi consiste son projet ? Quels sont les deux problèmes qu'il a rencontrés ?

....

....

PRODUCTION ÉCRITE

C. Lisez ce message posté sur un forum et laissez un commentaire.

CORALIE.C / Salut ! On a toujours une référence : un chanteur, un artiste, un homme politique ou même un proche qui nous marque à vie et nous sert de modèle. Quelles sont les personnes qui vous ont inspiré dans votre vie et pourquoi ? Racontez-nous !

....

LE PROFIL VIRTUEL

1. Identifiez le nom des différents espaces de cette page d'un réseau social.

1. le pseudonyme
2. la photo de profil
3. un tchat
4. un commentaire
5. le fil d'actualité
6. le statut

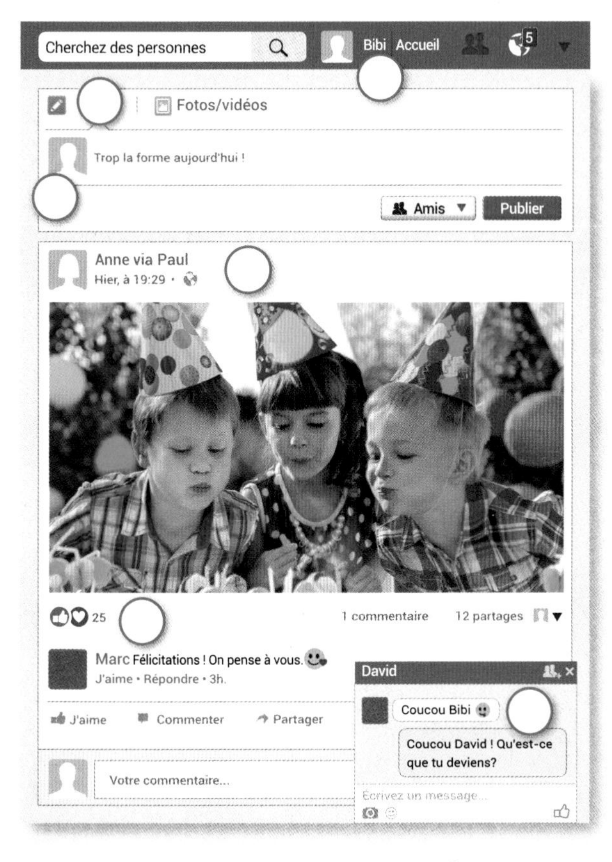

EXPRIMER SON ACCORD ET SON DÉSACCORD

PISTE 9

2. A. Écoutez les commentaires de ces cinq personnes qui réagissent à un débat sur les réseaux sociaux et le respect de la vie privée. Indiquez leurs réponses.

Thème du débat : Pensez-vous que les réseaux sociaux respectent la vie privée des gens ?

	NON	OUI	AVIS MODÉRÉ
MARINE			
HUGO			
GAËTAN			
SONIA			
SABRI			

2. B. Et vous ? Quelle est votre opinion sur ce sujet ?

....

....

....

....

LES VERBES D'OPINION

3. Donnez votre opinion sur les thèmes suivants.

La pub sur les réseaux sociaux | La vie privée des politiciens | Les marques et les hommes politiques | L'image des sportifs

je trouve (que) | Je pense que | selon moi, | j'admets que | j'estime que | à mon avis

1. *Je trouve qu'il y a beaucoup trop de publicité sur les réseaux sociaux et sur Internet en général, il n'y a pas assez de contrôle : c'est n'importe quoi !*
2. ....
3. ....
4. ....

4. A. Lisez ces témoignages laissés sur un forum et complétez-les avec les phrases suivantes.

1. Je suis certain que toutes les filles sont plus belles au naturel.
2. J'admets qu'avec Photoshop on peut s'amuser et obtenir des résultats étonnants.
3. Moi j'estime que c'est normal de vouloir apparaître sous son meilleur jour.

4. B. Réagissez en écrivant un commentaire à l'un des trois participants.

Que pensez-vous des gens qui retouchent leur image avec Photoshop ?

Grégoire : Sincèrement, je ne comprends pas les gens qui font ça. On est comme on est, il faut apprendre à s'accepter. Je trouve ça ridicule. Même les filles les plus belles subissent ce diktat de la perfection ! .... Une photo avec un beau sourire est mieux qu'une photo retouchée.

26 commentaires · Le 19/04/2016 à 09:10

Hans : Au risque de paraître un peu frivole, ... Personne n'a envie de publier une photo où on voit un petit bouton ou des cernes ! Photoshop permet de gommer ces petits défauts et je trouve ça génial ! Moi je suis photographe et j'ai envie de faire rêver les gens avec des clichés parfaits, ils ne doivent pas avoir l'impression de voir des photos d'amateurs !

110 commentaires · 21/04/2016 à 18:55

Patricia : Ce que je pense des photos retouchées ? Ça m'énerve ! Je suis sûre que c'est pour ça que tous les jeunes d'aujourd'hui ont des complexes ! On est envahis par des images qui prônent la perfection. .... Mais pourquoi vouloir gommer les kilos en trop ?

109 commentaires · Le 24/04/2016 à 20:20

DONNER SON OPINION AVEC L'INDICATIF OU LE SUBJONCTIF

5. A. Choisissez la forme qui convient dans chacune de ces phrases entendues dans un débat sur les nouvelles façons de chercher un travail.

1. **Je crois que / Je ne pense pas que** le CV papier est démodé.
2. **Je suis certaine que / Je ne suis pas sûre que** les employeurs lisent les CV de trois pages, il faut quelque chose de plus dynamique pour se faire remarquer.
3. **Je ne considère pas que / Je pense que** faire le clown sur une vidéo soit la meilleure façon d'obtenir un travail.
4. **Je juge que / Je n'estime pas que** cette mode des CV vidéos est temporaire, ce qui compte vraiment ce sont les compétences.

5. B. Retrouvez les arguments de chacun des participants au débat.

Thomas est contre le CV vidéo : ....
Amélie est pour le CV vidéo : ....

6. Pierre est toujours très négatif, et Paul au contraire très positif. C'est pour cela qu'ils ne sont jamais d'accord. Imaginez la réaction de Paul à chaque remarque de Pierre.

1. • Pierre : « Je pense que nous sommes trop exposés sur Internet. Quand on tape notre nom sur Google, on peut tout savoir de nous, ça fait peur ! »
   ○ Paul : « Pas du tout, je ne suis pas sûr que les gens s'intéressent autant à la vie des autres et fassent des recherches sur Google... »
2. • Pierre : « Les réseaux sociaux sont le reflet d'une société individualiste, malade et égocentrique. »
   ○ Paul : ....
3. • Pierre : « Les blogueurs ne pensent qu'à gagner de l'argent avec leur blog et inondent les lecteurs de publicités. »
   ○ Paul : ....
4. • Pierre : « Aujourd'hui il n'y a plus de grands sportifs ! Ils se sont tous transformés en mannequins qui ne pensent qu'à leur image de marque. »
   ○ Paul : ....
5. • Pierre : « Quand on lit un magazine people, tout est faux. Les politiques et les stars payent les journalistes pour qu'on parle d'eux ! »
   ○ Paul : ....

7. Quelles sont vos relations avec vos amis des réseaux sociaux ? Choisissez la forme qui convient puis répondez au test.

PSYCHOLOGIE

Un contact change son statut environ 5 fois par jour.

- ☐ 1. Vous trouvez qu'il **est / soit** trop présent.
- ☐ 2. Vous ne pensez pas que tant d'actualisations sont / soient nécessaires.
- ☐ 3. Vous pensez tout simplement que ça vous permet / permette d'avoir de ses nouvelles.

Un contact vous invite à participer à son anniversaire en créant un événement.

- ☐ 1. Pas question d'y participer ! Vous pensez que votre relation doit / doive rester virtuelle.
- ☐ 2. Vous n'êtes pas certain qu'il a / ait vraiment envie que vous veniez (il a certainement invité tous ses amis).
- ☐ 3. Vous considérez qu'il vous fait / fasse un grand honneur en vous invitant.

Un contact vous demande un service.

- ☐ 1. Vous pensez immédiatement qu'il veut / veuille vous demander de l'argent.
- ☐ 2. Vous n´êtes pas certain que vous pouvez / puissiez lui faire confiance.
- ☐ 3. Vous croyez que le motif n'est / ne soit pas important, vous êtes content de lui rendre service.

RESULTATS : VOUS AVEZ UNE MAJORITÉ DE...

1
Vous ne faites pas confiance à vos amis virtuels. Pour vous, c'est clair qu'ils n'ont / n'aient pas le même statut que vos amis réels. Vous doutez qu'ils sont / soient sincères avec vous et vous préférez ne pas avoir de contact avec eux.

2
Vous êtes un dubitatif. Vous estimez que vos amis virtuels peuvent / puissent être sincères, mais vous ne pensez pas que vous devez / deviez compter sur eux. Si vous avez un problème, vous préférez compter sur d'autres personnes.

3
Vous êtes un enthousiaste. Vous connaissez bien vos amitiés virtuelles et vous savez comment vous y prendre. Vous estimez qu'avec Internet c'est / ce soit plus facile de développer des amitiés. Vous pensez qu'une amitié virtuelle vaut / vaille autant qu'une autre.

LA FORMATION DU SUBJONCTIF PRÉSENT

8. A. Sur le modèle du verbe *tenir*, complétez le tableau suivant.

TENIR	
PRÉSENT DE L'INDICATIF	PRÉSENT DU SUBJONCTIF
ils / elles **tienn**ent	Que je tienn**e** Que tu tienn**es** Qu'il / elle / on tienn**e** Que nous ten**ions** Que vous ten**iez** Qu'ils / elles tienn**ent**

DIRE	
PRÉSENT DE L'INDICATIF	PRÉSENT DU SUBJONCTIF
ils / elles	Que je .... Que tu .... Qu'il / elle / on .... Que nous .... Que vous .... Qu'ils / elles ....

8. B. En procédant de la même façon, conjuguez les verbes suivants.

comprendre | finir | parler | venir

8. C. À présent, conjuguez les verbes suivants.

AVOIR	ÊTRE	FAIRE
Que j'aie Que tu .... Qu'il / elle / on .... Que nous .... Que vous .... Qu'ils / elles	Que je sois Que tu .... Qu'il / elle / on .... Que nous .... Que vous .... Qu'ils / elles	Que je fasse Que tu .... Qu'il / elle / on .... Que nous .... Que vous .... Qu'ils / elles ....
ALLER	**POUVOIR**	**VOULOIR**
Que j'aille Que tu .... Qu'il / elle / on .... Que nous .... Que vous .... Qu'ils / elles	Que je puisse Que tu .... Qu'il / elle / on .... Que nous .... Que vous .... Qu'ils / elles	Que je veuille Que tu .... Qu'il / elle / on .... Que nous .... Que vous .... Qu'ils / elles ....

LES ORGANISATEURS DU DISCOURS

9. Remettez ce texte dans l'ordre en vous aidant des connecteurs. Ensuite, à l'aide des marqueurs en gras, composez un discours sur le thème de votre choix.

L'addiction aux réseaux sociaux existe-t-elle ?

A. **D'autre part**, parce qu'on voit chez nos patients de plus en plus de symptômes de stress, de fatigue...

B. **Tout d'abord**, il faut préciser que l'addiction aux réseaux sociaux n'est pas reconnue scientifiquement comme une maladie, mais je suis convaincu qu'elle est une réalité.

C. **Ainsi**, il me semble fondamental de réagir dès que l'on voit un proche se couper des autres et mettre en danger sa vie sociale.

D. **En définitive**, je pense qu'il est impératif d'organiser dès maintenant des campagnes de prévention.

E. **D'une part**, parce que de plus en plus de personnes (même des journalistes comme Guy Birembaum) racontent qu'elles ont été victimes de dépression suite à une utilisation excessive des réseaux sociaux.

109 commentaires · Le 11/05/2016 à 10:20 · posté par Jean

1	2	3	4	5
....	....	....	....	....

GÉRER LES TOURS DE PAROLE

10. Lisez les extraits de ce débat télévisé et réécrivez les échanges entre les participants de façon adéquate.

TÉLÉ

Scandale sur le plateau de l'émission *Droit à la parole*

Les invitées se disputent en public. La journaliste désespérée craque...

COMPRÉHENSION DES ÉCRITS

A. Lisez cet article et répondez aux questions.

Le billet d'humeur de Francis

ET À PART LES PETITS CHATS ?

Depuis l'arrivée des réseaux sociaux, si quelque chose s'est développé sur Internet, ce sont les vidéos et les photos des petits chats, « si mignons, si drôles ». Qui aurait imaginé que dans un monde où des habitants de Tokyo, de Nairobi et de Montréal peuvent échanger des informations instantanément, ce qu'ils échangeraient majoritairement seraient des images de chats ? Vous ne trouvez pas ça incroyable ? Moi ça me dépasse, c'est n'importe quoi !
Des sociologues spécialisés dans les réseaux sociaux affirment que la société virtuelle peut être un monde très stressant, et il semble que les vidéos de petits chats apaiseraient les esprits et apporteraient du plaisir. Non mais franchement, vous y croyez, vous ?
C'est tout de même un peu triste qu'Internet ne soit producteur que de futilités comme celle-ci... Moi je pense qu'on devrait passer à autre chose. Ce serait génial que les réseaux sociaux rendent visibles d'autres choses comme les avancées scientifiques ou les évolutions culturelles. Nous n'avons jamais été aussi connectés, nous n'avons jamais autant partagé, et notre principale ambition est de publier de photos des chats du monde entier ? On peut faire mieux, non ?

Publié le 2 janvier 2016 par Francis

1. Cet article provient :

- ☐ D'un journal politique.
- ☐ D'un blog personnel.
- ☐ D'un site d'information en continu.

2. A. Quel est le ton de l'article ?

- ☐ Content
- ☐ Agacé
- ☐ Effrayé
- ☐ Paniqué

2. B. Relevez une phrase qui vous permet de percevoir le ton de l'article.

....

3. Quelle critique l'auteur fait-il ?

....

4. Qu'est-ce qui explique que les gens publient autant de vidéos et de photos de petits chats ?

....

COMPRÉHENSION DE L'ORAL

B. Écoutez l'enregistrement et répondez aux questions.

PISTE 10

1. De quoi parle l'émission ?

....

2. Que partagent les utilisateurs de la plateforme évoquée par Françoise ? Quelles personnes Françoise peut-elle connaître ?

1. ....
2. ....

3. Qu'est-ce que Noémie a fait pour obtenir des entretiens d'embauche ?

1. ....
2. ....
3. ....

PRODUCTION ÉCRITE

C. Et vous ? Quelque chose vous agace particulièrement sur les réseaux sociaux ? Sur le modèle de l'article *Et à part les petits chats ?*, expliquez ce qui vous énerve et pourquoi.

LES VERBES IMPERSONNELS

1. Complétez les conseils donnés aux consommateurs pour repérer les publicités mensongères en écrivant les verbes à la forme correcte.

ne pas devoir | lire (x 2) | être | vérifier

ASSOCIATION DE CONSOMMATEURS

CINQ CONSEILS POUR REPÉRER LES PUBLICITÉS MENSONGÈRES

1. Il est recommandé de bien .... toutes les informations présentes sur les étiquettes.
2. Si vous souscrivez un service, il est nécessaire que .... tout le contrat avant de le signer.
3. Si vous êtes attirés par une promotion, il est préférable de .... qu'elle ne soit pas liée à une condition particulière.
4. Il faut que .... très méfiants par rapport aux photos qui illustrent les publicités. Elles sont très rarement réalistes.

5. Il est évident que .... croire à des solutions miraculeuses.

2. Écrivez des conseils pour les touristes qui visitent votre pays, région ou villes, pour les prévenir contre de possibles problèmes.

taxi | invitations | retirer de l'argent | manger | randonnées | quartiers dangereux | santé | ...

1. ....
2. ....
3. ....
4. ....
5. ....
6. ....

LA DOUBLE PRONOMINALISATION

3. Lisez ces phrases extraites du *Guide du parfait manifestant*. Devinez de qui et de quoi on parle.

	Quoi	Qui
1. Ne **les leur** donnez pas.	☐ la pancarte ☐ les papiers d'identité ☐ le mégaphone	☐ à l'organisateur ☐ aux policiers ☐ à l'organisatrice
2. Vous pouvez **les lui** expliquer.	☐ votre engagement ☐ le problème ☐ les motifs de la manifestation	☐ à vos amis ☐ à des inconnus ☐ à un passant
3. Ils **vous le** donneront au début de l'action.	☐ le signal ☐ des informations ☐ l'information	☐ à votre partenaire ☐ à eux ☐ à vous
4. Faites-**le-lui** comprendre avec des mots simples.	☐ vos opinions ☐ votre désaccord ☐ vos doutes	☐ à vous-même ☐ à vos parents ☐ à votre enfant

4. Une chaîne de télévision recherche pour une émission des personnes victimes d'arnaques sur Internet. Un téléspectateur écrit pour raconter sa mésaventure. Complétez le texte avec les pronoms COD ou COI.

Il s'agit d'un problème avec la location d'un appartement à New York. Je .... avais trouvé sur Internet, n'habitant pas sur place. La personne avec qui j'étais en contact .... demandait d'envoyer l'argent le plus vite possible.
Avant de .... envoyer, je .... ai demandé de me donner des garanties et des précisions sur les modalités de la transaction. Loin de .... donner, elle ....'a répondu que je pouvais .... faire entièrement confiance, qu'il n'y avait aucun problème. À nouveau, elle .... réclamait au plus vite la somme d'argent. Je ne .... ai pas envoyée. J'ai commencé à .... soupçonner. L'appartement était trop grand et étrangement bon marché. Je .... ai dit. La réaction a été immédiate : « Il faut m'envoyer l'argent maintenant. D'autres personnes sont intéressées par cet appartement. Si vous ne .... versez pas sur mon compte cet après-midi, je me verrai dans l'obligation de .... laisser. » Bien sûr, je ne .... ai jamais envoyé. Finalement, j'ai tapé son nom sur Google : c'était une arnaque bien connue.
Fabien T.

5. Imaginez de qui ou de quoi on parle.

1. Donne-le-moi ce soir quand on se voit au cinéma, s'il te plaît. → ....
2. Tu peux me la prêter pour samedi ? → ....
3. Demande-le-lui, il est très sympa, tu verras. → ....
4. Dis-le-leur, moi je n'ai pas le temps ! → ....
5. Explique-le-lui, sinon il va se perdre. → ....

EXPRIMER LA MANIÈRE

PISTE 11

6. A. Écoutez cet audio et dites quels conseils sont donnés pour éviter la publicité.

1. Par téléphone : ....
2. Par courrier : ....
3. Sur la boîte e-mail : ....
4. Sur les fenêtres pop-ups : ....
5. Sur Internet en général : ....

PISTE 11

6. B. À présent réécoutez et complétez la transcription de cette émission.

Bonjour, pour notre chronique conso, aujourd'hui nous vous donnons quatre conseils pour éviter la publicité intempestive. Tout d'abord, vous pouvez éviter les publicités par téléphone en .... votre numéro sur liste rouge*. Ça permet de ne pas le diffuser publiquement. Pour la publicité que vous recevez par courrier, vous l'éviterez en .... un panneau sur votre boîte aux lettres indiquant que vous n'acceptez pas la publicité. En ce qui concerne les e-mails, nous vous conseillons d'éviter les pubs sans .... en .... une boîte e-mail poubelle qui vous utiliseriez seulement pour les e-mails commerciaux. Toujours sur Internet, vous pouvez éviter les pubs pop-ups en .... Ad-block, un bloqueur de publicité. Enfin, la meilleure manière de ne pas recevoir trop de publicité sur Internet c'est d'y aller sans .... trop de trace.

* **La liste rouge** est une liste de numéros de téléphone qui n'apparaissent pas publiquement.

LES FORMULES D'ADRESSE ET DE CONGÉ

7. Placez les formules dans le tableau.

Madame, Monsieur | Coucou | Ma chère Marie | Salut | Bonjour | Bien à vous | Cher Paul | Veuillez recevoir, Madame, l'expression de mes salutations distinguées | Bisous | À bientôt | À plus | Salutations

FORMULE D'ADRESSE	FORMULE DE CONGÉ

8. Dans une lettre, quelle formule d'introduction utiliseriez-vous pour chacune de ces situations ?

POUR...	J'UTILISERAIS...
A. Confirmer la réception d'une lettre **B.** Refuser poliment **C.** Répondre à un courrier **D.** Annoncer une bonne nouvelle	**1.** Nous regrettons vivement de ne pas pouvoir donner suite à... **2.** Nous vous informons que nous avons bien reçu... **3.** Nous avons le plaisir de vous avertir que... **4.** Suite à votre demande, nous...

EXPRIMER LES SENTIMENTS

9. Des personnes ont écrit des lettres de réclamation pour se plaindre de produits ou de services. Trouvez les phrases qui pourraient apparaître dans ce type de lettres.

1. Je serais ravi...
   - ☐ que vous receviez un geste commercial.
   - ☐ de recevoir un geste commercial.
   - ☐ que je reçoive un geste commercial.
2. Je suis choqué...
   - ☐ de votre manque de professionnalisme.
   - ☐ que vous manquez de professionnalisme.
   - ☐ que vous manquiez de professionnalisme.
3. Je regrette...
   - ☐ que je dois informer les associations de consommateurs.
   - ☐ de devoir informer les associations de consommateurs.
   - ☐ que je doive informer les associations de consommateurs.
4. Je suis forcé...
   - ☐ de vous faire un procès.
   - ☐ que vous me fassiez un procès.
   - ☐ que je vous fasse un procès.
5. Je suis étonné...
   - ☐ de laisser passer de telles erreurs.
   - ☐ que vous laissiez passer de telles erreurs.
   - ☐ que vous laissez passer de telles erreurs.

10. Faites une seule phrase avec les deux phrases proposées en utilisant le subjonctif ou l'infinitif selon la situation.

1. Je suis surprise. Tu as cru à cette histoire de concours !
   → ....
2. Je suis heureuse. J'ai reçu une réponse à ma demande !
   → ....
3. Je suis étonné. Arnaud n'est pas venu au flashmob de samedi dernier.
   → ....
4. Nous sommes ravis. La manifestation a eu beaucoup de succès.
   → ....
5. Je suis choquée. Je n'ai eu aucune explication.
   → ....

11. **Lisez cette lettre de réclamation, puis complétez-la de manière logique avec les expressions suivantes.**

Je suis forcé de / que · Je suis heureux de / que · J'ai eu peur de / que · Je suis impatient de / que

Lilian K
25, rue des rosiers
14000 Caen

Tublin France SAS
Service Consommateurs
10, Rue de Montgomery
14000 Caen

Caen, le 8 Mars 2016

Madame, Monsieur,

Vous trouverez ci-joint un siphon que je vous renvoie pour recevoir en échange un siphon avec une tête métallique.

Vous pourrez constater que la tête en plastique de ce siphon est coupée, suite à un incident. En effet, à l'introduction de la cartouche de gaz, une explosion a eu lieu. La tête en plastique a été éjectée au plafond, me blessant le crâne au passage.

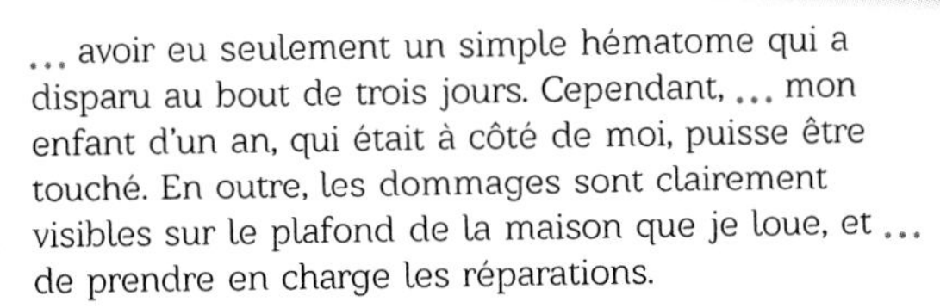

... avoir eu seulement un simple hématome qui a disparu au bout de trois jours. Cependant, ... mon enfant d'un an, qui était à côté de moi, puisse être touché. En outre, les dommages sont clairement visibles sur le plafond de la maison que je loue, et ... de prendre en charge les réparations.

... recevoir de votre part, outre l'envoi d'un siphon avec une tête métallique, un geste commercial pour me faire oublier ma déception et ne pas me donner envie d'informer les associations de consommateurs.

En espérant que ma requête retiendra votre attention, je vous prie d'agréer, Madame, Monsieur, l'expression de mes salutations les meilleures.

Lilian K.

12. **En petits groupes, exprimez vos sentiments sur ces affirmations en utilisant les phrases suivantes.**

- C'est scandaleux de / que...
- C'est inquiétant de / que...
- Je trouve ça nul de / que...
- Je trouve ça choquant de / que...
- Je suis heureux(se) de / que...
- Je suis ravi(e) de / que...
- C'est triste de / que...
- Je suis déçu(e) de / que...
- Ça me révolte que...

Il y a de plus en plus de pratiques commerciales trompeuses et les consommateurs doivent être très attentifs.

A

Les laboratoires pharmaceutiques pensent plus à l'argent qu'à la santé des gens.

B

La plupart des produits que nous achetons sont fabriqués dans des usines où les droits des travailleurs ne sont pas respectés.

C

Il y a beaucoup plus de possibilités aujourd'hui d'exprimer son opinion de manière créative et pacifique.

D

Énormément de publicités se servent du corps des femmes pour vendre.

E

- Je suis ravie de constater qu'il y a de plus en plus de possibilités d'exprimer son opinion aujourd'hui !
- Oui, mais je suis triste que la plupart du temps ça ne serve à rien.

COMPRÉHENSION DES ÉCRITS

A. Lisez cet article et répondez aux questions.

Indignez-vous !
Stéphane Hessel

« C'est vrai que les raisons de s'indigner peuvent paraître aujourd'hui moins nettes ou le monde trop complexe. [...] Mais dans ce monde, il y a des choses insupportables. Pour le voir, il faut bien regarder, bien chercher. Je dis aux jeunes : « Cherchez un peu, vous allez trouver. La pire des attitudes est l'indifférence, dire je n'y peux rien, je me débrouille. » En vous comportant ainsi, vous perdez l'une des composantes essentielles qui fait l'humain. Une des composantes indispensables : la faculté d'indignation et l'engagement qui en est la conséquence. »

« Je suis convaincu que l'avenir appartient à la non-violence, à la conciliation des cultures différentes. Il faut comprendre que la violence tourne le dos à l'espoir. Il faut lui préférer l'espérance, l'espérance de la non-violence. C'est le chemin que nous devons apprendre à suivre. Aussi bien du côté des oppresseurs que des opprimés, il faut arriver à une négociation pour faire disparaître l'oppression ; c'est ce qui permettra de ne plus avoir de violence terroriste. C'est pourquoi il ne faut pas laisser s'accumuler trop de haine. »

1. Lisez ces deux extraits du livre de Stéphane Hessel. Quel est le message transmis dans chaque extrait ?

....

....

2. À votre avis, pourquoi le titre du livre est *Indignez-vous* ?

....

3. Proposez un titre pour chacun de ces extraits.

....

....

4. Soulignez dans le premier extrait les phrases qui expriment ces idées.

1. Aujourd'hui il est moins facile qu'avant de trouver des raisons de s'indigner.
2. L'être humain possède en lui la capacité à s'indigner.

5. Expliquez ce que l'auteur a voulu dire avec cette phrase : « Il faut comprendre que la violence tourne le dos à l'espoir. »

....

COMPRÉHENSION DE L'ORAL

B. Écoutez et répondez aux questions.

PISTE 12

1. Qui Jérémy appelle-t-il ?

- ☐ Un ami
- ☐ Son assurance
- ☐ Son banquier
- ☐ Une agence de tourisme

2. Quel est l'objet de l'appel ?

- ☐ Porter plainte
- ☐ Acheter un billet de train
- ☐ Prolonger ses vacances
- ☐ Faire opposition sur un paiement

3. Qu'est-il arrivé à Jérémy ? Dites si ces phrases sont vraies ou fausses.

a. Selon le vendeur de l'agence, le seul billet de train disponible était en 1re classe. **V / F**

b. Quand Jérémy Gascon va à la gare, on lui dit qu'il n'y a effectivement plus d'autres billets disponibles. **V / F**

4. Quel conseil l'opérateur de la banque donne-t-il à son client ?

....

PRODUCTION ÉCRITE

C. Pensez à une arnaque dont vous avez été victime : un voyage mal organisé, un appareil défectueux, etc. Écrivez une lettre de réclamation dans laquelle vous vous plaignez des dommages occasionnés et vous demandez une réparation.

....

LES RÉACTIONS ET ÉMOTIONS

PISTE 13

1. Écoutez les réactions de ces spectateurs qui sortent du cinéma et imaginez quel genre de film ils ont vu.

.... film d'aventure
.... comédie
.... critique sociale
.... film d'horreur

2. A. Complétez votre carte mentale en pensant à tout ce qui vous provoque les émotions et réactions suivantes.

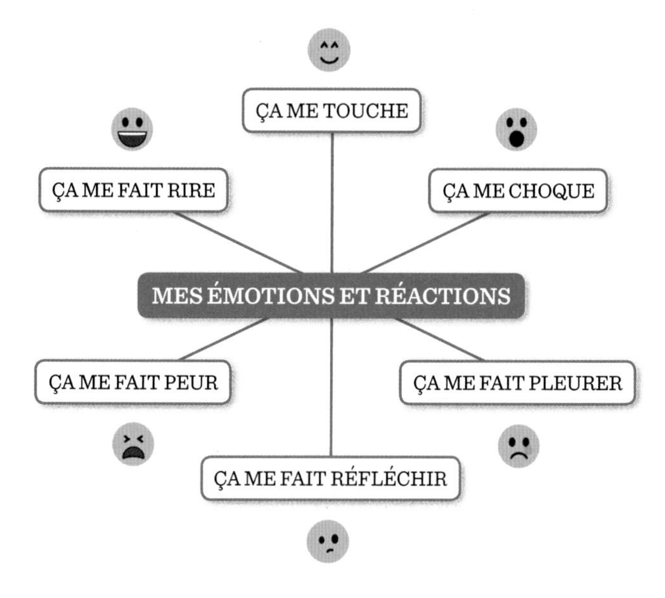

2. B. En petits groupes, interrogez-vous et partagez vos réponses.

- Et toi, qu'est-ce qui te fait rire ?
- Ce qui me fait rire c'est ma sœur parce qu'elle a une façon de raconter les histoires trop drôle.

EXPRIMER SES GOÛTS SUR UN FILM

3. A. Voici une critique plutôt négative du film *Bande de filles*. Lisez-la et relevez les termes qui indiquent que le film n'a pas plu aux critiques.

CINÉMA

On attendait beaucoup le film de Céline Sciamma. Un thème profond : des jeunes filles courageuses, qui luttent contre la domination masculine et ont des rêves plein la tête. Mais ce film est une déception, une critique sociale comme on préférerait ne pas en voir, on y retrouve tous les clichés de la banlieue, les problèmes soulevés ont déjà été abordés mille fois, ça n'a rien d'exceptionnel. En plus de tout ça, le film manque de rythme, il y a des lenteurs, c'est une véritable perte de temps ! Bref, c'est un navet.

132 commentaires · Le 15/08/2016 à 09:20 · posté par Manon J.

3. B. Maintenant transformez cette critique négative en critique positive.

....

LA PLACE DE L'ADJECTIF (RAPPEL)

4. Pensez à un personnage mythique de cinéma à qui vous pourriez attribuer certaines de ces caractéristiques. Dressez son portait en quelques lignes.

Charlot, le fameux personnage qui a marqué l'époque du cinéma muet en noir et blanc, est un petit homme fragile et marginal. Cet éternel joueur nous fait éclater de rire avec ses mimiques drôles.

5. Remettez les adjectifs de ces titres de films à leur place (faites l'accord si nécessaire).

1. Kingsman : .... services .... **(secret)**
2. La .... saison .... **(beau)**
3. Le .... Prince .... **(petit)**
4. Avril et le .... monde .... **(truqué)**
5. Une .... mère .... **(seconde)**
6. Elser, un .... héros .... **(ordinaire)**
7. Loin de la .... foule .... **(déchaînée)**
8. Le .... stagiaire .... **(nouveau)**
9. L'histoire du .... géant .... **(timide)**
10. Les .... animaux .... **(fantastique)**
11. La .... vague .... **(cinquième)**

LE PRONOM RELATIF *DONT*

6. Reconstituez les phrases issues de synopsis de films avec le pronom relatif qui convient.

Les Garçons et Guillaume à table ! 1. C'est un film dont 2. C'est un film qui	a. le personnage est très drôle. b. traite de l'ambiguïté sexuelle.
Intouchables 3. C'est un film que 4. C'est un film dont	a. l'histoire est inspirée de faits réels. b. le public mondial a adoré.
The Artist 5. C'est un film dont 6. C'est un film où	a. les acteurs ne parlent pas b. on a beaucoup parlé aux Oscars de 2012.
Casse-tête chinois 7. C'est un film qui 8. C'est un film dont	a. fait partie d'une trilogie. b. l'une des actrices est la protagoniste du *Fabuleux destin d'Amélie Poulain*.

CE + PRONOM RELATIF

7. Complétez les présentations suivantes en utilisant les relatifs : *qui, que, dont, ce qui, ce que, ce dont*, et devinez de quels personnages de films il s'agit.

.... ***

C'est un jeune garçon .... les parents ont été assassinés et .... est élevé par son oncle et sa tante. ....il découvre à l'âge de 11 ans, c'est qu'il est en réalité un magicien .... les pouvoirs vont rapidement augmenter à l'école de sorcellerie de Poudlard.

.... ***

C'est un homme puissant, natif du village de Corleone en Sicile, chef de l'une des cinq familles .... règnent sur le syndicat du crime aux États-Unis. Ce personnage de roman est celui .... Francis Ford Coppola reprend en 1972 dans son film *Le Parrain*. .... est exceptionnel, c'est que son rôle est interprété successivement par Marlon Brando puis par Robert de Niro dans la suite du film, en 1974.

.... ***

C'est un personnage de fiction .... a été créé par Uderzo et Goscinny, c'est d'abord un héros de bande-dessinée .... les aventures sont adaptées au cinéma depuis 1999. C'est un irréductible Gaulois .... résiste à l'invasion romaine et met en échec les troupes de Jules César. .... il ne se sépare jamais, c'est de son menhir !

8. Complétez l'interview suivante avec les pronoms relatifs qui conviennent.

Journaliste : Carole Lagrange, vous venez de recevoir le César du meilleur espoir féminin pour votre rôle dans le film *Les Petits papiers* .... est toujours à l'affiche. Que ressentez-vous ?

Carole Lagrange : Je suis ravie, bien sûr, c'est un prix .... rêvent toutes les jeunes actrices et c'est un grand honneur de le recevoir. .... je suis le plus fière, c'est qu'il s'agit d'un premier film .... a eu beaucoup de difficultés à être produit et distribué.

J. : Pouvez-vous nous parler un peu de votre rôle dans le film ?

C. L. : Le personnage de Charlotte est celui d'une jeune fille .... cherche à exister dans un univers professionnel difficile et .... va devoir confronter sa vision romantique du métier d'écrivain à une réalité très différente. .... la rend très attachante, c'est justement ce côté un peu rêveur, en décalage avec un milieu plutôt cynique.

J. : Et votre prochain film ? On dit que vous allez tourner avec Woody Allen ?

C. L. : Ça, c'est un secret ! .... je peux vous dire, c'est que ce sera une comédie.

9. A. Regardez ce document et donnez-lui un titre.

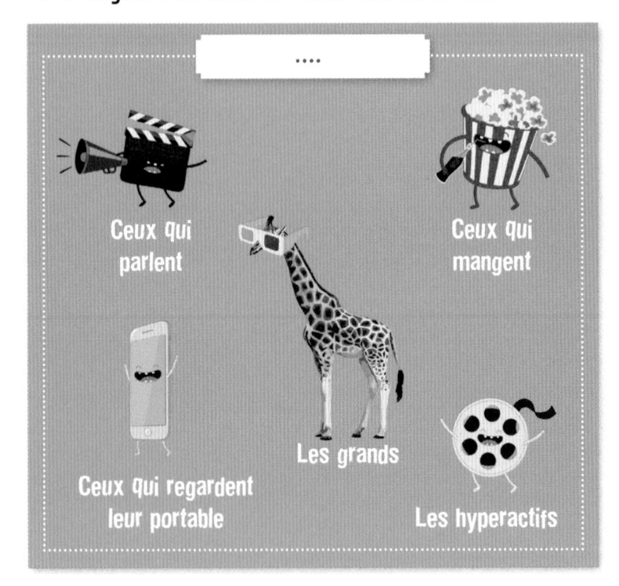

9. B. En petits groupes, commentez ces comportements. Ressentez-vous la même chose ? Pourriez-vous complétez ce document ?

- *Moi, ce qui m'énerve le plus...*

LES SENTIMENTS ET LES COMPORTEMENTS

PISTE 14

10. A. Vous allez entendre des énoncés qui prennent un sens différent en fonction de l'intonation. Écoutez et notez l'ordre dans lequel vous les entendez.

1.

La personne est fâchée	La personne est étonnée

2.

La personne est intéressée	La personne n'est pas vraiment interessée

3.

La personne est pleine d'espoir	La personne est déçue

4.

La personne est ironique	La personne est amoureuse

10. B. À l'aide des phrases entendues dans l'exercice précédent, en petits groupes, écrivez une courte scène d'un film. Donnez des indications sur le jeu des acteurs. Échangez votre scène avec un autre groupe et interprétez-la.

Tu arrives en retard ? | Oui, ce film a l'air sympa. | Tu as aimé le film ? | On a vraiment les mêmes goûts !

EXPRIMER UN SOUHAIT, UN DÉSIR

PISTE 15

11. Écoutez ce réalisateur parler et dites quels sont ses trois souhaits concernant son futur film.

1. ....
2. ....
3. ....

12. Juliette, protagoniste d'une comédie romantique, pense à tout ce qu'elle aimerait faire ou que son copain fasse pour que leur couple soit plus heureux et elle prépare une liste. Regardez ces photos et écrivez la liste. Imaginez d'autres souhaits.

1.
J'aimerais ranger plus souvent mon placard et que tu arrêtes de me reprocher mon désordre.

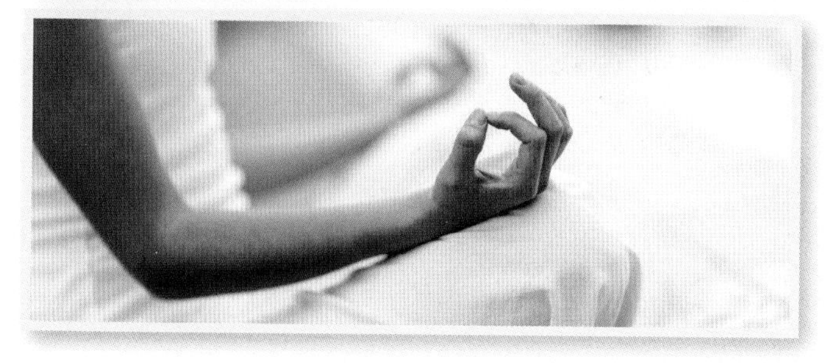

ACTION !

13. Vous allez présenter un réalisateur, un acteur et un film qui vous ont marqué. Préparez un document très visuel comme support pour votre présentation. Inspirez-vous du modèle ci-dessous et aidez-vous de ces expressions.

interpréter un personnage | écrire un scénario | jouer un rôle | recevoir un prix / une récompense | avoir un palmarès | remporter un César / Oscar... | tourner une scène

- Elio Germano a interprété des personnages très différents. Pour moi, c'est un acteur extraordinaire. Pour son rôle dans «La nostra vita», il a reçu le prix d'interprétation masculine au festival de Cannes, en 2010...

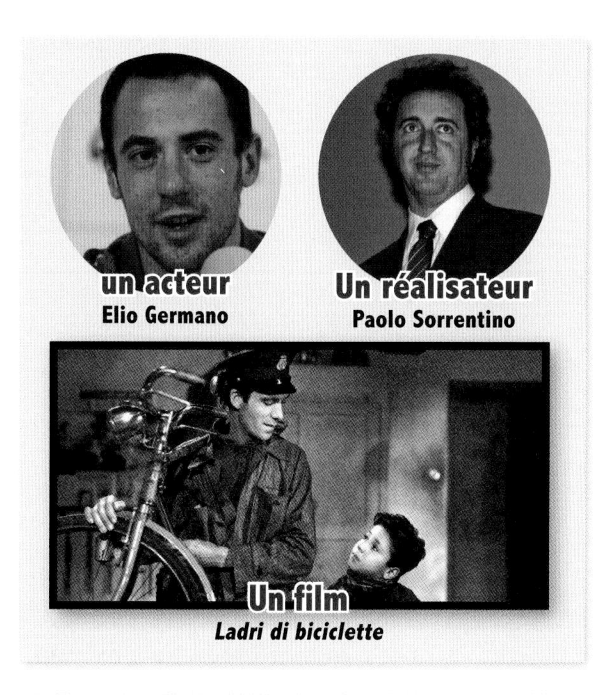

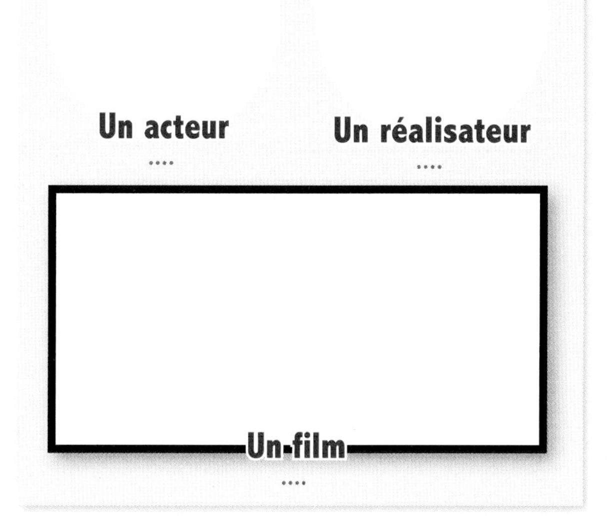

COMPRÉHENSION DES ÉCRITS

A. Lisez cet article et répondez aux questions.

LE NOUVEAU SOUFFLE DU CINÉMA QUÉBÉCOIS

Avec son dernier film, Xavier Dolan a dépassé les attentes qu'on avait de lui. Déjà remarqué pour ses premiers films sur la jeunesse canadienne, ce jeune réalisateur de 27 ans (1989) a reçu le prix du jury du festival de Cannes 2014 pour son dernier film qui nous entraîne dans la vie d'un adolescent, de sa mère et de leur nouvelle voisine.

Mommy nous plonge dans un cinéma du réel avec une incroyable virtuosité. La grande sensibilité du réalisateur nous fait entrer dans l'intimité de ses personnages et dans le quotidien d'une banlieue modeste de Montréal. Steve est un adolescent hyperactif et impulsif, abandonné un temps par sa mère Diana, une adulte irresponsable et perdue. L'histoire commence quand ils se retrouvent après plusieurs années séparés l'un de l'autre. Kyla, la voisine timide et désorientée de Diana, s'immisce petit à petit dans le couple sulfureux du fils et de la mère, comme pour canaliser l'énergie trop forte que les deux protagonistes dégagent.

Le film se fait le témoignage de la bataille perpétuelle que mènent les personnages pour s'entendre les uns avec les autres. On regarde avec anxiété leurs tentatives, leurs timides réussites et leurs échecs destructeurs. Le jeune réalisateur veut tour à tour exaspérer et émouvoir le spectateur et il réussit cette montagne russe de sentiments avec brio.

Avec un regard tendre et sensible, Xavier Dolan cherche à nous livrer un portrait subtil et réaliste ; il veut que nous prenions conscience de la complexité des liens qui peuvent nous unir.

Mommy (2014), Xavier Dolan

1. Quel est le genre de ce film ?

- ☐ Un film d'horreur
- ☐ Un film dramatique
- ☐ Une comédie romantique

2. Qui sont les protagonistes du film ? Quelle est leur relation ?....

3. Dites si ces phrases sont vraies (V) ou fausses (F).

1. C'est le premier film du réalisateur. **V / F**
2. Le film *Mommy* a remporté un prix. **V / F**
3. Kyla connaît Diana et Steve depuis des années. **V / F**
4. Le film parle principalement des relations entre les personnages. **V / F**

4. Quels sont les sentiments que le réalisateur cherche à provoquer chez les spectateurs ?....

5. Comment comprenez-vous l'expression « le jeune réalisateur [...] réussit cette montagne russe de sentiments avec brio » ?....

COMPRÉHENSION DE L'ORAL

PISTE 16

B. Écoutez l'enregistrement et répondez aux questions.

1. Que présente l'animateur de radio ?....

2. Que veut dire l'animateur par « programmation éclectique » ?....

3. Associez les films proposés au public qui pourrait être intéressé.

1. *Le Sel de la Terre*
2. *Pourquoi j'ai pas mangé mon père*
3. *20 ans d'écart*

- ☐ les enfants
- ☐ les adolescents
- ☐ les amoureux de la nature

4. Qu'est-ce qui est organisé autour de Chantal Akerman ?

- ☐ une avant-première
- ☐ une conférence
- ☐ un cycle de films

5. Pourquoi parle-t-on de cette cinéaste ?

- ☐ elle a fait un film sur Toulouse
- ☐ elle est décédée
- ☐ elle a gagné la Palme d'or

PRODUCTION ÉCRITE

C. La presse a été très enthousiaste ou, au contraire, très négative sur un film que vous avez vu. Vous n'êtes pas du tout d'accord et vous laissez un message sur un forum de cinéma pour défendre ou critiquer ce film.

....

LES EXPRESSIONS DE QUANTITÉ

1. Regardez cette infographie sur les nouvelles technologies dans l'éducation, puis lisez le commentaire qui l'accompagne. Retrouvez les erreurs d'interprétation et corrigez-les.

LES NOUVELLES TECHNOLOGIES DANS L'ÉDUCATION

La majorité des enfants entre 8 et 11 ans, mais seulement un peu plus de la moitié des 12-15 ans possèdent au moins 3 appareils médias. En plus, à 10 ans la moitié des enfants ont un modèle smartphone. Malgré cette presque normalité, les téléphones portables sont considérés comme une source de conflit pour un peu plus des trois quarts des parents. Pourtant cela n'empêche pas que la plupart des jeunes soient amis avec leurs parents sur Facebook.

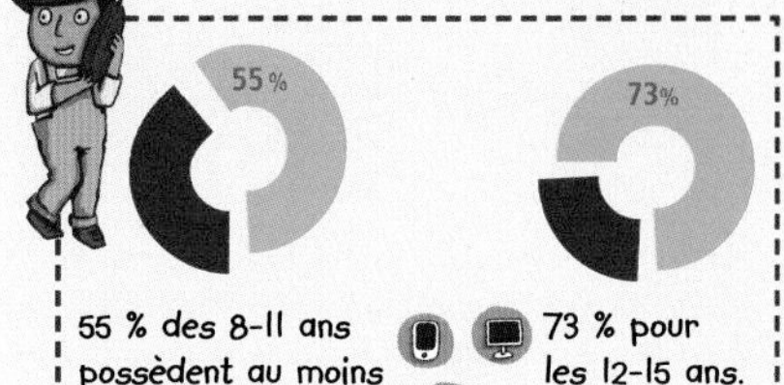

55 % des 8-11 ans possèdent au moins 3 appareils médias — 73 % pour les 12-15 ans.

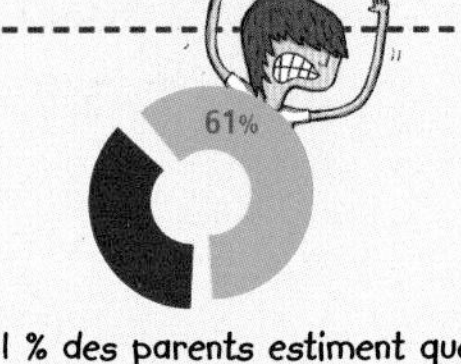

61 % des parents estiment que le téléphone portable de leur enfant a déjà été une source de conflit.

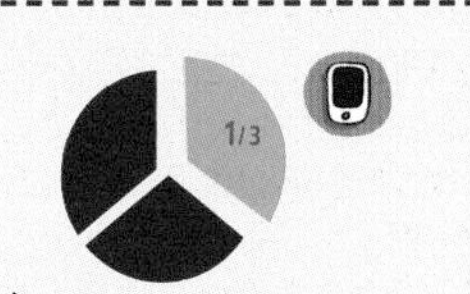

À 10 ans, un tiers des enfants possédant un téléphone portable a un smartphone.

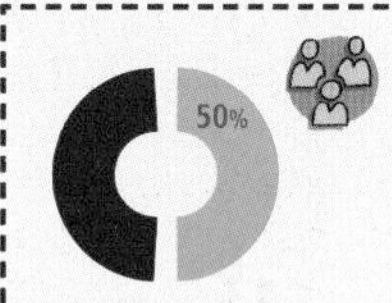

50 % des jeunes sont amis avec leurs parents sur Facebook.

2. A. Observez le sondage et dites dans quels domaines les Français sont le plus satisfaits de la situation de l'école (plus de 50 % de satisfaction).

Diriez-vous que la situation de l'école en France est
très satisfaisante, assez satisfaisante, peu satisfaisante ou pas du tout satisfaisante, dans les domaines suivants :

	TRÈS SATISFAISANTE	ASSEZ SATISFAISANTE	PEU SATISFAISANTE	PAS DU TOUT SATISFAISANTE	SANS OPINION
La qualité de l'enseignement	5	60	24	5	6
La mixité sociale dans les établissements	6	55	22	7	10
L'utilisation des nouvelles technologies	7	52	24	4	13
La charge de travail des élèves	2	49	28	6	15
Le nombre d'élèves par classe	2	30	41	20	7
Le soutien aux élèves en difficulté	3	28	42	15	12
L'accueil des élèves handicapés	2	20	41	24	13
La préparation à l'insertion dans le monde du travail	1	19	48	24	8

2. B. Complétez le texte suivant avec les quantifiants de la liste et en vous aidant des résultats du sondage.

une minorité de personnes · des personnes interrogées · une large majorité de Français · la plupart · 51 % · 65 %

Selon un récent sondage, les Français semblent relativement peu satisfaits de la situation de l'école.
Si .... se disent satisfaits de la qualité de l'enseignement (....), seulement .... pensent que la charge de travail des élèves est correcte. 61% .... estiment que le nombre d'élèves par classe est trop important. .... a répondu qu'elle était satisfaite de l'accueil réservé aux élèves handicapés. Mais le domaine dans lequel le mécontentement est le plus grand est celui de la préparation à l'insertion dans le monde du travail : .... (72 %) pense que l'école ne prépare pas suffisamment à l'insertion professionnelle.

2. C. À votre tour, rédigez les résultats du sondage concernant les domaines suivants : la mixité sociale dans les établissements, l'utilisation des nouvelles technologies, le soutien aux élèves en difficulté.

....

LE DISCOURS RAPPORTÉ : LES VERBES INTRODUCTEURS

3. Choisissez la phrase qui permet de rapporter les paroles de cet enseignant.

1. « Calmez-vous ! »
   - **a.** Le professeur précise que les élèves doivent se calmer.
   - **b.** Le professeur affirme que les élèves doivent se calmer.
   - **c.** Le professeur ordonne aux élèves de se calmer.
2. « Est-ce que quelqu'un connaît la réponse ? »
   - **a.** Le professeur demande si quelqu'un connaît la réponse.
   - **b.** Le professeur annonce que quelqu'un connaît la réponse.
   - **c.** Le professeur conseille de connaître la réponse.
3. « Nous avons terminé l'activité. »
   - **a.** Les élèves veulent savoir s'ils ont terminé l'activité.
   - **b.** Les élèves signalent qu'ils ont terminé l'activité.
   - **c.** Les élèves ordonnent de terminer l'activité.
4. « Vous pouvez faire une pause quand vous le souhaitez. »
   - **a.** Le professeur explique aux élèves qu'ils peuvent faire une pause quand ils le souhaitent.
   - **b.** Le professeur ordonne aux élèves de faire une pause quand ils le souhaitent.
   - **c.** Le professeur demande aux élèves s'ils veulent faire une pause quand ils le souhaitent.
5. « Prenez tout le temps dont vous avez besoin. »
   - **a.** Le professeur invite les élèves à prendre tout le temps dont ils ont besoin.
   - **b.** Le professeur se demandent si les élèves auront tout le temps dont ils ont besoin.
   - **c.** Le professeur confirme que les élèves peuvent prendre tout le temps dont ils ont besoin.
6. « Où est-ce qu'on fera la sortie scolaire cette année ? »
   - **a.** Les élèves expliquent où sera la sortie scolaire cette année.
   - **b.** Les élèves veulent savoir où sera la sortie scolaire cette année.
   - **c.** Les élèves imaginent où sera la sortie scolaire cette année.

4. Voici les notes d'un élève qui se souvient des choses que lui a dites sa professeure préférée. Aidez-le à varier son vocabulaire en utilisant les verbes suivants. Il y a plusieurs réponses possibles.

conseiller | promettre | inviter à | supplier | expliquer

1. Mme Farris m'a dit de persévérer dans mes efforts.
   → ....
2. Mme Farris m'a dit de lire plus de livres.
   → ....
3. Mme Farris m'a dit qu'apprendre l'orthographe m'ouvrirait des portes dans le futur.
   → ....
4. Mme Farris m'a dit que Rimbaud était le plus grand poète français. → ....
5. Mme Farris m'a dit de ne jamais arrêter de lire.
   → ....

LE DISCOURS RAPPORTÉ AU PRÉSENT ET AU PASSÉ

PISTE 17

5. Écoutez ces extraits d'un conseil de classe où les professeurs parlent de Cédric. La déléguée, présente lors du conseil, raconte à Cédric ce que les professeurs ont dit sur lui. Imaginez ce qu'elle lui rapporte.

1. Le prof de maths a dit que ....
2. Le prof de français a dit que ....
3. Moi j'ai expliqué que ....
4. La prof de sport a raconté ....
5. La prof d'anglais lui a répondu ....
6. La prof d'espagnol a terminé en disant que ....

6. Lisez ce message posté par Marco sur le forum des Amis du lycée français et complétez-le..

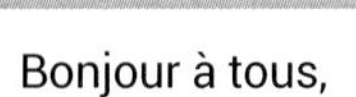

Bonjour à tous,

Je m'installe à Rome et je voudrais inscrire mon enfant au lycée français. J'en ai parlé à un ami qui y a inscrit son fils, il m'a dit que les démarches d'inscriptions .... (être) faciles. Il m'a dit que je .... (devoir) appeler le secrétariat et qu'ils me .... (donner) les papiers à remplir. Savez-vous combien coûte l'inscription ? J'ai entendu dire que les prix n'.... (être) pas les mêmes pour les Français et les italiens, c'est vrai ? Une dernière question, mon ami m'a dit qu'il .... (falloir) que mon fils passe un test de français, quel est le niveau exigé pour entrer au lycée français ?

Merci pour votre aide,

Marco

7. Formez des groupes de trois. Le n°3 sort de la salle. Le n°1 donne au n°2 deux avis ou expériences sur l'apprentissage autonome. L'un est sincère, le deuxième est un mensonge. Le n°3 revient dans la classe et le n°2 doit retranscrire les deux avis de n°1 à n°3 qui devra deviner lequel est le mensonge.

- *Marion remarque que toutes les familles n'ont pas la possibilité de garder leurs enfants à la maison. Elle ajoute que sa fille a fait l'école à domicile avec elle jusqu'à l'âge de 6 ans.*
- *La deuxième affirmation est un mensonge ! Marion n'a pas d'enfant !*

8. **Lisez cette interview. À partir du témoignage de Haydée, imaginez la conversation qu'elle a eue avec la directrice et écrivez le dialogue.**

INTERVIEW

« J'ai fait l'école à la maison : rencontre avec une maman-institutrice »

On estime à 20 000 en France le nombre d'enfants qui reçoivent leur instruction en famille (IEF), un chiffre en constante augmentation. Haydée Magma est maman de deux adolescents qui ont pratiqué l'école à la maison. Retour sur son expérience.

Beaucoup de gens pensent que l'école est obligatoire. Avez-vous reçu des reproches quand vous avez annoncé que vous feriez l'école à la maison pour vos enfants ?

Haydée La première année, je suis allée inscrire mon fils aîné à la maternelle où j'ai rencontré la directrice. Elle m'a expliqué très gentiment son programme de l'année. Je me suis sentie très en confiance, mais malgré tout, à la fin de notre rencontre, je lui ai confié que j'avais le projet de garder mon fils à la maison. Elle m'a dit très ouvertement qu'elle comprenait, qu'elle avait déjà rencontré plusieurs parents dans cette situation, que la maternelle n'était pas obligatoire et que c'était ma décision.

Haydée : ....

La directrice : ....

EXPRIMER LA CONCESSION

9. **Associez les éléments pour former des phrases.**

1. Malgré toute ma bonne volonté,
2. Bien que je ne sois pas très doué pour les langues,
3. Mon père est d'origine belge,
4. Je sais que j'ai une très mauvaise prononciation,

A. et pourtant il ne nous a jamais parlé français à la maison.
B. je me suis pris de passion pour l'apprentissage du français.
C. mais les gens me comprennent quand même.
D. quand je me retrouve dans une situation où je dois parler français, je perds tous mes moyens.

LES QUESTIONS INDIRECTES

PISTE 18

10. A. **Vous allez écouter un sondage téléphonique sur les études. Répondez en parlant de vous-mêmes.**

1. ....
2. ....
3. ....
4. ....

10. B. **Racontez à un ami les questions qui vous ont été posées par téléphone.**

1. ....
2. ....
3. ....
4. ....

PISTE 19

11. **Judith a oublié son téléphone chez elle et elle demande à sa coloc de lui lire tous les messages qu'elle a reçus. Écoutez leur conversation et prenez des notes. Ensuite, écrivez les messages.**

Martin

Maman

....

Paolo

Bon, c'est pas grave, je vais rejoindre mes potes pour boire un verre.

COMPRÉHENSION DES ÉCRITS

A. Lisez cet extrait et répondez aux questions.

Un souvenir qu'on va chérir

Ce matin, nous sommes tous arrivés à l'école bien contents, parce qu'on va prendre une photo de la classe qui sera pour nous un souvenir que nous allons chérir toute notre vie, comme nous l'a dit la maîtresse. Elle nous a dit aussi de venir bien propres et bien coiffés.

C'est avec plein de brillantine sur la tête que je suis entré dans la cour de récréation. Tous les copains étaient déjà là et la maîtresse était en train de gronder Geoffroy qui était venu habillé en martien. Geoffroy a un papa très riche qui lui achète tous les jouets qu'il veut. Geoffroy disait à la maîtresse qu'il voulait absolument être photographié en martien et que sinon il s'en irait.

Le photographe était là, aussi, avec son appareil et la maîtresse lui a dit qu'il fallait faire vite, sinon, nous allions rater notre cours d'arithmétique. Agnan, qui est le premier de la classe et le chouchou de la maîtresse, a dit que ce serait dommage de ne pas avoir arithmétique, parce qu'il aimait ça et qu'il avait bien fait tous ses problèmes. Eudes, un copain qui est très fort, voulait donner un coup de poing sur le nez d'Agnan, mais Agnan a des lunettes et on ne peut pas taper sur lui aussi souvent qu'on le voudrait. La maîtresse s'est mise à crier que nous étions insupportables et que si ça continuait il n'y aurait pas de photo et qu'on irait en classe. Le photographe, alors, a dit : « Allons, allons, allons, du calme, du calme. Je sais comment il faut parler aux enfants, tout va se passer très bien.»

Le Petit Nicolas, R. Goscinny et Sempé, chapitre 1

1. Qui parle dans cet extrait ?

a. La maîtresse
b. Le petit Nicolas
c. Le père du petit Nicolas

2. Quel est l'événement raconté dans cet extrait et pourquoi est-il si important ?

....

3. À votre avis, quel âge ont le petit Nicolas et ses copains ? Quels sont les éléments du texte qui vous permettent de le deviner ?

....

4. Dites si ces phrases sont vraies ou fausses et justifiez en citant le texte.

1. Le petit Nicolas s'est préparé pour la photo de classe. **V / F**
   Justification : ....
2. Geoffroy accepte d'enlever son déguisement. **V /F**
   Justification : ....
3. Eudes est un camarade un peu violent du petit Nicolas. **V / F**
   Justification : ....
4. La maîtresse est en colère contre les enfants. **V / F**
   Justification : ....

5. Que signifie « le chouchou de la maîtresse » ? Justifiez votre réponse. ....

COMPRÉHENSION DE L'ORAL

PISTE 20

B. Écoutez cette émission radio et répondez aux questions.

1. Suite à quel événement le directeur a-t-il créé cette nouvelle école ?

....

2. En quoi cette école est-elle différente des autres ?

....

3. Comment est calculé le montant de l'inscription dans cette école ?

a. en fonction des résultats des enfants
b. en fonction des revenus des parents
c. en fonction de ce que les parents veulent donner

4. Maintenant quand les vacances arrivent, Alina est :

a. contente
b. angoissée
c. déçue

5. Qu'est-ce qui permet aux enfants de réussir selon le professeur interrogé ?

....

PRODUCTION ÉCRITE

C. Les questions suivantes ont été posées sur un forum lié à l'éducation : Faut-il éliminer les notes à l'école ? Quelle pourrait être l'alternative au système de notation ? Vous décidez d'y répondre en donnant votre avis et en parlant de vos expériences personnelles.

LA NOMINALISATION

1. A. Formez des noms à partir de ces verbes.

créer | former | lancer | définir | apprendre

1. B. Complétez le texte avec les noms que vous avez formés.

COMÉDIE

Chocolat, la nouvelle comédie française avec Omar Sy

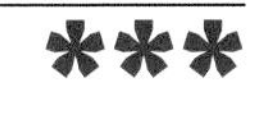

Dans le Paris de la Belle Époque (fin du XIXe siècle), être un artiste noir est inhabituel. Pourtant, Chocolat, le personnage interprété par Omar Sy, est un clown de .... . Son succès dans un Paris encore peu habitué à la diversité va proposer une .... de la tolérance et du respect de l'autre. Grâce à un sens du comique incroyable, des tours de magie inédits et des .... clownesques novatrices, *Chocolat* propose aux spectateurs un .... de la vie. Le .... du film est prévu pour début 2016.

2. A. Classez ces noms dans les différentes rubriques. Il y a parfois plusieurs réponses possibles.

pollution | exposition | manifestation | corruption | réchauffement | mariage | investissement | inauguration

SOCIÉTÉ	CULTURE	POLITIQUE	ÉCONOMIE	ÉCOLOGIE

2. B. Utilisez ces mots pour compléter les titres de presse suivants.

1. Nouvelles .... pour protester contre le .... homosexuel.
2. Conférence sur le .... climatique : les maires des grandes villes d'Europe réunis pour réduire la .... .
3. .... de Sophie Calle au musée Pompidou.
4. Scandale à l'Élysée : le Premier ministre accusé de .... .
5. .... du nouveau centre culturel du quartier des Allumettes. Gros .... pour la ville.

3. À votre tour de créer l'actualité : à l'aide de ces images, imaginez quels pourraient être les titres de demain. Vous pouvez utiliser les noms vus dans l'exercice précédent.

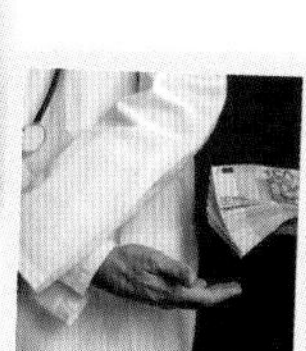

4. Complétez ces phrases sur les médias en transformant le verbe en nom comme dans l'exemple.

1. Ce journal prétend **informer**, mais il divulgue une *information* de mauvaise qualité.
2. Les lecteurs de ce journal **apprennent** beaucoup, mais c'est un .... superficiel.
3. Ce site a besoin de **changer** sa présentation. Il lui faut un .... radical !
4. Les directives sont claires, il faut **présenter** les faits tels qu'ils se déroulent. Toute .... erronée sera sanctionnée.
5. On **insère** de plus en plus de publicité dans les émissions pour enfants. Les associations de consommateurs dénoncent ces .... abusives.

LA VOIX PASSIVE

5. A. Lisez cet article et soulignez deux phrases qui révèlent que c'est une fausse info.

Licenciée pour ne pas savoir faire un café correct.

C'est le scandale de la semaine dernière, Julie, une jeune fille de 19 ans, a été licenciée par l'entreprise où elle faisait un stage car elle « ne savait pas faire un café correct ». Ce fait divers a été analysé par la rédaction de notre journal.
« Julie ne boit pas de café, elle ne pourra jamais être stagiaire », sont les propos tenus par le responsable de stage de la jeune fille, « quand on est plus thé que café, on ne peut pas prétendre être stagiaire, un point c'est tout », a-t-il conclu. Une formation dans un bar bientôt obligatoire ?
D'après nos sources, cette information a été demandée par les chefs d'entreprises français à Myriam El Khomri, ministre du Travail. Ils affirment qu'il faut obliger toutes les personnes souhaitant faire un stage, à passer, au préalable, par une formation de deux mois dans un bar afin d'être prêt à « affronter le monde du travail ». Une demande qui a été acceptée par le ministère du Travail...

5. B. Retrouvez les acteurs des verbes soulignés.

VERBE	ACTEUR DU VERBE
a été licenciée	*par l'entreprise*
a été analysé	
sont les propos tenus	
a été demandée	
a été acceptée	

6. Transformez ces titres d'articles à la voie passive comme dans l'exemple.

1. Le Parti socialiste organise des primaires avant l'élection présidentielle.
   Des primaires sont organisées avant l'élection présidentielle par le Parti socialiste
2. La fac de Nanterre a accueilli jeudi une vingtaine de réfugiés pour les intégrer dans le système universitaire.
   → ....
3. La Fédération Française de Football a félicité l'entraîneur du PSG pour son efficacité.
   → ....
4. Une intelligence artificielle a battu un champion de jeu de go pour la première fois.
   → ....

7. Complétez l'article avec les verbes indiqués à la voie passive ou active.

récemment annoncer | vouloir | menacer | survivre | acheter peu | demander

MORT D'UN JOURNAL PAYANT ET NAISSANCE D'UN JOURNAL GRATUIT

Le ***Journal du Soir*** est mort. Vive le quotidien gratuit ***Nouvelles*** ! La société Traal .... la fermeture de son quotidien payant au profit d'un journal gratuit, et ce changement .... par les propres actionnaires du journal. Le cas du ***Journal du Soir*** n'est pas isolé, partout dans le monde, les journaux traditionnels .... par la multiplication des journaux gratuits. Au Québec par exemple, seuls quatre quotidiens payants .... mais ils .... .
Une subvention .... par les patrons des journaux.

8. Vous retrouvez cette page déchirée d'un journal. Assemblez les éléments des deux colonnes pour reconstituer les titres de presse de ce jour-là.

1. Un député est accusé de corruption
2. La presse écrite est délaissée
3. Le réchauffement climatique est remis en cause
4. Le festival de BD d'Angoulême est boycotté
5. Le tunnel du Mont-Blanc a été fermé

A. par un présentateur télé climatosceptique.
B. par les autorités locales qui jugent la situation dangereuse.
C. par une association de femmes qui lutte pour la parité dans le monde des arts.
D. par la jeunesse.
E. par un journaliste de presse à scandale.

9. Dans ces phrases à la forme passive, imaginez qui est l'agent (le responsable de l'action).

1. Un vaccin contre le virus de la grippe aviaire est testé en ce moment. → Il est testé par ....
2. Un ministre est menacé d'être renvoyé s'il ne suit pas la politique du gouvernement. → Il est menacé par ....
3. La conférence internationale sur le climat 2015 est organisée à Paris. → Elle est organisée par ....
4. Le football français est de plus en plus critiqué. → Il est critiqué par ....
5. Les réfugiés politiques sont pris pour cibles et victimes d'actes racistes. → Ils sont pris pour cibles par ....

LES INFORMATIONS INCERTAINES

PISTE 21

10. Écoutez ces titres de l'actualité et dites si les informations sont certaines ou pas en cochant la case correspondante.

	CERTAINE	INCERTAINE
1.		
2.		
3.		
4.		
5.		

LA CAUSE ET LA CONSÉQUENCE

11. Compléter ces débuts de phrases en imaginant une cause ou une conséquence possible.

1. Je crois que la presse à scandale doit être condamnée car ....
2. J'aime bien lire les fausses infos pour ....
3. Depuis que je prends le métro je suis informé grâce à ....
4. Les réseaux sociaux me font perdre trop de temps, donc ....
5. Pour moi, le monde de l'information va trop vite, c'est pourquoi ....

12. Écrivez un court article en utilisant les connecteurs de cause et de conséquence proposés et en vous inspirant des images de votre choix.

parce que | comme | ainsi | à cause de | par conséquent | grâce à | donc

LE PRONOM *EN*

13. Repérez les pronoms *en* dans ce mail et remplacez-les par des noms de votre choix.

Salut Laure !
Je t'envoie un article sur un symbole de paix pour les migrants. Je ne sais pas si tu en as entendu parler mais j'ai pensé que ça t'intéresserait : www.peaceandlovemigrants.en
La radio en parlait ce matin... Il est fait avec des gilets de sauvetage. Il y en a près de 500000 pour représenter les migrants. La Grèce est la première concernée par les accidents migratoires donc pour moi c'est normal qu'elle s'en préoccupe ! Mais en tout cas, c'est un super message pour commencer l'année 2016. T'en penses quoi ?

Bisous,

Moussa

14. Imaginez à quoi peuvent correspondre les pronoms *en* dans ces extraits de dialogues.

Tu as vu comme ils sont beaux ?

Oui, j'ai vu, ils sont trop beaux. Tu en as acheté combien ?

J'en ai pris quatre.

→ ....

Tu en as besoin pour quand ?

Pour demain ! J'organise un dîner à la maison.

Ok, je t' en apporte deux ce soir.

Merci !

→ ....

Tu en veux combien ?

Je sais pas, prends-en cinq ou six et on se les partagera, ok ?

Ok, ça marche !

→ ....

J'en reviens tout juste, c'était génial !

Ohh comme je t'envie, moi aussi je veux y aller !

→ ....

COMPRÉHENSION DES ÉCRITS

A. Lisez cet article et répondez aux questions.

SOCIÉTÉ

DÉBRANCHEZ-VOUS, C'EST LES VACANCES !

Ah, le monde moderne, des dizaines de mails, sms, coups de téléphone tous les jours… Voici bientôt les vacances et vous ne savez pas comment couper les ponts ? Vous avez peur de vous déconnecter complètement et de rater des informations importantes ? Voici quelques repères donnés par notre expert en la matière, une combinaison d'anticipation, d'astuces et d'autodiscipline.

ANTICIPER VOTRE DÉPART

Le problème n'est pas tant la technologie sinon votre rapport avec elle. Avant de partir en vacances, demandez-vous sincèrement : êtes-vous prêt à vous passer d'Internet pendant vos deux semaines de vacances ? Pensez que le travail de déconnexion commence bien avant les vacances. Anticipez vos besoins. Si vous avez besoin de vous organiser avec votre famille ou vos amis, créez une adresse mail pour communiquer avec eux pendant cette période. Vous éviterez ainsi de tomber sur un mail professionnel qui vous préoccuperait pendant le reste de votre séjour.

PRÉVENIR VOTRE ENTOURAGE

Avez-vous prévenu vos collègues de votre départ ? Vos clients ? Prenez cinq minutes et pensez à toutes les personnes susceptibles de vous appeler pendant ces quelques semaines de vacances. Assurez-vous que vos dossiers sont à jour, créez une boîte vocale spéciale pour l'occasion et un message sur votre boîte mail prévenant de vos dates de vacances. N'oubliez pas éventuellement les réseaux sociaux comme Facebook ou Twitter pour informer vos amis. N'hésitez pas à le répéter, mieux vaut deux fois qu'une !

VOUS AVEZ LE CONTRÔLE : PAS DE WIFI

Nous le savons, Internet est partout : dans les aéroports, les bus, les hôtels, les restaurants. C'est à croire que seules des vacances dans l'Himalaya pourraient vous permettre une réelle déconnexion ! Internet vous suivra en vacances et les tentations de vous connecter seront nombreuses. À vous de faire preuve d'autodiscipline : vous devez vous fixer des limites. Vous pouvez, par exemple, allumer le Wifi une seule fois par jour. Vous pouvez aussi établir des petites règles : ne prenez pas votre portable lorsque vous mangez, éteignez-le quand vous allez à la plage ou à la piscine. L'important est de vous sentir déconnecté !

1. Cet article s'adresse :

- ☐ aux personnes qui veulent Internet en vacances.
- ☐ aux personnes qui ne veulent pas Internet en vacances.
- ☐ aux personnes qui ont des difficultés à se servir d'Internet à l'étranger.

2. Citez trois mots-clés qui résument les trois idées principales de l'article.

1. ....
2. ....
3. ....

3. Dites si les propositions sont vraies (V) ou fausses (F) puis justifiez.

a. Cet article propose une déconnexion totale. **V / F**
b. Il recommande de créer une nouvelle boîte mail pour les amis et la famille. **V / F**
c. Il faut éviter d'utiliser les réseaux sociaux pour annoncer son départ. **V / F**
d. L'important en vacances, c'est de ne pas trop utiliser le Wifi. **V / F**

COMPRÉHENSION DE L'ORAL

PISTE 22

B. Écoutez et répondez aux questions.

1. Quel est le thème de la conversation ?

- ☐ Vivre sans lire le journal
- ☐ Vivre sans les réseaux sociaux
- ☐ Vivre sans écouter la radio

2. Qui a tenté l'expérience ?

- ☐ Delphine
- ☐ Sylvain
- ☐ Les deux

PISTE 22

3. Réécoutez l'enregistrement et dites si les affirmations suivantes sont vraies (V) ou fausses (F).

a. Selon Delphine, les réseaux sociaux font gagner du temps. **V / F**
b. Sylvain utilise les réseaux sociaux pour s'informer. **V / F**
c. Delphine s'informe seulement en écoutant les conversations des autres. **V / F**
d. Les amis de Delphine pensent qu'elle est asociale. **V / F**
e. Finalement, Sylvain est admiratif de son amie Delphine. **V / F**

PRODUCTION ÉCRITE

C. Croyez-vous qu'il faille se déconnecter complètement en vacances ? Donnez votre opinion et illustrez par des exemples tirés de vos habitudes ou de celles de vos proches.

....

GRAMMAIRE

LES ARTICLES (RAPPEL)

ARTICLES	SINGULIER		PLURIEL	
	MASCULIN	FÉMININ	MASCULIN	FÉMININ
DÉFINIS	**le** pont **l'**aéroport	**la** rue **l'**avenue	**les** ponts	**les** rues
INDÉFINIS	**un** pont	**une** rue	**des** ponts	**des** rues
PARTITIFS	**du** pain **de l'**alcool	**de la** viande **de l'**eau	-	-
CONTRACTÉS	**au** cinéma	**à la** maison	**aux** enfers	**aux** Antilles

LES ADJECTIFS (RAPPEL)

LES ADJECTIFS QUALIFICATIFS

Ils servent à donner des informations sur le mot qu'ils accompagnent et **s'accordent en genre et en nombre** avec ce nom.

LA PLACE DE L'ADJECTIF

En général, l'adjectif est **après** le nom.
Sont toujours **après** le nom :
- tous les adjectifs de nationalité, de couleur, de forme.

Ex. : *un film **grec** / une fille **brune** / une table **ronde***
- les adjectifs longs. Ex. : *un truc **extraordinaire** / un ami **intelligent***

Sont **avant** le nom :
- quelques adjectifs courts et fréquents :

Ex. : *une **belle** histoire / une **bonne** raison*
- les nombres sont toujours avant l'adjectif et le nom :

Ex. : *les trois **derniers** jours / les cinq **prochaines** années*

LES ADJECTIFS INTERROGATIFS

	MASCULIN	FÉMININ
SINGULIER	Quel	Quelle
PLURIEL	Quels	Quelles

On les utilise pour poser une question sur quelqu'un ou sur quelque chose :
- ***Quel*** (+ nom masc. sg.)

Ex. : *Tu préfères **quel** pays ?*
- ***Quels*** (+ nom masc. pl.)

Ex. : *Tu aimes **quels** films ?*
- ***Quelle*** (+ nom fém. sg.)

Ex. : *Il est **quelle** heure ?*
- ***Quelles*** (+ nom fém. pl.)

Ex. : *Vous prenez **quelles** chaussures ?*

LES ADJECTIFS DÉMONSTRATIFS

	MASCULIN	FÉMININ
SINGULIER	ce / cet*	cette
PLURIEL	ces	

⚠ ****Ce*** devient ***cet*** devant une voyelle ou un ***h*** muet.
Ex. : ***Cet** hôtel est très beau.*

On les utilise pour :
- montrer quelqu'un ou quelque chose. Ex. : *Regarde **cette** fille !*
- parler d'un moment proche. Ex. : *On sort **ce** soir ?*

LES ADJECTIFS POSSESSIFS

		SINGULIER		PLURIEL
		MASCULIN	FÉMININ	MASCULIN ET FÉMININ
un possesseur	moi toi lui / elle vous (politesse)	**mon** **ton** ami **son**	**ma** **ta** cuisine **sa**	**mes** **tes** amis **ses**
plusieurs possesseurs	nous vous eux / elles	**notre** **votre** métier **leur**		**nos** **vos** amis **leurs**

⚠ Quand un nom féminin commence par une voyelle ou un ***h*** muet, on utilise : ***mon*** / ***ton*** / ***son.*** Ex. : ***Mon** amie Juliette.*

On les utilise pour exprimer :
- la possession.

Ex. : *C'est **mon** vélo.*
- la relation d'appartenance et de proximité.

Ex. : *C'est **mon** frère.*

LES ADJECTIFS INDÉFINIS

AUCUN, CERTAINS, QUELQUES, PLUSIEURS ET *TOUT*

Ils s'accordent en genre et en nombre avec le nom qu'ils accompagnent et expriment une quantité nulle (***aucun(e)***), peu précise (***certains***, ***quelques***, ***plusieurs***) ou totale (***tout(e)***, ***tous***, ***toutes***).

Aucun(e) indique une quantité nulle (= 0).
Ex. : *Avant, **aucun** homme ne prenait de congé parental.*
Certains signifie *quelque-uns*.
- ***Certains*** (+ nom masc. pl.) Ex. : ***Certains** métiers ont disparu.*
- ***Certaines*** (+ nom fém. pl.) Ex. : ***Certaines** professions sont apparues.*

Quelques s'oppose à ***beaucoup.*** Il a le sens d'« *un petit nombre de* ».
- ***Quelques*** (+ nom masc. pl. ou nom fém. pl.)

Ex. : ***Quelques** rues du centre-ville ont été restaurées mais il reste encore beaucoup de travail.*

Plusieurs (= plus d'un) s'oppose à ***un seul.*** Il a le sens d'« *un certain nombre de* ».
- ***Plusieurs*** (+ nom masc. pl. et nom fém. pl.)

Ex. : *Napoléon a gagné **plusieurs** batailles : Austerlitz, Somosierra, Iéna, Montmirail...*
⚠ ***Plusieurs*** est invariable.

Tout indique une quantité totale.
- ***Tout*** (+ nom masc. sing.) / ***tout(e)*** (+ nom fém. sing.)

Ex. : ***Toute** la classe raconte une anecdote sur sa vie.*
- ***Tous*** (+ nom masc. pl.) / ***toutes*** (+ nom fém. pl.)

Ex. : *En France, **toutes** les femmes ont le droit de voter.*

Pour exprimer la quantité, on peut aussi utiliser :
- ***La plupart des** Français **(= la plus grande partie)***

Une majorité de** Français **> 50 %** / **Une minorité de** Français **< 50 %

LES PRONOMS (RAPPEL)

LES PRONOMS PERSONNELS

SUJETS	RÉFLÉCHIS	COD	COI	TONIQUES
je / j'	me / m'	me / m'	me / m'	moi
tu	te / t'	te / t'	te / t'	toi
il / elle / on	se / s'	le / la / l'	lui	lui / elle
nous	nous	nous	nous	nous
vous	vous	vous	vous	vous
ils / elles	se / s'	les	leur	eux / elles

⚠ ***Je***, ***me***, ***te***, ***se***, ***le*** et ***la*** deviennent ***j'***, ***m'***, ***t'***, ***s'***, ***l'*** devant une voyelle ou un ***h*** muet → Ex. : *Tu m'écoutes ?*

LE PRONOM *Y*

Le pronom ***y*** remplace un complément de lieu introduit par les prépositions ***à***, ***au***, ***aux***, ***chez***, ***dans***, ***en***, ***sur***.
Ex. : - *Vous êtes allés **en** Espagne cette année ?*
- *Oui, nous **y** sommes allés deux semaines.*

⚠ Avec le verbe *aller* au futur, on doit supprimer le ***y***.
Ex. : - *Vous **y** retournerez l'année prochaine ?*
- *Oui, nous ~~y~~ irons là-bas, c'est sûr !*

Il remplace un nom de chose précédé d'un verbe suivi de la préposition ***à*** : *s'intéresser à quelque chose, s'opposer à quelque chose, se consacrer à quelque chose...*
Ex. : - *En vacances, il s'intéresse à la culture ?*
- *Oui, il s'**y** intéresse beaucoup.*

LES PRONOMS COMPLÉMENTS D'OBJET DIRECT (COD)

page 98

On les utilise quand le verbe se construit directement, sans préposition : *connaître quelqu'un* ou *quelque chose*.

- Les pronoms ***me***, ***te***, ***nous***, ***vous*** remplacent toujours des personnes : Ex. : *Tu **m'**aimes ?*
- Les pronoms ***l'***, ***le***, ***la***, ***les*** peuvent remplacer des personnes ou des choses : Ex. : *Ce pays, je ne **le** connais pas, je ne **l'**ai jamais visité*

Les **pronoms COD** remplacent un nom précédé :
- d'un article défini (***l'***, ***le***, ***la***, ***les***)
- d'un adjectif possessif (***mon***, ***ton***, ***son***...)
- d'un adjectif démonstratif (***ce***, ***cet***, ***cette***, ***ces***) :

Ex. : *Tu connais **l'**appartement de Karen ?*
Ex. : *Tu connais **son** appartement ?*
Ex. : *Tu connais **cet** appartement ?*
} → *Oui, je le connais.*

LE PRONOM COD *EN*

page 149

Le pronom COD ***en*** est invariable et il remplace un nom précédé :
- d'un article indéfini

Ex. : - *Vous prenez un sac de voyage ?*
- *Oui, j'**en** prends un plus une valise.*

- d'un article partitif

Ex. : - *Il a **de la** chance! Et toi ?*
- *Non, je n'**en** ai pas du tout.*

LES PRONOMS COMPLÉMENTS D'OBJET INDIRECT (COI)

page 98

On utilise les pronoms COI quand le verbe se construit indirectement, avec la préposition à : *parler à quelqu'un, écrire à quelqu'un...*

Les **pronoms COI** remplacent toujours des noms de personnes.
Ex. : *Tu **lui** as raconté ton périple en Australie ?*
*Qu'est-ce que tu **lui** as conseillé de faire là-bas ?*

Avec le verbe **penser à quelqu'un**, on utilise **à** + pronom tonique.
Ex. : - *Tu penses encore **à** lui ?*
- *Non, je ne pense plus **à** lui, c'est une vieille histoire !*

LE PRONOM COI *EN*

page 149

Le pronom COI ***en*** est invariable et il remplace un nom de chose précédé d'un verbe suivi de la préposition ***de*** (*parler **de** quelque chose, s'occuper **de** quelque chose, se douter **de** quelque chose...*).
Ex. : - *Tu lui parleras **des** problèmes que tu as eus en Patagonie ?*
- *Non, je lui **en** parlerai certainement pas !*

LES PRONOMS RÉFLÉCHIS

Ils représentent la même personne que le sujet :
Ex. : *Elle **se** regarde dans la glace.* = elle regarde **elle-même**.

Ils peuvent être COD :
Ex. : *Elle **s'**admire beaucoup.* = Elle admire **elle-même**.

ou COI
Ex. : *Tu **te** racontes des histoires !* = *Tu racontes des histoires **à toi-même.***

Les verbes pronominaux sont précédés du pronom réfléchi : ***s'arrêter***, ***s'asseoir***, ***se coucher***, ***se dépêcher***, etc.

LA PLACE DES PRONOMS COD, COI ET RÉFLÉCHIS

- **Avec un verbe à temps simple :** devant le verbe

Ex. : *Tom ? Je **le** vois souvent. / Je **lui** raconte tout. / On **s'**aime bien.*

- **Avec un verbe à temps composé :** devant le verbe

Ex. : *Tom ? Je **l'**ai vu hier soir. / Je **lui** ai dit bonjour de ta part. / Nous **nous** sommes bien amusés en voyage.*

- **Avec un verbe + un infinitif :** devant l'infinitif

Ex. : *Tom ? Je vais **le** voir demain. / Je peux **lui** dire bonjour de ta part. / Tu veux **lui** parler ?*

- **Avec un verbe à l'impératif affirmatif :** après le verbe

Ex. : *Embrasse-**le** pour moi ! / Dis-**lui** bonjour ! / Amusez-**vous** bien !*

- **Avec un verbe à l'impératif négatif :** avant le verbe

Ex. : *Ne **le** fatigue pas ! / Ne **lui** parle pas de ses problèmes ! / Ne **vous** disputez pas !*

LA PLACE DES DOUBLES PRONOMS

page 98

Quand il y a un pronom COD et un pronom COI dans la même phrase, il faut faire attention à leur place !

À la 3e personne, le COD est avant le **COI**.

Ex. : *Donner son accord à quelqu'un.*

Il **me** le donne	Il **nous** le donne
Il **te** le donne	Il **vous** le donne
Il le **lui** donne	Il le **leur** donne

Quand les pronoms ***en*** ou ***y*** sont COD, ils sont toujours en 2e position.

Ex. : *Offrir des fleurs à quelqu'un.*

Il **m'**en offre	Il **nous** en offre
Il **t'**en offre	Il **vous** en offre
Il **lui** en offre	Il **leur** en offre

Ex. : *Accompagner quelqu'un à une manifestation.*

Il **m'**y accompagne	Il **nous** y accompagne
Il **t'**y accompagne	Il **vous** y accompagne
Il **l'**y accompagne	Il **les** y accompagne

LES PRONOMS RELATIFS

page 114

Le pronom relatif **QUI** est toujours sujet du verbe. Il peut représenter quelqu'un ou quelque chose. **QUI** reste toujours **QUI** même devant une voyelle.

Ex. : *Jean Dujardin est un acteur français. **Il** est très célèbre en France.*

→ *Jean Dujardin est un **acteur qui** est très célèbre en France.*

Le pronom **QUE** (ou **QU'** devant une voyelle ou un ***h*** muet) est complément d'objet direct. Il représente quelqu'un ou quelque chose.

Ex. : *Jean Dujardin est un acteur. J'adore cet acteur !*

→ *Jean Dujardin est un acteur **que** j'adore !*

Le pronom **OÙ** est complément de lieu ou de temps.
Il représente un lieu ou un moment.

Ex. : *Ajaccio est la ville **où** Napoléon est né.* (lieu) *1769, c'est l'année **où** il est né.* (temps)

CE QUI, CE QUE, CE DONT

ce = les choses, les faits, les idées...

Expliquez-moi →
- ↗ **ce qui** est arrivé (Qu'est-ce qui est arrivé ? Qu'est-il arrivé ?)
- → **ce que** vous avez fait (Qu'avez-vous fait ?)
- ↘ **ce dont** il s'agit (De quoi il s'agit ? De quoi s'agit-il ?)

Remarque : À la place de ***ce dont***, assez formel, on utilise souvent ***de quoi***. Ex. : *Expliquez-moi **de quoi** il s'agit.*

LES PRONOMS POSSESSIFS

	SINGULIER		PLURIEL	
	MASCULIN	**FÉMININ**	**MASCULIN**	**FÉMININ**
à moi	le mien	la mienne	les miens	les miennes
à toi	le tien	la tienne	les tiens	les tiennes
à lui / à elle	le sien	la sienne	les siens	les siennes
à nous	le nôtre	la nôtre	les nôtres	les nôtres
à vous	le vôtre	la vôtre	les vôtres	les vôtres
à eux / à elles	le leur	la leur	les leurs	les leurs

Remarque :
- Il y a toujours un article devant le pronom possessif.
- Attention à l'accent sur le **o** pour les pronoms possessifs !

Ex. : - *C'est **votre** valise, messieurs-dames ?*
- *Non, ce n'est pas la **nôtre**, nous avons des sacs à dos.*

- Au pluriel, ***les nôtres***, ***les vôtres*** et ***les leurs*** ont la même forme au masculin et au féminin.

LES PRONOMS DÉMONSTRATIFS

FORMATION

	MASCULIN	FÉMININ	NEUTRE
SINGULIER	celui / celui-ci celui-là	celle / celle-ci / celle-là	ce, ceci, cela (ça)
PLURIEL	ceux / ceux-ci ceux-là	celles / celles-ci / celles-là	

EMPLOI

Les pronoms démonstratifs désignent la personne, l'animal ou la chose dont on parle. Ils permettent d'éviter de répéter. Ils sont suivis :
- d'un pronom relatif (***qui, que, où***).

Ex. : *Sur Airbnb, il y a **ceux qui** pensent qu'ils sont chez eux.*
- d'une préposition (***de***, ***en***).

Ex. : *Prends l'autre couloir, **celui de** gauche.*

Pour désigner quelque chose de précis, on utilise ***celui-ci*** (plus près) et ***celui-là*** (plus loin).

Ex. : - *Vous voulez quel livre ? **Celui-ci** (ce livre-ci) ou **celui-là** (ce livre-là) ?*
- *Je préfère celui (= le livre) qui est là, à gauche.*

- **Ce** (**C'**) + **être** + nom ou pronom

Ex. : ***C'est** moi ! **Ce sont** mes cousins italiens.*
- **Ce** (**C'**) + **être** + adjectif masculin

Ex. : *Les mathématiques, **c'est** intéressant.*
- **Cela** (dans la langue courante : **Ça**)

Ex. : *Comment **ça** va ? Répète-moi **ça** !*

LE VERBE

LA CONCORDANCE DES TEMPS À L'INDICATIF

p  130

Dans une phrase complexe, le temps du verbe d'une proposition subordonnée dépend du temps du verbe de la proposition principale.

- Verbe principal au présent → verbe subordonné au **présent**, au **futur**, au **passé composé**, à l'**imparfait**.

Ex. : *Je **pense** qu'il est dans son bureau.*
→ (verbe **subordonné** au **présent**)

Ex. : *Je **pense** qu'il sera là à 16 h.*
→ (verbe **subordonné** au **futur**)

Ex. : *Je **pense** qu'il a déjà vu Elsa.*
→ (verbe **subordonné** au **passé composé**)

Ex. : *Je **pense** qu'il la connaissait déjà.*
→ (verbe **subordonné** à **l'imparfait**)

• Verbe principal au passé (passé composé, imparfait, plus-que-parfait) → verbe subordonné à l'**imparfait,** au **conditionnel présent**, au **plus-que-parfait.**

*J'**ai pensé***		que tu connaissais Elsa.
*Je **pensais***	→	que tu la connaîtrais un jour ou l'autre.
*J'**avais pensé***		que tu l'avais déjà rencontrée.

⚠ Attention, quand il s'agit d'une vérité « universelle », on peut garder le présent. Ex. : *Mon fils a enfin compris que la terre est/était ronde.*

LES VERBES PRONOMINAUX

Certains verbes sont pronominaux (***se lever***, ***s'habiller***, ***se promener***, ***se disputer***...). Ils se construisent avec un pronom sujet, un pronom réfléchi et le verbe.

Ex. : *Je **m'**amuse beaucoup mais elle, elle **s'**ennuie toujours.*

je	**me**	couch**e**
tu	**te**	couch**es**
il / elle / on	**se**	couch**e**
nous	**nous**	couch**ons**
vous	**vous**	couch**ez**
ils / elles	**se**	couch**ent**

Me / ***te*** / ***se*** deviennent ***m'*** / ***t'*** / ***s'*** devant une voyelle ou un ***h*** muet.
Ex. : *Il **s'**habille toujours en noir.*

je	**m'**	amus**e**
tu	**t'**	amus**es**
il / elle / on	**s'**	amus**e**
nous	**nous**	amus**ons**
vous	**vous**	amus**ez**
ils / elles	**s'**	amus**ent**

Ex. : *Le matin, Clara **s'amuse** avec son chien.*

⚠ ***Nous nous*** *amusons*, ***vous vous*** *amusez.*

LE PARTICIPE PRÉSENT

page 43

C'est un mode impersonnel qui a toutes les propriétés d'un verbe : il peut être suivi d'un adverbe, d'un complément, être à la forme pronominale, se mettre au passif.

Ex. : *On a surpris cette célèbre chanteuse glissant discrètement* (adverbe) *un bijou* (COD) *dans sa poche.*

Ex. : Mistral gagnant, *étant désignée* (participe présent passif) *par notre jury comme la meilleure chanson, est donc n°1.*

FORMATION

On part de la racine de la 1re personne du pluriel du présent (nous) et on ajoute la terminaison ***-ant***. Il est toujours invariable.
nous allons → allant
nous prenons → prenant
nous faisons → faisant

⚠ Il y a quelques participes présents irréguliers :
savoir → sachant - avoir → ayant - être → étant

EMPLOI

On l'emploie surtout à l'écrit. Il indique une action en cours de déroulement, qui se passe en même temps que l'action de la proposition principale.

• **Il peut se référer au sujet.**
Ex. : *Ne parvenant pas à réussir dans la musique, il a décidé de tout arrêter.* (Il y a un seul sujet = il)

• **Il peut aussi se référer au complément d'objet direct.**
Ex. : *J'ai entendu Renaud racontant son enfance à la radio.*
(Il y a deux sujets : je/Renaud)

• **Il remplace souvent une proposition relative avec *qui*.**
Ex. : *C'est une chanson parlant du racisme.* = qui parle du racisme.

LE GÉRONDIF

page 43

Le gérondif est aussi un mode impersonnel qui n'a qu'un seul temps : le présent.

Il s'emploie avec un autre verbe pour indiquer la simultanéité de deux actions faites par le même sujet.

FORMATION

en + participe présent : ***en*** *marchant*, ***en*** *dansant*, ***en*** *riant...*

⚠ Avec le gérondif, le sujet des deux verbes est le même.

Ex. : *Je l'ai vu **en** montant sur scène.* (c'est la même personne qui voit et qui monte : **je**)

EMPLOI

Il peut exprimer
• la simultanéité.
Ex. : *Tu arrives à travailler **en** écoutant la radio ?*

Tout en → permet d'insister sur la simultanéité de deux actions :
Ex. : *Elle fait la cuisine tout **en** écoutant la radio.*

• le temps **(Quand ?).**
Ex. : ***En** allant au concert, j'ai croisé Caroline qui y allait aussi.*

• la manière **(Comment ?).**
Ex. : *Il a acheté son saxophone **en** cherchant sur Musico.com.*

• la condition **(Si).**
Ex. : ***En** prenant des leçons, tu chanterais plus juste.*

LE PASSÉ COMPOSÉ

page 25

FORMATION

Il se compose de l'auxiliaire ***avoir*** ou ***être*** au présent + le participe passé du verbe.
Ex. : *Elle **est arrivée** à huit heures, nous **avons pris** un verre à la maison puis nous **avons dîné** dehors.*

LE PASSÉ COMPOSÉ AVEC L'AUXILIAIRE *AVOIR*

La plupart des verbes se conjuguent avec l'auxiliaire ***avoir***.
Ex. : - Qu'est-ce que vous ***avez fait*** pendant les vacances ?
- Elisa ***a bricolé*** dans la maison, moi, j'***ai jardiné***.

⚠ Avec l'auxiliaire ***avoir***, on n'accorde pas le sujet et le participe passé. Ex. : *Hier, il a dîn**é** au restaurant. / Hier, ils ont dîn**é** au restaurant.*

LE PASSÉ COMPOSÉ AVEC L'AUXILIAIRE *ÊTRE*

Certains verbes se conjuguent avec l'auxiliaire ***être***.

⚠ Avec l'auxiliaire ***être***, on accorde le sujet et le participe au passé.

Ex. : ***Elles*** *sont pass**ées** chez Victor hier et **ils** sont all**és** au cinéma.*

QUELS SONT LES VERBES QUI SE CONJUGUENT AVEC L'AUXILIAIRE *ÊTRE* ?

- Seize verbes exprimant le plus souvent une idée de **déplacement dans l'espace** ou de **changement d'état** :

arriver / partir aller / venir (+ revenir) tomber	monter / descendre passer retourner	sortir / (r)entrer rester / devenir naître / mourir apparaître

- **Tous** les verbes pronominaux : *se lever, se coucher, se dépêcher...*

⚠ Attention à la place du pronom réfléchi. À la forme négative, le ***ne*** se place immédiatement après le sujet.
Ex. : *Nous **nous sommes** rencontrés au Pérou.*
→ *Mais non, **nous ne** nous sommes pas rencontrés au Pérou mais au Chili !*

⚠ Cinq verbes (***monter / descendre*** - (r)***entrer / sortir*** - ***passer***) peuvent utiliser l'auxiliaire ***être*** ou bien, s'il y a un complément d'objet direct après le **verbe**, l'auxiliaire ***avoir***.

Ex. : *Elle **est** descendue ? Elle **a** descendu sa valise ?*
Ex. : *Elles **sont** passées te voir ? / Elles **ont** passé de bonnes vacances.*

EMPLOI
Le passé composé exprime une action, un événement ou un fait terminé dans le passé.

LE PARTICIPE PASSÉ : FORME

Les terminaisons des participes passés sont variées.
- Tous les verbes en ***-er*** ont le participe passé en ***-é***.
  Ex. : *Il est all**é** en Croatie. Il a adoré ce pays !*

Pour les autres verbes, la terminaison peut être :
- en ***-i***.
Ex. : *Il a fin**i**. / Il est part**i**. / Elle a r**i**.*

- en ***-is***.
Ex. : *Il a m**is** trois jours pour aller de Paris à Agadir.*
*Elle a pr**is** le train puis le bus.*

- en ***-it***.
Ex. : *Elle n'a rien fa**it**, elle n'a rien d**it**, ils ont écr**it**.*

- en ***-ert***.
Ex. : *Elle a ouv**ert** la porte, elle lui a off**ert** à boire.*

- en ***-u***.
Ex. : *Vous avez v**u** le film ou vous avez l**u** le livre ?*

⚠ Il y a des verbes irréguliers.

avoir → il a **eu** *être* → il a **été** *faire* → il a **fait**	*naître* → il est **né** *vivre* → il a **vécu** *mourir* → il est **mort**

L'ACCORD DU PARTICIPE PASSÉ

AVEC L'AUXILIAIRE *AVOIR*

- On n'accorde pas le sujet et le participe passé. Ex. : *Elle a rencontr**é** Pierre et ils ont bavard**é** un moment.*
- On accorde le participe avec le COD s'il se trouve placé avant le verbe.

Ex. : *Tiens ! Voilà nos billets. Je les ai achet**és** sur Internet et je les ai imprim**és**.*

Ex. : *Ce sont des copines grecques que j'ai rencontr**ées** à Bordeaux l'an dernier.*

Ex. : *La Corse, c'est une région qu'ils ont ador**ée** !*

AVEC L'AUXILIAIRE *ÊTRE*

- On accorde le sujet et le participe passé :
  Ex. : *Elles sont part**ies** à l'aube.*

⚠ Si le verbe pronominal est suivi d'un COD, on n'accorde pas.

Ex. : *Elle s'est fai**t** plaisir, elle s'est offer**t** un voyage en Australie !*

L'IMPARFAIT DE L'INDICATIF

page 25

FORMATION

On part du radical de la 1re personne du pluriel du présent (nous) et on ajoute les terminaisons ***-ais***, ***-ais***, ***-ait***, ***-ions***, ***-iez***, ***-aient***.

AVOIR	**FINIR**	**VOULOIR**
J'av**ais**	Je finiss**ais**	Je voul**ais**
Tu av**ais**	Tu finiss**ais**	Tu voul**ais**
Il / Elle / On av**ait**	Il / Elle / On finiss**ait**	Il / Elle / On voul**ait**
Nous av**ions**	Nous finiss**ions**	Nous voul**ions**
Vous av**iez**	Vous finiss**iez**	Vous voul**iez**
Ils / Elles av**aient**	Ils / Elles finiss**aient**	Ils/Elles voul**aient**

Il y a un seul verbe irrégulier : ***être*** mais les terminaisons sont toujours ***-ais***, ***-ais***, ***-ait***, ***-ions***, ***-iez***, ***-aient***.

ÊTRE
j'ét**ais**, tu ét**ais**, il / elle / on ét**ait**,
nous ét**ions**, vous ét**iez**, ils / elles ét**aient**

EMPLOI

Comme le passé composé, l'imparfait est un temps du passé. On emploie ce temps pour :

- **décrire une situation, quelqu'un ou quelque chose dans le passé.**

Ex. : *Il y a très longtemps, Paris s'appel**ait** Lutèce.*
Ex. : *Avant, les gens ne part**aient** pas souvent en vacances à l'étranger.*

- **décrire des habitudes dans le passé.**

Ex. : *Avant, nous pass**ions** tous les ans un mois à la campagne.*

→ Avec l'imparfait, on ne précise pas le début ou la fin d'une action.

L'imparfait peut aussi avoir une valeur modale et exprimer :

- **une suggestion.**

Ex. : *Et si on all**ait** à la Réunion cet hiver ?*

- **une demande très polie.**

Ex. : *Pardon, madame, je voul**ais** vous demander un tout petit renseignement..*

LE PASSÉ COMPOSÉ ET L'IMPARFAIT p. 25

Presque toujours, pour raconter quelque chose, il faut employer les deux temps : le passé composé et l'imparfait.

Le passé composé exprime **:**

- les **faits**, les **actions**, les **événements.**

L'imparfait exprime :

- la **situation**, le **décor**, le **contexte,** une **explication** ou les **commentaires.**

→ Souvent, le passé composé vient mettre fin à une situation.

L'année dernière, j'étais fatiguée (circonstances, contexte) *de Paris, j'avais envie de voir des paysages nouveaux, alors je suis allée* (action) *toute seule au Pérou.*

Je suis partie (action) *le 1er août. Il faisait une chaleur terrible ici* (commentaire) *mais, à Lima, pas du tout, c'était l'hiver.* (commentaire).

Comme Lima était un peu triste en hiver (explications, causes) *et que j'avais envie de voir les Andes, j'ai pris l'avion pour Cuzco* (action). *J'y suis restée* (un fait) *deux semaines, j'ai fait un trekking de cinq jours au Macchu Picchu* (une action). *C'était fantastique !* (commentaire)

LA VOIX PASSIVE page 146

La forme passive est comme la forme active «inversée » : l'objet devient sujet et le sujet devient complément d'agent).

Ex. : *Les journaux ont annoncé la nouvelle hier.*
→ on insiste sur les journaux
Ex. : *La nouvelle a été annoncée hier par les journaux.*
→ on insiste sur la nouvelle

Remarques :

- Presque tous les verbes qui se construisent avec un complément d'objet direct peuvent se mettre à la forme passive.
- Le verbe à la forme passive se conjugue toujours avec l'auxiliaire ***être*** (ou les verbes *sembler, paraître, rester...*) + le participe passé.
- Le verbe se met au même temps et au même mode que son «inverse » à la forme active.

Ex. : Le Monde *a publié la déclaration du juge Dennis.* (passé composé) → *La déclaration du juge Dennis a été publiée par* le Monde. (passé composé passif)

Ex. : *Il faut que la police fasse une enquête.* (subjonctif présent)
→ *Il faut qu'une enquête soit faite par la police.* (subjonctif présent passif)

- En général, le complément d'agent est introduit par : ***par.***
  Ex. : *Ce scandale a été révélé par des « lanceurs d'alerte » en mars.*
- Mais il peut aussi être introduit par la préposition ***de*** avec des verbes exprimant un sentiment (*aimer, détester...*) ou avec les verbes *connaître, accompagner, suivre, entourer...*

Ex. : *La mauvaise situation de cette entreprise est connue **de** tout le monde depuis longtemps.*

Remarque : on peut toujours remplacer ***de*** par ***par.***

Ex. : *La mauvaise situation de cette entreprise est connue **par** tout le monde depuis longtemps.*

LE PLUS-QUE-PARFAIT page 26

FORMATION

Le plus-que-parfait est formé de l'auxiliaire ***être*** ou ***avoir* à l'imparfait** et du **participe passé** du verbe.
Ex. : ***J'étais*** *déjà* ***allée*** *en France comme touriste mais je n'y* ***avais*** *jamais* ***vécu****. Alors, j'ai décidé d'y faire mes études.*
Ex. : *Nous sommes allés au Japon l'an dernier. Nous y* ***étions*** *déjà* ***allés*** *il y a vingt ans mais nous n'y* ***étions*** *jamais* ***retournés*** *depuis.*

EMPLOI

Le plus-que-parfait indique qu'un fait, une action, un événement se sont produits **avant** une autre action (également passée). C'est comme le passé du passé composé ou de l'imparfait.
Ex. : *Ils* ***étaient*** *déjà* ***partis*** *quand je suis arrivé.*
-------------> leur départ -----------> mon arrivée

Ex. : *Madame Lamy a reçu le 12 avril 2016 une lettre que son fils lui **avait envoyée** le 18 décembre 2015 !*
-----> le fils envoie la lettre -----------> sa mère la reçoit
(18/12/2015) (12/04/2016)

LE SUBJONCTIF

page 73

FORMATION

Pour presque tous les verbes, on forme le subjonctif à partir de la 3e personne du pluriel du présent de l'indicatif sauf pour les deux premières personnes du pluriel, ***nous*** et ***vous***, qui ont la même forme qu'à l'imparfait.

TRAVAILLER : ils travaillent → il faut que je travaille, que tu travailles, qu'il travaille, que nous travaillions, que vous travailliez, qu'ils travaillent.

RÉFLÉCHIR : ils réfléchissent → il faut que je réfléchisse, que tu réfléchisses, qu'il réfléchisse, que nous réfléchissions, que vous réfléchissiez, qu'ils réfléchissent.

PARTIR : ils partent → il faut que je parte, que tu partes, qu'il parte, que nous partions, que vous partiez, qu'ils partent.

ÉCRIRE : ils écrivent → il faut que j'écrive, que tu écrives, qu'il écrive, que nous écrivions, que vous écriviez, qu'ils écrivent.

⚠ Cinq verbes sont entièrement irréguliers : ***avoir, être, faire, savoir*** et ***pouvoir***.

INFINITIF	SUBJONCTIF	
AVOIR	que j'aie que tu aies qu'il/elle ait	que nous ayons que vous ayez qu'ils/elles aient
ÊTRE	que je sois que tu sois qu'il/elle soit	que nous soyons que vous soyez qu'ils/qu'elles soient
FAIRE	que je fasse que tu fasses qu'il/elle fasse	que nous fassions que vous fassiez qu'ils/elles fassent
SAVOIR	que je sache que tu saches qu'il/elle sache	que nous sachions que vous sachiez qu'ils/elles sachent
POUVOIR	que je puisse que tu puisses qu'il/elle puisse	que nous puissions que vous puissiez qu'ils/elles puissent

Ex. : *Il ne faut pas que tu **sois** esclave de ton image.*
Ex. : *Je voudrais qu'il **devienne** mon ami sur les réseaux sociaux mais pas plus !*
Ex. : *Ses parents aimeraient qu'il **passe** un peu moins de temps sur son ordi et un peu plus dans ses livres.*

⚠ **Trois verbes sont « mixtes » : *aller, vouloir* et *valoir*.**

- Ils sont irréguliers pour les trois personnes du singulier (je/tu/il-elle) et la dernière du pluriel (ils).
- Pour les 1re et 2e du pluriel (nous et vous), ils se conjuguent comme à l'imparfait.

ALLER	que j'aille que tu ailles qu'il/elle aille	que nous allions que vous alliez qu'ils/elles aillent
VOULOIR	que je veuille que tu veuilles qu'il/elle veuille	que nous voulions que vous vouliez qu'ils/elles veuillent
VALOIR	que je vaille que tu vailles qu'il/elle vaille	que nous valions que vous valiez qu'ils/elles vaillent

Ex. : *Je voudrais que tu **ailles** chez Marianne pour voir si elle va mieux.*
Ex. : *N'achète pas cette montre connectée, je ne pense pas que ça **vaille** la peine.*

- **Le verbe *falloir* (*il faut*) : *qu'il faille***

Ex. : *Ta photo de profil est sympa je ne pense pas qu'**il faille** la changer. Garde-la !*

EMPLOIS

Le subjonctif s'emploie surtout dans les propositions subordonnées :

A - APRÈS DES VERBES EXPRIMANT UN JUGEMENT OU UN SENTIMENT

- **Le désir, le souhait : *vouloir, aimer, adorer, préférer, désirer, souhaiter...***

Ex. : *J'aimerais que tu **deviennes** mon ami sur Facebook.*
Ex. : *Je voudrais que les journalistes **soient** plus respectueux de la vie privée des gens.*

- **Le doute :**

Ex. : *Je ne crois pas qu'il **puisse** comprendre, il est trop jeune.*

- **La crainte :**

Ex. : *J'ai peur que mon blog **soit** un peu ridicule.*

- **Le regret :**

Ex. : *Je regrette qu'on **ait vendu** notre vieil appareil photo.*

- **L'ordre et l'interdiction** :

Ex. : *Je veux que tu **éteignes** cet ordinateur ! Je ne veux pas que tu **sois** sur Facebook toute la journée !*

⚠ Il faut que les sujets des 2 propositions soient différents.

a) *Je veux sortir.* (1 seul sujet : je)
Je veux que tu sortes. (2 sujets différents : je + tu)

b) *Il a peur de sortir la nuit.* (1 seul sujet)
Il a peur que sa fille sorte la nuit. (2 sujets)

c) *Elle a fait ça sans le vouloir.* (1 sujet)
Elle a fait ça sans qu'ils le sachent. (2 sujets)

B - APRÈS DES CONSTRUCTIONS IMPERSONNELLES

- **Exprimant une obligation, une possibilité, un doute** :
  il faut que, il est important que, il est nécessaire que, il vaut mieux que, il est temps que, ça m'étonnerait que, etc.

Ex. : *Il est possible qu'on* ***achète*** *un nouvel ordinateur ce mois-ci.*
Ex. : *Il vaut mieux que nous* ***finissions*** *ce travail tout de suite.*

C - APRÈS CERTAINES CONJONCTIONS EXPRIMANT LE BUT, L'OPPOSITION, LA CONCESSION, LE TEMPS, L'HYPOTHÈSE ET LA CONDITION : *pour que* (but), *avant que* (temps), *de peur que* (crainte), *sans que, en attendant que, jusqu'à ce que* (temps), *à condition que, à supposer que* (condition, supposition, hypothèse), *bien que* (concession), etc.

Ex. : *Elle a mis cette photo sur Facebook pour que tout le monde* ***sache*** *où elle a été ce week-end.*

D - APRÈS DES RELATIFS POUR EXPRIMER L'ÉVENTUALITÉ, L'INCERTITUDE, LE SOUHAIT.
Comparez :

Ex. : *Je cherche une amie qui s'appelle Ellen et qui vient d'arriver d'Oslo.* (elle existe)

Ex. : *Je cherche une amie* ***qui*** *soit gentille et* ***qui*** *veuille bien vivre à la campagne.* (je ne sais pas si une fille comme ça existe ou non, c'est un souhait = ***qui*** + subjonctif)

LE CONDITIONNEL PRÉSENT

page 42

FORMATION

Le conditionnel est une forme en ***-r***, comme le futur. Pour les verbes en ***-er*** et ***-ir***, on part de l'infinitif et on ajoute les terminaisons de l'imparfait : ***-ais***, ***-ais***, ***-ait***, ***-ions***, ***-iez*** et ***-aient***.

Ex. : *- Si j'avais de l'argent, je voyager****-ais****. Et toi ?*
*- Avec Paul, nous acheter****-ions*** *un piano Bechstein.*

AIMER	PARTIR
J'aimer**ais**	Je partir**ais**
Tu aimer**ais**	Tu partir**ais**
Il / Elle / On aimer**ait**	Il / Elle / On partir**ait**
Nous aimer**ions**	Nous partir**ions**
Vous aimer**iez**	Vous partir**iez**
Ils / Elles aimer**aient**	Ils / Elles partir**aient**

⚠ Les verbes irréguliers sont les mêmes que pour le futur :

aller → j'irais
avoir → j'aurais
courir → je courrais
devoir → je devrais
envoyer → j'enverrais
être → je serais
faire → je ferais
falloir → il faudrait
mourir → je mourrais
pleuvoir → il pleuvrait
pouvoir → je pourrais
savoir → je saurais
tenir → je tiendrais
venir → je viendrais
voir → je verrais
vouloir → je voudrais

EMPLOIS

On utilise le conditionnel présent pour :

- demander quelque chose poliment avec ***vouloir*** et ***pouvoir.***

Ex. : *Bonjour. Je* ***voudrais*** *des renseignements sur vos séjours en Irlande, s'il vous plaît.*
Ex. : *Tu* ***pourrais*** *m'aider, s'il te plaît ?*

- exprimer un désir, un souhait avec les verbes ***aimer*** et ***vouloir.***

Ex. : *J'****aimerais*** *faire des progrès au piano.*
Ex. : *Je* ***voudrais*** *m'inscrire à l'examen de septembre.*

- conseiller, proposer ou suggérer quelque chose à quelqu'un avec les verbes ***devoir***, ***pouvoir*** et ***falloir.***

Ex. : *Tu* ***devrais*** *te coucher moins tard et te lever plus tôt.*
Ex. : *On* ***pourrait*** *sortir ce soir, non ?*
Ex. : *Il* ***faudrait*** *faire trois heure de gym pour être en forme.*

- On utilise aussi le conditionnel présent dans les phrases hypothétiques. Il est souvent en relation avec une proposition subordonnée en ***si*** + imparfait.

> dans l'hypothèse possible
Ex. : ***S'****il faisait beau demain, j'irais faire un tour à la campagne.*

> dans l'irréel du présent
Ex. : *Il dit toujours que* ***s'****il était milliardaire, il vivrait en Floride.*

- Il sert aussi à parler d'une nouvelle non confirmée.

Ex. : *Selon certaines sources, des élections anticipées auraient lieu cet automne.*

LE CONDITIONNEL PASSÉ

page 56

FORMATION

Il est formé de l'auxiliaire ***être*** ou ***avoir*** au conditionnel présent et du participe passé du verbe.

EMPLOIS

On utilise le conditionnel passé pour :

- **demander** quelque chose (au passé) **de manière polie.**

Ex. : *Vous n'****auriez*** *pas* ***vu*** *un petit chat noir ? Le mien a disparu.*

- exprimer un **reproche** ou un **regret.**

Ex. : *Tu n'****aurais*** *pas* ***dû*** *chanter aussi fort hier soir ! Tu l'as réveillé !*
Ex. : *J'****aurais adoré*** *faire de la guitare.*

Dans les phrases hypothétiques, le conditionnel passé exprime **l'irréel du passé** : quelque chose qui ne s'est pas produit. Il est presque toujours en relation avec une subordonnée en ***si*** + plus-que-parfait.

Ex. : ***Si*** *j'avais continué le piano, j'aurais pu devenir célèbre !*
Ex. : ***Si*** *j'avais gardé contact avec Gabriel, j'aurais pu l'inviter.*

- Le conditionnel passé sert aussi à parler au passé d'**une nouvelle non confirmée.**

Ex. : *Deux scientifiques canadiens* ***auraient fait*** *une découverte très importante sur l'atome.*

LES ADVERBES

page 59

FORMATION

- En général, pour former un adverbe, on ajoute le suffixe **–ment** au féminin de l'adjectif : *heureux* → *heureuse* → *heureusement*.
- Si l'adjectif est identique au masculin et au féminin, pas de problème ! : ***facile (m.) / facile (f.)*** → ***facilement***
- Quand l'adjectif se termine par -***ai***, -***é***, -***u***, -***un***, on ajoute le suffixe au masculin de l'adjectif : *vrai* → *vraiment*.
  Ex. : *décidément, forcément, aisément, poliment, éperdument*
- Quand l'adjectif se termine par -***ant*** ou -***ent***, on ajoute, en général, le suffixe -***amment*** ou -***emment*** : *prudent* → *prudemment*.
  La terminaison s'écrit différemment mais se prononce de la même manière, [amɑ̃] : *élégamment* [elegamɑ̃] / *récemment* [ʀesamɑ̃].
  Constant → *constamment* / *Méchant* → *méchamment*
  Différent → *différemment* / *Intelligent* → *intelligemment*
  Mais attention : *lent* → *lentement*

LES PRÉPOSITIONS

LES PRÉPOSITIONS DE LIEU

page 24

AVEC LES NOMS DE PAYS

1) **Si le nom de pays est féminin** (*la France, l'Espagne, l'Italie, la Colombie*, la Russie, *la Grèce*...) ou **masculin commençant par une voyelle** (*l'Iran, l'Irak, l'Afghanistan, l'Uruguay*...)

- **Aller en - Habiter en - Vivre en**
  Ex. : *Nous **allons en** Bulgarie. / Elle **habite en** Italie. / Il **vit en** Iran.*
- **Venir de/d' - Arriver de/d'**
  Ex. : *Larissa **vient de** Russie. / Vous **arrivez d'**Iran ou **d'**Irak ?*

Remarque : Les noms de pays sont féminins quand ils sont terminés par **-e** (sauf *le Mexique, le Cambodge*...).

2) **Si le nom de pays est masculin commençant par une consonne** (*le Brésil, le Pérou, le Chili, le Portugal*...)

- **Aller au - Habiter au**
  Ex. : *Je **vais au** Portuga. / On **habite au** Brésil.*
- **Venir du - Arriver du/d'**
  Ex. : *Yukiko **vient du** Japon. / Tu **arrives du** Pérou ou d'Équateur ?*

3) **Si le nom de pays est pluriel** (les États-Unis, les Pays-Bas...)

- **Aller aux - Habiter aux**
  Ex. : *Nous **partons aux** Philippines. / Nous **vivons aux** Etats-Unis.*
- **Venir des - Arriver des**
  Ex. : *Bill **vient des** États-Unis. / J'**arrive des** Pays-Bas.*

4) Attention, **certains noms d'îles** n'ont pas d'article : *Cuba, Madagascar, Chypre, Malte*...

- **Aller à - Habiter à - Vivre à**
  Ex. : *Ils **sont allés à** Malte. / Elle **vit à** Cuba.*
- **Venir de / Arriver de**
  Ex. : *Nicolaos **vient de** Chypre. / J'**arrive de** Cuba.*

AVEC LES NOMS DE VILLES

- **À**
  Ex. : *J'habite **à** Rome - Je vais **à** Amsterdam. / Vous vivez **à** New York ?*
- **De/D'**
  Ex. : *Vous arrivez **de** Paris ou de Londres ? / Il est **d'**Istanbul ou **d'**Ankara ?*

AVEC LES NOMS DE RÉGIONS

Si le nom est féminin ou masculin commençant par une voyelle

- **Aller en - Habiter en**
  Ex. : *Nous **allons en** Provence. / Ils **habitent en** Andalousie.*
- **Venir de/d' - Arriver de/d'**
  Ex. : *Tu **viens de** Californie ? / Elle **arrive de** Bretagne.*

Si le nom est masculin commençant par une consonne

- **Aller dans - Habiter dans**
  Ex. : *Je **vais dans** le Nord. / Elle **habite dans** le Midi.*
- **Venir du/d' - Arriver du/d'**
  Ex. : *Tu **viens du** Périgord ? / J'**arrive du** Texas.*

L'EXPRESSION DU SOUHAIT

page 117

Pour exprimer un souhait, on peut utiliser :

- ***J'espère que*** + verbe au futur.
  Ex. : ***J'espère que** les gens comme toi évolueront.*
- ***Je voudrais*** + infinitif.
  Ex. : ***Je voudrais** garder des liens avec mes semblables.*
- ***J'aimerais beaucoup*** + infinitif.
  Ex. : ***J'aimerais beaucoup** vivre 100 ans.*

Ex. : ***Je voudrais** deux places, s'il vous plaît.*
***J'aimerais** bien voir le dernier film de Tarentino.*
***Il souhaiterait** qu'on finisse de travailler un peu plus tôt vendredi.*

LES RELATIONS LOGIQUES

LA CAUSE

PAGE 148

Pour exprimer la cause, on utilise :

- ***parce que*** / ***car*** / ***comme*** / ***en effet*** + proposition.
- ***à cause de*** / ***grâce à*** + nom ou pronom.
- avec **parce que** + proposition, on donne une explication.

Parce que répond à la question : **Pourquoi ?**
Ex. : - *__Pourquoi__ ce journaliste est-il en prison ?*
- *__Parce qu'__il a écrit des articles sur la corruption dans son pays.*

- ***car*** + proposition a le même sens que ***parce que*** mais on l'utilise surtout à l'écrit. Il ne peut jamais être en début de phrase.

Ex. : *Je ne pense pas pouvoir venir __car__ j'ai un article à écrire.*

- avec ***comme*** + proposition, on souligne la relation évidente entre la cause et le résultat.

Ex. : *__Comme__ les gens lisent de moins en moins de journaux papier, l'avenir de la presse écrite est en danger.*
⚠ ***Comme*** se place toujours en début de phrase.

- Avec ***en effet***, on introduit une explication. ***En effet*** se trouve presque toujours après un point ou un point-virgule.

Ex. : *Ce « lanceur d'alerte » est inquiet. __En effet__, on l'accuse de trahison.*

- ***à cause de*** + nom ou pronom : idée de cause négative.

Ex. : *Il a eu des problèmes avec la censure __à cause de__ ses dessins.*

- ***grâce à*** + nom ou pronom : idée de cause positive.

Ex. : *__Grâce à__ l'excellent travail des journalistes, on a découvert un énorme scandale financier.*

- ***en raison de*** + nom *(pour les informations officielles)*

Ex. : *__En raison d'__une grève des techniciens, notre journal ne paraîtra pas demain.*

LA CONSÉQUENCE

page 148

Pour exprimer la conséquence, on utilise ***donc***, ***alors***, ***par conséquent*** ou ***c'est pourquoi***.

- ***(et) donc*** Ex. : *Ils ne sont pas d'accord avec la ligne politique de ce journal __et donc / par conséquent / c'est pourquoi__, ils ont arrêté leur abonnement.*

- ***(et) alors*** a le même sens que ***donc*** ou ***par conséquent*** mais s'emploie plutôt à l'oral. On l'utilise aussi pour demander quelle est la conséquence d'un fait.

Ex. : - *J'ai envoyé une lettre de protestation au journal.*
- ***Et alors*** *?*
- ***Et alors***, *ils n'ont rien répondu, bien sûr !*

- ***C'est pourquoi*** exprime aussi la conséquence. Cette expression s'utilise plutôt à l'écrit.

Ex. : *Je trouve que votre article sur notre quartier est totalement scandaleux. __C'est pourquoi__ je demande un droit de réponse.*

LE BUT

page 39

Le but est le résultat, l'objectif que l'on cherche à atteindre.
Pour exprimer une idée de but, on utilise le plus souvent.
Pour + infinitif, ***Pour que*** + subjonctif, ***Afin de*** + infinitif et ***Afin que*** + subjonctif ont le même sens que ***Pour*** / ***Pour que*** mais il sont un peu plus formels.
⚠ ***pour / afin de*** + infinitif → 1 seul sujet
Ex. : *__Pour__ être informé 24 heures sur 24, écoutez RADIO 24.*

⚠ ***pour que / afin que*** + subjonctif → 2 sujets différents
Ex. : *Je dis à mes amis de lire la presse __pour qu'__ils sachent ce qui se passe dans le monde.*

LA CONCESSION

page 132

Pour opposer deux situations ou deux réalités qui sont contradictoires, on utilise le plus souvent ***(et) pourtant*** ou ***malgré*** + nom (ou ***en dépit de*** + nom).

Ex. : *Il a beaucoup de diplômes __et pourtant__ il ne trouve pas de travail.*
Ex. : *__Malgré__ ses nombreux diplômes, il ne trouve pas de travail.*
Ex. : *__En dépit de__ ses nombreux diplômes, il ne trouve pas de travail.*

- On peut également utiliser, surtout à l'écrit, ***cependant***, ***toutefois*** ou ***néanmoins***.
  Ex. : *Il a reçu une bonne éducation. __Cependant__, il se tient assez mal à table.*

- Ou encore ***bien que*** + subjonctif
  Ex. : *__Bien que__ son fils fasse beaucoup de caprices, sa mère ne se fâche jamais.*

- Ou, enfin, ***quand même*** qui est toujours placé après le verbe.
  Ex. : *Mon frère est prof, il est souvent fatigué mais il aime bien son travail __quand même__.*

LA CONDITION ET L'HYPOTHÈSE

Quand la condition se situe dans le présent, la conséquence peut être ou dans le présent ou dans le futur.

- **La condition est dans le présent**, avec une **conséquence dans le présent** aussi :

Si + présent → présent : ***Si*** *tu veux, tu peux venir avec moi...*
Si + présent → impératif présent : ***Si*** *tu veux, viens avec moi !*

- **La condition est dans le présent**, avec une **conséquence dans le futur** :

Si + présent → présent : ***Si*** *on se prépare bien, on réussit toujours.*
Si + présent → futur proche : ***Si*** *tu te prépares bien, tu vas réussir !*
Si + présent → futur simple : ***Si*** *les gens ne vont plus voir des films, les cinémas fermeront.*
Si + présent → impératif présent : ***Si*** *tu n'aimes plus cette revue, arrête de l'acheter !*
→ Dans tous ces cas, la réalisation de l'action est possible.

- **L'hypothèse est dans le présent** mais la **condition est irréalisable :**

Si + imparfait → conditionnel présent : ***Si*** *j'avais vingt ans de moins, je monterais un groupe de rock.* (mais je n'ai pas 20 ans de moins !)

- **L'hypothèse est dans le passé, la condition ne s'est pas réalisée**

Si + plus-que-parfait → conditionnel passé : ***Si*** *j'avais vécu en 1789, j'aurais participé à la Révolution française.* (mais je n'ai pas vécu à cette époque)
Et aussi ....
À condition de + infinitif (un seul sujet)
Ex. : *Je veux bien venir samedi __à condition de__ partir tôt.*

À condition que + subjonctif (deux sujets différents)
Ex. : *Je veux bien venir samedi **à condition que** Lisa vienne aussi.*

Sauf si :
Ex. : *Impossible de faire cet exercice **sauf si** tu m'aides, bien sûr.*

LES ORGANISATEURS DU DISCOURS

Les textes argumentatifs suivent en général une progression stricte. Pour aider le lecteur à suivre la logique d'un discours, on utilise des termes qui lui permettent de se repérer.

- **Pour commencer** : *D'abord, ... ; tout d'abord, ...*
- **Pour introduire un second élément** : *Ensuite, ... ; Deuxièmement, ... ; En deuxième lieu, ...*
- **Pour introduire un élément supplémentaire** : *De plus, ... ; Par ailleurs, ... ; D'autre part, ...*
- **Pour introduire le dernier élément** : *Enfin, ...*
- **Pour introduire la conclusion** : *Pour conclure, ... ; En conclusion, ... ; Bref, ... ; En définitive, ...*

DISCOURS DIRECT, DISCOURS INDIRECT

LE TEMPS DES VERBES

page 129

- **Discours direct**

Je cherche un poste de directeur du marketing. J'ai 31 ans, j'ai déjà occupé un poste d'assistant commercial pendant quatre ans à Carrefour. Depuis deux ans, je suis chef du service Clientèle à Intermarché. Je terminerai mon contrat dans deux mois.

- **Discours indirect dans un contexte de présent (ou de futur)**

Il explique/expliquera qu'il cherche un poste de directeur du marketing. Il dit/dira qu'il a 31 ans, qu'il a déjà occupé un poste d'assistant commercial pendant quatre ans à Carrefour. Il dit/dira aussi que, depuis deux ans, il est chef du service Clientèle à Intermarché et qu'il terminera son contrat dans deux mois.

→ Le temps des verbes subordonnés ne change pas.

- **Discours indirect dans un contexte de passé (passé composé, imparfait, plus-que-parfait...)**

Il a expliqué qu'il cherchait un poste de directeur du marketing. Il a dit qu'il avait 31 ans, qu'il avait déjà occupé un poste d'assistant commercial pendant quatre ans à Carrefour. Il a dit aussi que depuis deux ans, il était chef du service Clientèle à Intermarché et qu'il terminerait son contrat dans deux mois.

→ Le temps des verbes subordonnés change :
- le présent → imparfait *(cherche → cherchait)*
- le passé composé → plus-que-parfait *(a occupé → avait ocupé)*
- le futur → conditionnel présent *(terminera → terminerait)*

- **Le cas de l'impératif**

Au discours indirect, une seule possibilité : ***de*** + infinitif.
Ex. : « Viens ! Dépêche-toi ! »
Il me dit / *Il me dira* / *Il m'a dit* } ***de*** venir et ***de*** me dépêcher.

LES EXPRESSIONS DE TEMPS

page 129

Quand le verbe qui introduit le discours est au passé, il faut modifier les expressions de temps.

DISCOURS DIRECT	DISCOURS INDIRECT
• *aujourd'hui*	• *ce jour-là*
• *ce soir*	• *ce soir-là*
• *en ce moment*	• *à ce moment-là*
• *hier*	• *la veille*
• *avant-hier*	• *l'avant-veille*
• *la semaine dernière*	• *la semaine précédente*
• *il y a quinze jours*	• *quinze jours avant/plus tôt*
• *demain*	• *le lendemain*
• *après-demain*	• *le surlendemain*
• *la semaine prochaine*	• *la semaine suivante*
• *dans quinze jours*	• *quinze jours après/plus tard*

Ex. : *Nous sommes arrivés la semaine dernière et nous sommes ravis ! Avant-hier, nous avons fait une excursion en montagne et hier, nous sommes allés faire du bateau toute la journée. Aujourd'hui et demain, nous restons tranquillement à l'hôtel parce que le départ est pour après-demain très tôt ».*

Chris et Vanessa sont allés à la Réunion l'été dernier. Ils nous ont envoyé une carte le 1er août pour nous dire qu'ils étaient arrivés la semaine précédente, qu'ils avaient fait une excursion en montagne l'avant-veille et en mer la veille. Ils étaient un peu fatigués. Ils ont expliqué que ce jour-là et le lendemain, ils restaient à l'hôtel parce qu'ils partaient le surlendemain très tôt.

LE DISCOURS RAPPORTÉ

page 129

Comme dans le passage du discours direct au discours rapporté, il faut veiller aux changements :

DES PRONOMS PERSONNELS, DES PRONOMS ET DES ADJECTIFS POSSESSIFS AFIN QU'ON COMPRENNE QUI PARLE ET DE QUI.

Ex. : *Est-ce que tu aimes ma nouvelle coiffure ? On prend ta voiture ou la mienne pour aller en boîte ?*
→ *Elle veut savoir si j'aime sa nouvelle coiffure et si on prend sa voiture ou la mienne pour aller en boîte.*

DES TEMPS DE L'INDICATIF LORSQUE LE VERBE INTRODUCTEUR EST À UN TEMPS DU PASSÉ.

Ex. : *Tu vas me présenter à tes parents et on se mariera bientôt ?*
→ *Elle m'a demandé si j'allais la présenter à mes parents et si on se marierait bientôt.*

Verbe de l'interrogation directe	→ à l'interrogation indirecte
au présent	→ à l'imparfait
au futur	→ au conditionnel présent
au futur antérieur	→ au conditionnel passé
au passé composé	→ au plus-que-parfait
à l'impératif	→ de + infinitif
Les autres temps	→ pas de changement

MOTS INTERROGATIFS (POUR UNE INTERROGATION PARTIELLE)

Dans l'interrogation directe : ***Où***, ***quand***, ***comment***, ***pourquoi***, ***combien***, ***qui***, ***quel jour ?*** + inversion sujet-verbe.
Dans l'interrogation indirecte : Sans inversion sujet-verbe
Ex. : ***Où*** *vas-tu ?* ***Qui*** *vois-tu ?* ***À quelle*** *heure rentres-tu ?*
→ *Ma copine est très jalouse. Elle me demande toujours où je vais, qui je vois, à quelle heure je rentre ! C'est l'enfer !*

AUTRES MOTS INTERROGATIFS (POUR UNE INTERROGATION TOTALE)

Est-ce que → si
Que ou qu'est-ce que → ce que
Qu'est-ce qui / qu'il → ce qui / ce qu'il

Suivis de verbes comme : ***demander, savoir, vouloir, s'informer***
Ex. : ***Qu'est-ce que*** *tu fais avec tes copains ?* ***Est-ce que*** *je peux venir avec vous ?* ***Qu'est-ce qui*** *se passe ?* ***Pourquoi*** *tu ne me réponds pas ?*
→ *Ma copine est très curieuse, elle veut toujours savoir ce que je fais avec mes copains. Elle me demande sans cesse si elle peut venir avec nous et veut savoir ce qui se passe. Elle s'énerve et ne comprend pas pourquoi je ne réponds pas.*

- **Discours direct**

Il met en scène des interlocuteurs et fait entendre à l'identique les paroles prononcées par quelqu'un. À l'oral, la personne qui parle imite parfois celle dont elle reprend les paroles. À l'écrit, cela est signifié par les deux points et l'ouverture de guillemets.

Fin du procès de Madame Budimir, en direct du tribunal de Nanterre. Très solennellement, le juge s'est adressé à Madame Budimir : « Vous êtes coupable d'avoir voulu utiliser la célébrité d'une grande marque à des fins personnelles ».

- **Discours rapporté**

Les paroles prononcées sont en quelque sorte « neutralisées », intégrées à la syntaxe de la phrase. À l'écrit comme à l'oral, cela est signifié par un verbe introducteur suivi d'une proposition complétive commençant par ***que*** :

Fin du procès de Madame Budimir, en direct du tribunal de Nanterre. Très solennellement, le juge s'est adressé à Madame Budimir et lui a déclaré ***qu'****elle était coupable d'avoir voulu utiliser la célébrité d'une grande marque à des fins personnelles ».*

RAPPEL : Pour conserver la cohérence du discours et comprendre qui dit quoi, vous devez faire les transformations nécessaires des **pronoms personnels**, **possessifs** et des **adjectifs possessifs**.
Pour la concordance des temps, voir le tableau, plus haut.

⚠ Attention : certains verbes ne peuvent pas être utilisés comme verbe introducteurs du discours rapporté parce qu'ils ne peuvent pas être suivis de la conjonction ***que***.

Par exemple, vous ne pouvez pas dire :
Ex. : ~~*Elle m'a rassuré qu'elle connaissait bien la route et qu'elle conduirait prudemment.*~~

La langue utilise alors une astuce pour garder tout son sens à la phrase : on ajoute « ***en disant que*** » après le verbe introducteur :
Ex. : *Elle m'a rassuré* ***en*** *me* ***disant qu'****elle connaissait bien la route et qu'elle conduirait prudemment.*

L'INTERROGATION INDIRECTE page 133

- **Question simple :** avec ***est-ce que*** ou avec inversion → ... ***si*** ...

Ex. : - ***Est-ce que*** *tu te souviens de tes instituteurs ?*
- *On me* ***demande*** *souvent* ***si*** *je me souviens d'eux mais je les ai tous oubliés.*

Ex. : - *As-tu répondu au directeur de l'école ?*
- *Tu m'as déjà* ***demandé si*** *j'avais répondu et je t'ai dit que oui !*

- ***Qu'est-ce que*** → ***ce que***
- ***Qu'est-ce qui*** → ***ce qui***

Ex. : - ***Qu'est-ce que*** *tu as fait ?* ***Qu'est-ce qui*** *s'est passé ? Eh bien, réponds !* → *Je te demande* ***ce que*** *tu as fait,* ***ce qui*** *s'est passé.*

- Pour les questions avec ***quand, comment, pourquoi, où, combien,*** on garde les mêmes adverbes pour l'interrogation indirecte, toujours sans inversion du sujet.

Une mère à sa fille.
Ex. : *« Où vas-tu ? Pourquoi tu ne réponds rien ? Quand rentreras-tu ? »*
→ *Elle veut savoir où elle va, pourquoi elle ne répond rien, quand elle rentrera....*

GRAMMAIRE DE LA COMMUNICATION

DONNER SON OPINION page 71

- ***Penser que, croire que, trouver que*** **+ indicatif**

Ex. : *Je* ***pense/****Je* ***crois qu'****il faut réviser toute la leçon pour demain.*
Ex. : *J'aime bien ce prof, je* ***trouve qu'****il explique bien.*

- ***Avoir l'impression que*** **+ indicatif**

Ex. : *J'****ai l'impression qu'****il a fait des progrès en français.*

- ***Il me semble que*** **+ indicatif**

Ex. : ***Il me semble que*** *tu as partagé son post, non ?*

- ***À mon avis, ...***

Ex. : ***À mon avis****, tu devrais ouvrir un compte Linkedin.*

- **Pour moi, ...**

Ex. : ***Pour moi****, les réseaux sociaux sont indispensables.*

DIRE QU'ON EST D'ACCORD OU PAS D'ACCORD

page 70

- **Quand on est d'accord**
  D'accord ! Je suis entièrement d'accord avec vous.
  Je suis de votre avis.
  Je partage votre opinion.
  Vous avez (absolument) raison.
- **Quand on n'est pas d'accord**
  Je ne suis pas d'accord.
  Je ne suis pas de votre avis.
  Je ne partage pas votre point de vue.
  Je suis d'un avis un peu différent.

EXPRIMER DES SENTIMENTS

page 38

- **POSITIFS**
  J'adore...
  Je suis fou/folle de...
  J'ai la passion de...

- **NÉGATIFS**
  Je n'aime pas (pas beaucoup / pas du tout)
  Je déteste...,
  J'ai horreur de...,
  Je ne supporte pas + nom
  Je ne supporte pas de + infinitif
  Je ne supporte pas que + subjonctif.
  Ça me fait de la peine

- **DE SURPRISE**
  Ça m'étonne, ça me surprend,
  Je suis surpris(e), je suis étonné(e),
  Je suis stupéfait(e)...

- **DE REGRET**
  Je regrette + nom
  Je regrette que + subjonctif

- **D'INQUIÉTUDE / DE CRAINTE**
  Je suis inquiet
  J'ai peur de + nom ou infinitif
  J'ai peur que + subjonctif
  Je crains + nom
  Je crains de + infinitif
  Je crains que + subjonctif

CONSEILLER À QUELQU'UN DE FAIRE QUELQUE CHOSE

page 42

- **Je vous conseille** + nom **/ Je vous conseille de** + infinitif
  Ex. : ***Je vous conseille de*** *ne pas partir après 17 h.*

- **Si j'étais vous,** + conditionnel présent
  Ex. : ***Si j'étais vous,*** *j'attendrais un peu avant de me décider.*

- **À votre place,** + conditionnel présent
  Ex. : ***À votre place,*** *j'accepterais tout de suite.*

LA CONSTRUCTION DES VERBES

acheter	qqch (**à** qqn)	*Il **a acheté** un cadeau **à** sa sœur.*
aimer	qqn qqch + infinitif	*J'**aime** mon copain Nicolas.* *J'**aime** le sport.* *J'**aime** beaucoup danser.*
aller	**à, à la, au, chez** + infinitif	*Ce soir, on **va chez** Tom, et après, on **va au** cinéma.* *Demain, on **va** dîner **chez** Sonia.* *(→ futur proche)*
appeler	qqn	*On dîne ! **Appelle** ton père !* *Tu **as appelé** ta grand-mère ?*
apporter	qqch (**à / aux** qqn)	*J'**ai apporté** des chocolats **aux** enfants.*
apprendre	qqch qqch **à** qqn **à** + infinitif	*Il n'**a** pas **appris** sa leçon, il ne la sait pas.* *Il **a appris** la bonne nouvelle **à** son père.* *Elle n'a jamais **appris à** conduire.*
arriver	**à faire** qqch	*Je n'**arrive** pas **à faire** cet exercice. Tu peux m'aider ?*
attendre	qqn qqch	*Tu **attends** Lou ? Elle arrive tout de suite.* *Elle **attend** un mail de son patron.*
avoir	qqn qqch + âge + yeux, cheveux... + ...	*Ils **ont** deux enfants.* *J'**ai eu** un scooter l'an dernier.* *Il **a** dix-sept ans.* *J'**ai** les yeux et les cheveux noirs* ***avoir** peur, **avoir** mal, **avoir** faim, **avoir** soif, **avoir** chaud, **avoir** froid* (sans article)
avoir besoin de	qqn qqch infinitif	*J'**ai besoin de** toi.* *Il **a besoin de** lunettes.* *Il est fatigué, il **a besoin de** dormir.*
avoir envie de	qqch infinitif	*J'**ai envie d'**un bon chocolat chaud.* *J'**ai envie d'**aller à la plage cet été.*
changer	**de** + qqn qqch	*Elle **change de** copains toutes les semaines !* *Tu **changes de** robe ?*
commencer	qqch **à** + infinitif	*J'**ai commencé** le judo l'année dernière.* *Tu **commences à** travailler à quelle heure ?*
comprendre	qqn qqch	*Il ne **comprend** pas son frère.* *Je ne **comprends** pas tes explications.*
connaître	qqn qqch	*Tu **connais** cette actrice ?* *On ne **connaît** pas encore Paris.*
continuer	qqch **à** (**de**) + infinitif	*Je veux **continuer** le judo l'an prochain.* *Il **continue à (de)** pleuvoir.*
croire	qqn **à** qqch / qqch que	*Il ne faut pas toujours **croire** ses amis.* *Je ne **crois** pas **à** tes histoires !* *Je **crois qu'**il est parti. (→ je pense que)*
demander	qqn qqch (**à** qqn) **à** qqn **de** + infinitif	*On **demande** un spécialiste en informatique.* ***Demande** la permission **à** tes parents.* *Il **a demandé à** ses parents **de** passer le week-end chez Lucas.*
dépêcher (se)	**de** + infinitif	***Dépêche-toi de** t'habiller ! Tu vas être en retard !*

détester	qqn qqch + infinitif	*Je **déteste** ce garçon, il est horrible !* *Ils **détestent** le foot.* *Il **déteste** se lever tôt.*
devoir	qqch (à qqn) qqch + infinitif	*Je vous **dois** combien ?* *On **doit** être à la gare à sept heures.*
dire	qqch (à qqn) à qqn **de** + inf. + que	*Tu lui **as dit** la vérité ?* *Elle **a dit à** sa fille **de** se dépêcher.* *Ils **disent qu'**ils sont très contents.*
donner	qqch (à qqn) **sur**	*On **a donné** un cadeau **à** Lucie pour ses 15 ans.* *La cuisine **donne sur** la rue.*
écrire	qqch qqch **à** qqn **à** qqn + **de** infinitif **à** qqn + **que**	*Il **a écrit** un roman policier.* *Tu **as écrit** un SMS **à** Laure ?* *Je lui **ai écrit de** venir chez moi à Noël.* *Il nous **écrit que** tout va bien.*
entendre	qqn qqch **que**	*Tu **as entendu** le bébé ?* *Chut ! J'**ai entendu** un bruit dans le jardin.* *J'**ai entendu** à la radio **qu'**il va neiger demain.*
essayer	qqch **de** + infinitif	*Je peux **essayer** cette veste, s'il vous plaît ?* *Je vais **essayer de** travailler un peu plus cette année.*
être	+ adjectif + métier qqn + lieu + heure	*Elle **est** chinoise.* *Il **est** architecte.* (sans article) *Tu **es** la sœur d'Alexandre ?* *Salut ! On **est** à Montréal !* *Il **est** dix heures.*
expliquer	qqch (**à** qqn) **à** qqn **que**	*Tu peux m'**expliquer** cet exercice de maths, s'il te plaît ?* *Le professeur nous **explique qu'**il sera absent deux jours.*
faire	qqch + activité + mesure + prix + durée Il fait + temps	*On **fait** un gâteau ?* *Je **fais** du piano et Léo **fait** du judo.* *L'appartement **fait** 100 m².* *Ça **fait** 18 euros.* *Ça **fait** deux heures que je t'attends !* *Il **fait** chaud, Il **fait** froid.* (il impersonnel)
il faut	qqch + infinitif	***Il faut** un plan pour y arriver.* *Pour l'examen, **il faut** se préparer !*
finir	qqch **de** + infinitif **par** + infinitif	***Finis** ton travail, tu iras jouer après.* *Elle **finit de** travailler à 18 h.* *Il **a fini par** réussir à avoir son diplôme.*
habiter	**à** + ville / **en** + pays / **dans** **chez**	*Il **habite** rue de Belleville ou Bénard ?* *Tu **habites à** Lyon ou à Marseille ?* *Elle **habite dans** une belle maison.* *Vous **habitez chez** vos parents ?*
interdire	 à qqn **de** + inf.	*C'est interdit !* *Je vous **interdis de** parler comme ça !*
inviter	qqn qqn + **à** + nom qqn + **à** + infinitif	*Tu **as invité** tous tes copains ?* *Il nous **invite à** son anniversaire.* *Je vous **invite à** déjeuner dimanche.*
mettre	qqch qqch + lieu + durée	*Je **mets** ma veste rouge ou noire ?* ***Mets** ton passeport dans ton sac.* *On **a mis** trois heures pour faire vingt kilomètres.*

parler	 + une langue **à** qqn **de** qqn **de** qqch	*Il a six mois, il ne **parle** pas encore.* *Elle **parle** anglais, français et italien.* *Il ne **parle** plus **à** Vanessa. Ils sont fâchés.* ***Parle**-moi **de** tes copains.* ***Parle**-moi **de** tes cours.*
partir	 + lieu (**à**, **en**, **au**)	*On peut **partir** ?* *Tu **pars à** Rome ? Non, je ne **pars** pas **en** Italie, je **pars au** Portugal.*
passer	qqch à qqn + lieu + infinitif	*Tu me **passes** ton livre ?* (→ donner, prêter) *Je **suis passée** chez toi ce matin.* ***Passe** à la boulangerie. Pour aller en Allemagne, tu **passes** par Strasbourg ?* *Je **passerai** te chercher à huit heures.*
penser	**à** qqn **à** qqch qqch **de** qqn qqch de qqch **à** + infinitif que	***Pense à** moi. Ne m'oublie pas !* *Tu **as pensé à** son anniversaire ?* *Qu'est-ce que tu **penses de** Mathias ? Tu l'aimes bien ?* *Qu'est-ce que tu **penses de** ce livre ?* *Je n'**ai** pas **pensé à** faire ce devoir.* *Tu **penses qu'**il va réussir son examen ?*
permettre	qqch **à** qqn **à** qqn **de** + infinitif	*Elle ne **permet** rien **à** personne !* *Tu me **permets de** sortir ce soir ?*
prendre	qqch + une direction + transport	*Qu'est-ce que tu **prends** ? Un café ?* *Je vais **prendre** des oranges et un ananas. Il m'**a pris** mon stylo !* ***Prenez** la 2ᵉ rue à gauche.* *On **prend** le bus ou le métro ?*
répondre	**à** qqn **que**	*Il t'a dit merci. **Réponds**-lui !* *Il te demande de l'argent ? **Réponds**-lui **que** tu n'en as pas.*
savoir	qqch + infinitif **que** **comment** **où** **quand** **pourquoi**	*Il ne **sait** pas dessiner.* *Tu **sais que** ta grand-mère vient dîner ce soir ?* *Je ne **sais** pas **comment** faire.* *Elle ne sait pas **où** aller.* *Tu sais **quand** ça commence ?* *Je ne sais pas **pourquoi** elle est en colère.*
se souvenir	**de** qqn **de** qqch **que**	*Il ne se **souvient** pas **de** son grand-père.* *Tu te **souviens de** nos vacances en Espagne ?* *Je me **souviens qu'**il faisait très chaud !*
téléphoner	à qqn	*Si tu as un problème, **téléphone**-moi !*
tenir	qqch qqn	***Tiens** bien ma main !* ***Tiens** ta petite sœur, elle va tomber.*
tourner	 + partie du corps **à** + direction	***Tournez**-vous. Oui, la jupe vous va très bien.* *Il ne faut pas **tourner** le dos aux gens.* ***Tournez à** droite !*
venir	+ lieu	*Tu **viens** chez moi ?* *Il **vient** de Suède ou de Norvège ?*
vouloir	qqch + infinitif	*Vous **voulez** des croissants ou des toasts ?* *Elle ne **veut** pas rester toute seule à la maison.*

VERBES AUXILIAIRES

		PRÉSENT	PASSÉ COMPOSÉ	IMPARFAIT	PLUS-QUE-PARFAIT	FUTUR SIMPLE	CONDITIONNEL PRÉSENT	CONDITIONNEL PASSÉ	SUBJONCTIF PRÉSENT
ÊTRE (ÉTÉ)	**je-j'**	suis	ai été	étais	avais été	serai	serais	aurais été	que je sois
	tu	es	as été	étais	avais été	seras	serais	aurais été	que tu sois
	il/elle	est	a été	était	avait été	sera	serait	aurait été	qu'il/elle soit
	nous	sommes	avons été	étions	avions été	serons	serions	aurions été	que nous soyons
	vous	êtes	avez été	étiez	aviez été	serez	seriez	auriez été	que vous soyez
	ils/elles	sont	ont été	étaient	avaient été	seront	seraient	auraient été	qu'ils/elles soient
AVOIR (EU)	**je-j'**	ai	ai eu	avais	avais eu	aurai	aurais	aurais eu	que j'aie
	tu	as	as eu	avais	avais eu	auras	aurais	aurais eu	que tu aies
	il/elle	a	a eu	avait	avait eu	aura	aurait	aurait eu	qu'il/elle ait
	nous	avons	avons eu	avions	avions eu	aurons	aurions	aurions eu	que nous ayons
	vous	avez	avez eu	aviez	aviez eu	aurez	auriez	auriez eu	que vous ayez
	ils/elles	ont	ont eu	avaient	avaient eu	auront	auraient	auraient eu	qu'ils/elles aient

IMPÉRATIF ÊTRE **:** sois, soyons, soyez / AVOIR **:** aie, ayons, ayez

VERBES IMPERSONNELS

Ces verbes ne se conjuguent qu'à la troisième personne du singulier et avec le pronom sujet ***il***.

	PRÉSENT	PASSÉ COMPOSÉ	IMPARFAIT	PLUS-QUE-PARFAIT	FUTUR SIMPLE	CONDITIONNEL PRÉSENT	CONDITIONNEL PASSÉ	SUBJONCTIF PRÉSENT
FALLOIR (FALLU)	il faut	il a fallu	il fallait	il avait fallu	il faudra	il faudrait	il aurait fallu	qu'il faille
PLEUVOIR (PLU)	il pleut	il a plu	il pleuvait	il avait plu	il pleuvra	il pleuvrait	il aurait plu	qu'il pleuve

VERBES EN -ER (PREMIER GROUPE)

		PRÉSENT	PASSÉ COMPOSÉ	IMPARFAIT	PLUS-QUE-PARFAIT	FUTUR SIMPLE	CONDITIONNEL PRÉSENT	CONDITIONNEL PASSÉ	SUBJONCTIF PRÉSENT
PARLER (PARLÉ)	**je-j'**	parle	ai parlé	parlais	avais parlé	parlerai	parlerais	aurais parlé	que je parle
	tu	parles	as parlé	parlais	avais parlé	parleras	parlerais	aurais parlé	que tu parles
	il/elle	parle	a parlé	parlait	avait parlé	parlera	parlerait	aurait parlé	qu'il/elle parle
	nous	parlons	avons parlé	parlions	avions parlé	parlerons	parlerions	aurions parlé	que nous parlions
	vous	parlez	avez parlé	parliez	aviez parlé	parlerez	parleriez	auriez parlé	que vous parliez
	ils/elles	parlent	ont parlé	parlaient	avaient parlé	parleront	parleraient	auraient parlé	qu'ils/elles parlent

IMPÉRATIF PARLER **:** parle, parlons, parlez

CONJUGAISONS PARTICULIÈRES DE CERTAINS VERBES EN *-ER*

		PRÉSENT	PASSÉ COMPOSÉ	IMPARFAIT	PLUS-QUE-PARFAIT	FUTUR SIMPLE	CONDITIONNEL PRÉSENT	CONDITIONNEL PASSÉ	SUBJONCTIF PRÉSENT
ACHETER (ACHETÉ)	**je-j'**	achète	ai acheté	achetais	avais acheté	achèterai	achèterais	aurais acheté	que j'achète
	tu	achètes	as acheté	achetais	avais acheté	achèteras	achèterais	aurais acheté	que tu achètes
	il/elle	achète	a acheté	achetait	avait acheté	achètera	achèterait	aurait acheté	qu'il/elle achète
	nous	achetons	avons acheté	achetions	avions acheté	achèterons	achèterions	aurions acheté	que nous achetions
	vous	achetez	avez acheté	achetiez	aviez acheté	achèterez	achèteriez	auriez acheté	que vous achetiez
	ils/elles	achètent	ont acheté	achetaient	avaient acheté	achèteront	achèteraient	auraient acheté	qu'ils/elles achètent
ALLER (ALLÉ)	**je-j'**	vais	suis allé(e)	allais	étais allé	irai	irais	serais allé	que j'aille
	tu	vas	es allé(e)	allais	étais allé	iras	irais	serais allé	que tu ailles
	il/elle	va	est allé(e)	allait	était allé	ira	irait	serait allé	qu'il/elle aille
	nous	allons	sommes allé(e)s	allions	étions allés	irons	irions	serions allés	que nous allions
	vous	allez	êtes allé(e)(s)	alliez	étiez allés	irez	iriez	seriez allés	que vous alliez
	ils/elles	vont	sont allé(e)s	allaient	étaient allés	iront	iraient	seraient allés	qu'ils/elles aillent

IMPÉRATIF ACHETER : achète, achetons, achetez / ALLER : va, allons, allez

Les participes passés figurent entre parenthèses sous l'infinitif.

		PRÉSENT	PASSÉ COMPOSÉ	IMPARFAIT	PLUS-QUE-PARFAIT	FUTUR SIMPLE	CONDITIONNEL PRÉSENT	CONDITIONNEL PASSÉ	SUBJONCTIF PRÉSENT
APPELER (APPELÉ)	**je-j'**	appelle	ai appelé	appelais	avais appelé	appellerai	appellerais	aurais appelé	que j'appelle
	tu	appelles	as appelé	appelais	avais appelé	appelleras	appellerais	aurais appelé	que tu appelles
	il/elle	appelle	a appelé	appelait	avait appelé	appellera	appellerait	aurait appelé	qu'il/elle appelle
	nous	appelons	avons appelé	appelions	avions appelé	appellerons	appellerions	aurions appelé	que nous appelions
	vous	appelez	avez appelé	appeliez	aviez appelé	appellerez	appelleriez	auriez appelé	que vous appeliez
	ils/elles	appellent	ont appelé	appelaient	avaient appelé	appelleront	appelleraient	auraient appelé	qu'ils/elles appellent
CRÉER (CRÉÉ)	**je-j'**	crée	ai créé	créais	avais créé	créerais	créerais	aurais créé	que je crée
	tu	crées	as créé	créais	avais créé	créerais	créerais	aurais créé	que tu crées
	il/elle	crée	a créé	créait	avait créé	créerait	créerait	aurait créé	qu'il/elle crée
	nous	cré**o**ns	avons créé	créions	avions créé	créerions	créerions	aurions créé	que nous créions
	vous	créez	avez créé	créiez	aviez créé	créeriez	créeriez	auriez créé	que vous créiez
	ils/elles	créent	ont créé	créaient	avaient créé	créeraient	créeraient	auraient créé	qu'ils/elles créent
MANGER (MANGÉ)	**je-j'**	mange	ai mangé	mangeais	avais mangé	mangerai	mangerais	aurais mangé	que je mange
	tu	manges	as mangé	mangeais	avais mangé	mangeras	mangerais	aurais mangé	que tu manges
	il/elle	mange	a mangé	mangeait	avait mangé	mangera	mangerait	aurait mangé	qu'il/elle mange
	nous	mang**e**ons	avons mangé	mangions	avions mangé	mangerons	mangerions	aurions mangé	que nous mangions
	vous	mangez	avez mangé	mangiez	aviez mangé	mangerez	mangeriez	auriez mangé	que vous mangiez
	ils/elles	mangent	ont mangé	mangeaient	avaient mangé	mangeront	mangeraient	auraient mangé	qu'ils/elles mangent
PRÉFÉRER (PRÉFÉRÉ)	**je-j'**	préfère	ai préféré	préférais	avais préféré	préférerai	préférerais	aurais préféré	que je préfère
	tu	préfères	as préféré	préférais	avais préféré	préféreras	préférerais	aurais préféré	que tu préfères
	il/elle	préfère	a préféré	préférait	avait préféré	préférera	préférerait	aurait préféré	qu'il/elle préfère
	nous	préférons	avons préféré	préférions	avions préféré	préférerons	préférerions	aurions préféré	que nous préférions
	vous	préférez	avez préféré	préfériez	aviez préféré	préférerez	préféreriez	auriez préféré	que vous préfériez
	ils/elles	préfèrent	ont préféré	préféraient	avaient préféré	préféreront	préféreraient	auraient préféré	qu'ils/elles préfèrent

IMPÉRATIF APPELER : appelle, appelons, appelez / CRÉER : crée, créons, créez / MANGER **:** mange, mangeons, mangez / PRÉFÉRER : préfère, préférons, préférez

AUTRES VERBES

		PRÉSENT	PASSÉ COMPOSÉ	IMPARFAIT	PLUS-QUE-PARFAIT	FUTUR SIMPLE	CONDITIONNEL PRÉSENT	CONDITIONNEL PASSÉ	SUBJONCTIF PRÉSENT
CHOISIR (CHOISI)	**je-j'**	choisis	ai choisi	choisissais	avais choisi	choisirai	choisirais	aurais choisi	que je choisisse
	tu	choisis	as choisi	choisissais	avais choisi	choisiras	choisirais	aurais choisi	que tu choisisses
	il/elle	choisit	a choisi	choisissait	avait choisi	choisira	choisirait	aurait choisi	qu'il/elle choisisse
	nous	choisissons	avons choisi	choisissions	avions choisi	choisirons	choisirions	aurions choisi	que nous choisissions
	vous	choisissez	avez choisi	choisissiez	aviez choisi	choisirez	choisiriez	auriez choisi	que vous choisissiez
	ils/elles	choisissent	ont choisi	choisissaient	avaient choisi	choisiront	choisiraient	auraient choisi	qu'ils/elles choisissent
CONNAÎTRE (CONNU)	**je-j'**	connais	ai connu	connaissais	avais connu	connaitrai	connaitrais	aurais connu	que je connaisse
	tu	connais	as connu	connaissais	avais connu	connaitras	connaitrais	aurais connu	que tu connaisses
	il/elle	connaît	a connu	connaissait	avait connu	connaitra	connaitrait	aurait connu	qu'il/elle connaisse
	nous	connaissons	avons connu	connaissions	avions connu	connaitrons	connaitrions	aurions connu	que nous connaissions
	vous	connaissez	avez connu	connaissiez	aviez connu	connaitrez	connaitriez	auriez connu	que vous connaissiez
	ils/elles	connaissent	ont connu	connaissaient	avaient connu	connaitront	connaitraient	auraient connu	qu'ils/elles connaissent
CROIRE (CRU)	**je-j'**	crois	ai cru	croyais	avais cru	croirai	croirais	aurais cru	que je croie
	tu	crois	as cru	croyais	avais cru	croiras	croirais	aurais cru	que tu croies
	il/elle	croit	a cru	croyait	avait cru	croira	croirait	aurait cru	qu'il/elle croie
	nous	croyons	avons cru	croyions	avions cru	croirons	croirions	aurions cru	que nous croyions
	vous	croyez	avez cru	croyiez	aviez cru	croirez	croiriez	auriez cru	que vous croyiez
	ils/elles	croient	ont cru	croyaient	avaient cru	croiront	croiraient	auraient cru	qu'ils/elles croient
DEVOIR (DÛ)	**je-j'**	dois	ai dû	devais	avais dû	devrai	devrais	aurais dû	que je doive
	tu	dois	as dû	devais	avais dû	devras	devrais	aurais dû	que tu doives
	il/elle	doit	a dû	devait	avait dû	devra	devrait	aurait dû	qu'il/elle doive
	nous	devons	avons dû	devions	avions dû	devrons	devrions	aurions dû	que nous devions
	vous	devez	avez dû	deviez	aviez dû	devrez	devriez	auriez dû	que vous deviez
	ils/elles	doivent	ont dû	devaient	avaient dû	devront	devraient	auraient dû	qu'ils/elles doivent

IMPÉRATIF CHOISIR : choisis, choisisons, choisissez / CONNAÎTRE : connais, connaissons, connaissez / CROIRE : crois, croyons, croyez / DEVOIR : dois, devons, devez

Les participes passés figurent entre parenthèses sous l'infinitif.

		PRÉSENT	PASSÉ COMPOSÉ	IMPARFAIT	PLUS-QUE-PARFAIT	FUTUR SIMPLE	CONDITIONNEL PRÉSENT	CONDITIONNEL PASSÉ	SUBJONCTIF PRÉSENT
DIRE (DIT)	**je-j'**	dis	ai dit	disais	avais dit	dirai	dirais	aurais dit	que je dise
	tu	dis	as dit	disais	avais dit	diras	dirais	aurais dit	que tu dises
	il/elle	dit	a dit	disait	avait dit	dira	dirait	aurait dit	qu'il/elle dise
	nous	disons	avons dit	disions	avions dit	dirons	dirions	aurions dit	que nous disions
	vous	dites	avez dit	disiez	aviez dit	direz	diriez	auriez dit	que vous disiez
	ils/elles	disent	ont dit	disaient	avaient dit	diront	diraient	auraient dit	qu'ils/elles disent
ÉCRIRE (ÉCRIT)	**je-j'**	écris	ai écrit	écrivais	avais écrit	écrirai	écrirais	aurais écrit	que j'écrive
	tu	écris	as écrit	écrivais	avais écrit	écriras	écrirais	aurais écrit	que tu écrives
	il/elle	écrit	a écrit	écrivait	avait écrit	écrira	écrirait	aurait écrit	qu'il/elle écrive
	nous	écrivons	avons écrit	écrivions	avions écrit	écrirons	écririons	aurions écrit	que nous écrivions
	vous	écrivez	avez écrit	écriviez	aviez écrit	écrirez	écririez	auriez écrit	que vous écriviez
	ils/elles	écrivent	ont écrit	écrivaient	avaient écrit	écriront	écriraient	auraient écrit	qu'ils/elles écrivent
FAIRE (FAIT)	**je-j'**	fais	ai fait	faisais	avais fait	ferai	ferais	aurais fait	que je fasse
	tu	fais	as fait	faisais	avais fait	feras	ferais	aurais fait	que tu fasses
	il/elle	fait	a fait	faisait	avait fait	fera	ferait	aurait fait	qu'i/elle fasse
	nous	faisons	avons fait	faisions	avions fait	ferons	ferions	aurions fait	que nous fassions
	vous	faites	avez fait	faisiez	aviez fait	ferez	feriez	auriez fait	que vous fassiez
	ils/elles	font	ont fait	faisaient	avaient fait	feront	feraient	auraient fait	qu'ils/elles fassent
FINIR (FINI)	**je-j'**	finis	ai fini	finissais	avais fini	finirai	finirais	aurais fini	que je finisse
	tu	finis	as fini	finissais	avais fini	finiras	finirais	aurais fini	que tu finisses
	il/elle	finit	a fini	finissait	avait fini	finira	finirait	aurait fini	qu'il/elle finisse
	nous	finissons	avons fini	finissions	avions fini	finirons	finirions	aurions fini	que nous finissions
	vous	finissez	avez fini	finissiez	aviez fini	finirez	finiriez	auriez fini	que vous finissiez
	ils/elles	finissent	ont fini	finissaient	avaient fini	finiront	finiraient	auraient fini	qu'ils/elles finissent
METTRE (MIS)	**je-j'**	mets	ai mis	mettais	avais mis	mettrai	mettrais	aurais mis	que je finisse
	tu	mets	as mis	mettais	avais mis	mettras	mettrais	aurais mis	que tu finisses
	il/elle	met	a mis	mettait	avait mis	mettra	mettrait	aurait mis	qu'il finisse
	nous	mettons	avons mis	mettions	avions mis	mettrons	mettrions	aurions mis	que nous finissions
	vous	mettez	avez mis	mettiez	aviez mis	mettrez	mettriez	auriez mis	que vous finissiez
	ils/elles	mettent	ont mis	mettaient	avaient mis	mettront	mettraient	auraient mis	qu'ils finissent
MOURIR (MORT)	**je-j'**	meurs	suis mort	mourais	étais mort	mourrai	mourrais	serais mort	que je meure
	tu	meurs	es mort	mourais	étais mort	mourras	mourrais	serais mort	que tu meures
	il/elle	meurt	est mort	mourait	était mort	mourra	mourrait	serait mort	qu'il/elle meure
	nous	mourons	sommes morts	mourions	étions morts	mourrons	mourrions	serions morts	que nous mourions
	vous	mourez	êtes morts	mouriez	étiez morts	mourrez	mourriez	seriez morts	que vous mouriez
	ils/elles	meurent	sont morts	mouraient	étaient morts	mourront	mourraient	seraient morts	qu'ils/elles meurent
NAÎTRE (NÉ)	**je-j'**	nais	suis né(e)	naissais	étais né(e)	naîtrai	naîtrais	serais né	que je naisse
	tu	nais	es né(e)	naissais	étais né(e)	naîtras	naîtrais	serais né	que tu naisses
	il/elle	naît	est né(e)	naissait	était né(e)	naîtra	naîtrait	serait né	qu'il/elle naisse
	nous	naissons	sommes né(e)s	naissions	étions né(e)s	naîtrons	naîtrions	serions nés	que nous naissions
	vous	naissez	êtes né(e)s	naissiez	étiez né(e)s	naîtrez	naîtriez	seriez nés	que vous naissiez
	ils/elles	naissent	sont né(e)s	naissaient	étaient né(e)s	naîtront	naîtraient	seraient nés	qu'ils/elles naissent
PARTIR (PARTI)	**je-j'**	pars	suis parti(e)	partais	étais parti	partirai	partirais	serais parti(e)	que je parte
	tu	pars	es parti(e)	partais	étais parti	partiras	partirais	serais parti(e)	que tu partes
	il/elle	part	est parti(e)	partait	était parti	partira	partirait	serait parti(e)	qu'il/elle parte
	nous	partons	sommes parti(e)s	partions	étions partis	partirons	partirions	serions parti(e)s	que nous partions
	vous	partez	êtes parti(e)(s)	partiez	étiez partis	partirez	partiriez	seriez parti(e)s	que vous partiez
	ils/elles	partent	sont parti(e)s	partaient	étaient partis	partiront	partiraient	seraient parti(e)s	qu'ils/elles partent

IMPÉRATIF DIRE : dis, disons, dites / ÉCRIRE : écris, écrivons, écrivez / FAIRE : fais, faisons, faites / FINIR : finis, finissons, finissez / METTRE : mets, mettons, mettez
MOURIR : meurs, mourons, mourez / NAÎTRE : nais, naissons, naissez / PARTIR : pars, partons, partez

Les participes passés figurent entre parenthèses sous l'infinitif.

		PRÉSENT	PASSÉ COMPOSÉ	IMPARFAIT	PLUS-QUE-PARFAIT	FUTUR SIMPLE	CONDITIONNEL PRÉSENT	CONDITIONNEL PASSÉ	SUBJONCTIF PRÉSENT
POUVOIR (PU)	**je-j'**	peux	ai pu	pouvais	avais pu	pourrai	pourrais	aurais pu	que je puisse
	tu	peux	as pu	pouvais	avais pu	pourras	pourrais	aurais pu	que tu puisses
	il/elle	peut	a pu	pouvait	avait pu	pourra	pourrait	aurait pu	qu'il /elle puisse
	nous	pouvons	avons pu	pouvions	avions pu	pourrons	pourrions	aurions pu	que nous puissions
	vous	pouvez	avez pu	pouviez	aviez pu	pourrez	pourriez	auriez pu	que vous puissiez
	ils/elles	peuvent	ont pu	pouvaient	avaient pu	pourront	pourraient	auraient pu	qu'ils/elles puissent
PRENDRE (PRIS)	**je-j'**	prends	ai pris	prenais	avais pris	prendrai	prendrais	aurais pris	que je prenne
	tu	prends	as pris	prenais	avais pris	prendras	prendrais	aurais pris	que tu prennes
	il/elle	prend	a pris	prenait	avait pris	prendra	prendrait	aurait pris	qu'il/elle prenne
	nous	prenons	avons pris	prenions	avions pris	prendrons	prendrions	aurions pris	que nous prenions
	vous	prenez	avez pris	preniez	aviez pris	prendrez	prendriez	auriez pris	que vous preniez
	ils/elles	prennent	ont pris	prenaient	avaient pris	prendront	prendraient	auraient pris	qu'ils/elles prennent
RÉUSSIR (RÉUSSI)	**je-j'**	réussis	ai réussi	réussissais	avais réussi	réussirai	réussirais	aurais réussi	que je réussisse
	tu	réussis	as réussi	réussissais	avais réussi	réussiras	réussirais	aurais réussi	que tu réussisses
	il/elle	réussit	a réussi	réussissait	avait réussi	réussira	réussirait	aurait réussi	qu'il/elle réussisse
	nous	réussissons	avons réussi	réussissions	avions réussi	réussirons	réussirions	aurions réussi	que nous réussissions
	vous	réussissez	avez réussi	réussissiez	aviez réussi	réussirez	réussiriez	auriez réussi	que vous réussissiez
	ils/elles	réussissent	ont réussi	réussissaient	avaient réussi	réussiront	réussiraient	auraient réussi	qu'ils/elles réussissent
SAVOIR (SU)	**je-j'**	sais	ai su	savais	avais su	saurai	saurais	aurais su	que je sache
	tu	sais	as su	savais	avais su	sauras	saurais	aurais su	que tu saches
	il/elle	sait	a su	savait	avait su	saura	saurait	aurait su	qu'il/elle sache
	nous	savons	avons su	savions	avions su	saurons	saurions	aurions su	que nous sachions
	vous	savez	avez su	saviez	aviez su	saurez	sauriez	auriez su	que vous sachiez
	ils/elles	savent	ont su	savaient	avaient su	sauront	sauraient	auraient su	qu'ils/elles sachent
SORTIR (SORTI)	**je-j'**	sors	suis sorti(e)	sortais	étais sorti(e)	sortirai	sortirais	serais sorti(e)	que je sorte
	tu	sors	es sorti(e)	sortais	étais sorti(e)	sortiras	sortirais	serais sorti(e)	que tu sortes
	il/elle	sort	est sorti(e)	sortait	était sorti(e)	sortira	sortirait	serait sorti(e)	qu'il/elle sorte
	nous	sortons	sommes sorti(e)s	sortions	étions sorti(e)(s)	sortirons	sortirions	serions sorti(e)(s)	que nous sortions
	vous	sortez	êtes sorti(e)(s)	sortiez	étiez sorti(e)(s)	sortirez	sortiriez	seriez sorti(e)(s)	que vous sortiez
	ils/elles	sortent	sont sorti(e)s	sortaient	étaient sorti(e)(s)	sortiront	sortiraient	seraient sorti(e)(s)	qu'ils/elles sortent
VENIR (VENU)	**je-j'**	viens	suis venu(e)	venais	étais venu(e)	viendrai	viendrais	serais venu(e)	que je vienne
	tu	viens	es venu(e)	venais	étais venu(e)	viendras	viendrais	serais venu(e)	que tu viennes
	il/elle	vient	est venu(e)	venait	était venu(e)	viendra	viendrait	serait venu(e)	qu'il/elle vienne
	nous	venons	sommes venu(e)s	venions	étions venu(e)s	viendrons	viendrions	serions venu(e)s	que nous venions
	vous	venez	êtes venu(e)(s)	veniez	étiez venu(e)s	viendrez	viendriez	seriez venu(e)s	que vous veniez
	ils/elles	viennent	sont venu(e)s	venaient	étaient venu(e)s	viendront	viendraient	seraient venu(e)s	qu'ils/elles viennent
VIVRE (VÉCU)	**je-j'**	vis	ai vécu	vivais	avais vécu	vivrai	vivrais	aurais vécu	que je vive
	tu	vis	as vécu	vivais	avais vécu	vivras	vivrais	aurais vécu	que tu vives
	il/elle	vit	a vécu	vivait	avait vécu	vivra	vivrait	aurait vécu	qu'il/elle vive
	nous	vivons	avons vécu	vivions	avions vécu	vivrons	vivrions	aurions vécu	que nous vivions
	vous	vivez	avez vécu	viviez	aviez vécu	vivrez	vivriez	auriez vécu	que vous viviez
	ils/elles	vivent	ont vécu	vivaient	avaient vécu	vivront	vivraient	auraient vécu	qu'ils/elles vivent
VOIR (VU)	**je-j'**	vois	ai vu	voyais	avais vu	verrai	verrais	aurais vu	que je voie
	tu	vois	as vu	voyais	avais vu	verras	verrais	aurais vu	que tu voies
	il/elle	voit	a vu	voyait	avait vu	verra	verrait	aurait vu	qu'il/elle voie
	nous	voyons	avons vu	voyions	avions vu	verrons	verrions	aurions vu	que nous voyions
	vous	voyez	avez vu	voyiez	aviez vu	verrez	verriez	auriez vu	que vous voyiez
	ils/elles	voient	ont vu	voyaient	avaient vu	verront	verraient	auraient vu	qu'ils/elles voient
VOULOIR (VOULU)	**je-j'**	veux	ai voulu	voulais	avais voulu	voudrai	voudrais	aurais voulu	que je veuille
	tu	veux	as voulu	voulais	avais voulu	voudras	voudrais	aurais voulu	que tu veuilles
	il/elle	veut	a voulu	voulait	avait voulu	voudra	voudrait	aurait voulu	qu'il/elle veuille
	nous	voulons	avons voulu	voulions	avions voulu	voudrons	voudrions	aurions voulu	que nous voulions
	vous	voulez	avez voulu	vouliez	aviez voulu	voudrez	voudriez	auriez voulu	que vous vouliez
	ils/elles	veulent	ont voulu	voulaient	avaient voulu	voudront	voudraient	auraient voulu	qu'ils/elles veuillent

IMPÉRATIF PRENDRE : prends, prenons, prenez / POUVOIR : *n'existe pas* / RÉUSSIR : réussis, réussissons, réussissez / SAVOIR : sache, sachons, sachez / SORTIR : sors, sortons, sortez
VENIR : viens, venons, venez / VIVRE : vis, vivons, vivez / VOIR : vois, voyons, voyez / VOULOIR : veuille, voulons, veuillez

Les participes passés figurent entre parenthèses sous l'infinitif.

LIVRE DE L'ÉLÈVE - UNITÉ 1

Piste 1 — 3B

- **Émilie** : Ça y est, j'ai réservé mes vacances en Grèce !
- **Florence** : Oh la chance ! J'adore la Grèce !
- **Émilie** : Tu y es allée déjà ?
- **Florence** : Ben oui, il y a quelques années. J'ai fait le tour de la Grèce avec des copains. C'était trop bien !
- **Émilie** : Et alors t'as des recommandations, des bons plans ?
- **Florence** : Delphes c'est magnifique ! Je vais te raconter comment ça s'est passé quand on est arrivés à Delphes. On est arrivés et on a eu une idée folle : on s'est dit qu'on allait voir le soleil se lever sur le site. Le problème c'est que le site était surveillé et il n'ouvrait qu'à 9 h donc impossible de voir le lever de soleil.
- **Émilie** : Et donc, qu'est-ce que vous avez fait ?
- **Florence** : Ben on a cherché un passage... parce que c'était interdit d'entrer quand le site est fermé, mais le gardien est arrivé : il était vraiment énervé !
- **Émilie** : Ah mince ! Et alors ?
- **Florence** : On a insisté, on a fait de grands sourires et il nous a laissé passer. C'était magnifique... C'était magique d'y être au meilleur moment de la journée.
- **Émilie** : Oui, j'imagine !

Piste 2 — EX. 3

- **Myriam** : Mais, Lucie, tu m'as pris mes lunettes !
- **Lucie** : Mais pas du tout, ce sont les miennes !
- **Myriam** : Oh excuse-moi, elles se ressemblent tellement. J'ai déjà mis les miennes dans ma valise. Ce parfum, c'est un parfum d'homme. Baptiste, ça doit être le tien ?
- **Baptiste** : Ah oui, merci, j'allais l'oublier, mais alors il est à qui celui-là ?
- **Myriam** : Ce ne serait pas le tien, Lucie, par hasard ?
- **Lucie** : Ah oui ! Merci Myriam. Tu peux me passer ma crème solaire ?
- **Myriam** : Prends-la ! D'ailleurs où est la mienne ?
- **Baptiste** : Elle est là bas, sur l'étagère, à côté de Lucie.
- **Myriam** : Merci. Au fait, je te rends ton maillot.

Piste 3 — 8B

- **Journaliste** : De quel livre souhaiteriez-vous nous parler ?
- **Fan** : De *L'Hiver aux trousses* de Cédric Gras.
- **Journaliste** : Qu'est-ce qui vous a plu dans ce livre ?
- **Fan** : Son style, très poétique. Et puis aussi, son projet de voyage. En fait, il a lu le livre d'un auteur russe qui a parcouru l'Extrême-Orient du sud vers le nord au printemps, et lui, il a décidé de voyager en sens inverse, du nord au sud, pour accompagner l'automne. Car l'automne est sa saison préférée.
- **Journaliste** : D'où son titre *L'Hiver aux trousses*...
- **Fan** : C'est ça. Cédric Gras voulait faire durer l'automne le plus longtemps possible, et d'une certaine façon, l'hiver courait après lui.

UNITÉ 2

Piste 4 — 1B

- **Julie** : Nous accueillons maintenant Alexandre qui nous appelle de Paris. Bonjour Alexandre.
- **Alexandre** : Bonjour Julie !
- **Julie** : Alors pour vous, la musique n'est pas seulement une passion. De quoi allez-vous nous parler ?
- **Alexandre** : Oui en effet Julie, pour moi la musique c'est beaucoup plus qu'un loisir ou qu'une passion, c'est carrément un remède !
- **Julie** : Que voulez-vous dire ?
- **Alexandre** : En fait, depuis l'année dernière, j'ai commencé une formation pour devenir musicothérapeute. La musique m'a sauvé la vie. Après un grave accident de voiture, j'ai été plongé dans le coma, et c'est une chanson qui passait à la radio qui m'a réveillé. Depuis, j'ai décidé moi aussi de soigner les gens grâce à la musique.
- **Julie** : Un message ou un conseil à faire passer à nos auditeurs ?
- **Alexandre** : Oui. Si vous avez un problème de santé à régler, pensez à la musique, elle a des effets magiques !

Piste 5 — 3D

- **Animateur** : *Mistral gagnant* a été élue chanson préférée des Français en 2015, alors que ce titre interprété par Renaud date de 1985. Est-ce que cela vous surprend ?
- **Journaliste musical** : À vrai dire, pas du tout. C'est une chanson intemporelle qui parle de la vie quotidienne, des petits bonheurs simples et de l'amour entre un père et sa fille. Les Français adorent ça !
- **Animateur** : Que voulez-vous dire ?
- **Journaliste musical** : Eh bien les Français sont parfois un peu mélancoliques vous savez ! *Mistral Gagnant* est une ballade nostalgique qui donne les larmes aux yeux parce qu'elle évoque à tout le monde des souvenirs d'enfance ! C'est un texte très personnel que le chanteur a écrit pour sa fille.
- **Animateur** : Et ce titre ? A quoi fait-il référence ?
- **Journaliste musical** : En fait, il s'agit du nom d'une confiserie. Comme tous les autres bonbons cités dans la chanson, ce titre plonge l'auditeur dans le passé et lui permet de s'évader dans son imaginaire.
- **Animateur** : Et vous, que ressentez-vous en écoutant cette chanson ?
- **Journaliste musical** : Elle me donne tout simplement la chair de poule !

Piste 6 — 4C

1. Moi, mon truc, c'est la techno. J'allume ma chaîne dès que je me réveille ! J'adore les pulsations de la basse. Ça me donne la pêche et ça me motive pour toute la journée ! Je me sens presque euphorique ! Par contre si j'écoute de la musique classique, ça me déprime complètement !
2. Moi, la musique classique me donne la chair de poule ! J'ai des frissons partout quand j'en écoute, et même parfois les larmes aux yeux... Et puis c'est apaisant ! Ça aide à se calmer, à se détendre et à se vider la tête. C'est aussi parfait pour se concentrer et étudier.

3. Dans la pop-rock, ce qui me plaît, ce sont les paroles et les mélodies. C'est léger et dynamique. Je me sens heureuse, transportée. Ça me donne de l'énergie.
4. Quand je n'ai pas le moral, j'aime bien écouter du jazz. Les sons des cuivres, de la trompette ou du saxophone et ces voix graves, c'est nostalgique, ça me fait pleurer, et finalement, ça soulage et ça fait du bien !
5. Je suis une grande fan de hard rock depuis l'adolescence ! C'est parfait pour se défouler et décompresser après une journée difficile ! Par contre, il faut choisir le bon moment pour en écouter, car cela peut aussi m'agresser et m'exaspérer ! Et même me donner mal à la tête !

Piste 7 — EX. 4

1. *(musique classique)*
2. *(musique hard-rock)*
3. *(musique rap)*
4. *(musique pop)*
5. *(musique jazz)*

Piste 8 — EX. 6

- **Paulo** : Ah bon ? T'as jamais entendu c'groupe ? T'as qu'à v'nir à la soirée-concert de d'main au bar.
- **Bastien** : J'peux pas, j'ai rendez-vous chez moi avec Pedro, j'lui ai dit d'passer à 20 h.
- **Paulo** : Faites c'que vous voulez, mais c'est pas compliqué d'nous retrouver au bar après.
- **Bastien** : Ouais ok, j'verrai !

Piste 9 — LEXIQUE — 6

1. C'était génial ! J'ai adoré, j'étais tellement détendue.
2. J'ai passé un très bon moment. J'ai chanté toutes les chansons, c'était le bonheur !
3. Bof. Le concert est exactement pareil que le CD. Ils n'ont pas changé les morceaux. C'était un peu monotone.
4. Horrible. J'ai détesté. Ça m'a déprimée !

UNITÉ 3

Piste 10 — 1D

1. **Justine** : Je trouve qu'il n'a pas froid aux yeux ! Il s'aventure là où personne n'est jamais allé. Il vit dangereusement. À mon avis, c'est une tête brûlée et il aime battre des records. Il doit adorer les sensations fortes et l'adrénaline. Moi, à sa place, j'aurais déjà abandonné cette expédition. Tout seul, en pleine forêt, c'est trop dangereux !
2. **Vincent** : Quel courage ! Pour faire ça, il faut être vraiment avoir de la volonté ! Et puis, il ne faut pas avoir peur de prendre des risques ! Moi, ça me donne des frissons. Je ne sais pas si je serais prêt à être emprisonné pour des questions politiques.
3. **Anaïs** : J'aime bien faire des randonnées. Et on me dit que je suis une femme très active, mais je ne tenterais pas une expédition aussi risquée ! Enfin, je pense aussi que c'est bien de vivre selon ses propres envies pour être heureux.
4. **Martin** : C'est incroyable ! Il faut être fou pour risquer sa vie comme ça ! C'est courageux de pratiquer une activité aussi dangereuse. Mais moi, je n'aime pas prendre des risques ! En plus, j'ai le vertige alors j'aurais la peur au ventre à sa place !

Piste 11 — 4B

- **Nathan** : Fernando ! Salut !
- **Fernando** : Hey ! Nathan ! Alors, t'as trouvé un appart' finalement ?
- **Nathan** : Non, et j'ai peur de ne pas y arriver...
- **Fernando** : Si tu veux un conseil, j'ai un truc infaillible pour dépasser ses peurs. Tu projettes une image positive dans ta tête. Tu t'imagines par exemple en train de trouver un logement, de rencontrer quelqu'un, de te faire de nouveaux amis. Tu sais, c'est comme pendant un entretien d'embauche : si tu imagines que tu as déjà le poste, ça te donne plus de chances d'être recruté !
- **Nathan** : Mais... tu penses que ça fonctionne ?
- **Fernando** : Oui, je pense. Pourquoi tu n'essaies pas aussi d'appliquer la méthode Coué ? Il suffit de te dire des choses positives comme « Je vais y arriver », « Je sais que je peux le faire »...
- **Nathan** : Oui, c'est vrai, je n'y avais pas pensé ! Est-ce que tu as d'autres conseils ?
- **Fernando** : Tu pourrais aussi faire de petits pas pour dépasser tes peurs, comme visiter d'autres apparts sans t'engager. Tu pourrais aussi dormir chez moi quelques semaines pour t'habituer au changement, qu'est-ce que t'en penses ? Ça te mettrait en condition...
- **Nathan** : *(rires)* Oui, c'est une bonne idée !

Piste 12 — 5A

1.
- Gala, est-ce que tu oserais partir toute seule en vacances ?
- Toute seule ?! Non, je ne pense pas, sauf si je vais dans un endroit où j'ai déjà des amis, comme à Washington ou à New York.

2.
- Tu oserais, toi, Karima, nager avec des requins ?
- Non, à moins de nager avec des requins inoffensifs, qui n'ont jamais attaqué personne. Mais dans tous les cas, j'aurais peur de me faire mordre !

3.
- Jocelyn, dis-moi... tu penses que tu oserais quitter ton travail, ta maison et ton pays, tout en même temps ?
- Tout d'un coup ?! Heu... non, je ne pense pas, sauf si ma famille venait avec moi !

4.
- Vassili, tu oserais traverser un lac gelé en plein hiver ?
- Oh, rien que d'y penser, ça me donne la chair de poule ! C'est fou de faire une chose pareille ! Je le ferais seulement à condition de savoir qu'il y a une équipe de sauveteurs dans le coin !

Piste 13 — 7D

- **Journaliste** : Mahefa, vous étiez avocat, vous êtes devenu réalisateur de cinéma. Vous avez complètement changé de vie. Quels conseils pouvez-vous donner à nos auditeurs pour sortir de leur zone de confort ?

◦ **Mahefa** : Ce n'est pas évident mais tout se joue sur le courage. C'est ce que j'ai fait : oser progressivement pour un jour réaliser votre rêve ! Vous devriez d'abord être plus courageux. Tester une recette de cuisine avec de nouveaux ingrédients, écouter un style de musique que vous ne connaissez pas, aller à des expositions. N'hésitez pas aussi à prendre des risques au quotidien. Je vous conseille de faire chaque jour au moins une chose qui vous fait peur.

Piste 14 — 8A

1. Je trouve qu'on devrait préserver notre jardin secret. Il m'arrive d'aller danser toute la nuit : est-ce que vous m'imaginez le raconter à mes collègues le lendemain matin ?
2. Vivre, c'est donner un peu de soi aux autres, partager, échanger ce que l'on a appris. Et ce partage est une prise de risque de chaque instant !
3. Rien de tel dans la vie que de prendre du temps pour soi. Comme je suis sculpteur, je passe des journées entières à modeler la terre. Et j'aime qu'on ne m'embête pas !
4. Je n'aime pas perdre mes repères. Je préfère planifier les choses longtemps à l'avance et je déteste les surprises. Ça n'a jamais été mon fort de prendre des risques. J'ai besoin d'avoir une sécurité financière, affective et matérielle.
5. Mon plus grand plaisir dans la vie, c'est de rester à la maison, de faire la sieste. Je trouve que les voyages sont angoissants. Le vrai courage, c'est de s'évader depuis chez soi.
6. Je suis tennisman professionnelle parce que j'ai besoin de vivre les choses à fond ! On peut tout faire avec de la volonté et une bonne dose de passion.

UNITÉ 4

Pistes 15 -19 — 3D

Piste 15

1.

• Bonjour, vous auriez cinq minutes pour un petit sondage ? Comment utilisez-vous les réseaux sociaux ?

◦ J'ai 50 ans et depuis une dizaine d'années, mes amis vivent en famille et il est difficile de rencontrer de nouvelles personnes ailleurs qu'au travail. J'utilise beaucoup les plateformes comme Meetic pour connaître de nouvelles personnes. Sur les réseaux sociaux, je montre donc la meilleure image de moi, je publie des citations qui reflètent ce que je pense. J'essaye de donner envie aux autres de mieux me connaître. C'est une formidable invention.

Piste 16

2. Je suis généalogiste. Grâce aux réseaux sociaux, j'ai pris contact avec des dizaines de personnes qui partagent ma passion. Nous avons créé un groupe Linkedin, dont je suis le modérateur. J'ai pu aussi contacter des spécialistes de la généalogie grâce à Google+. Pour moi, c'est une révolution.

Piste 17

3. Je crois que c'est à nous, internautes, d'être responsables et de ne pas cliquer automatiquement sur des contenus qui font le buzz. J'évite les recommandations que me proposent les algorithmes. J'ai un faux compte sur Facebook avec un avatar et je ne donne jamais mon identité. Il me semble que les réseaux sociaux peuvent être utiles. Mais s'ils sont mal utilisés, ils deviennent dangereux. Je fais très attention à ce que je regarde et je ne publie rien.

Piste 18

4. J'habite loin de ma famille alors j'essaye de partager beaucoup de photos sur Instagram pour qu'ils imaginent mon quotidien. Je leur montre ce que je mange, ce que je vois, les gens avec qui je suis. Sur Twitter, j'ai plus de 2000 followers, mais je ne les connais pas tous... J'utilise Twitter énormément, je poste une dizaine de liens par jour.

Piste 19

5. Moi, je suis connecté 24 heures sur les réseaux sociaux de mon smartphone. Instagram, Facebook, Twitter, Snapchat. Je ne publie pas beaucoup mais je commente les publications de mes amis presque de manière instantanée. Aujourd'hui, je peux vivre sans la télé, mais pas sans mon téléphone. Avec les copains, même lorsqu'on est ensemble, on commente sur Facebook les photos de la soirée dans laquelle on est. Parfois, ça me stresse. J'aimerais être plus hors ligne. Mais, je ne crois pas que je tienne toute une journée.

Pistes 20 - 22 — 5B

Piste 20

1.

• **Journaliste** : Suite à l'interdiction des perches à selfies dans des musées du monde entier, nos reporters sont allés recueillir plusieurs témoignages dans des musées français. Au mémorial de Caen, Carmen venait justement d'acheter une perche à selfie. Elle ne considère pas que l'interdiction soit la solution.

◦ **Carmen** : Je ne comprends pas en quoi cela puisse déranger. C'est inadmissible. Je suis venu d'Espagne et souhaite partager ma visite du mémorial de Caen avec ma famille. Je m'oppose à ces mesures inutiles. Il y a des choses plus importantes à mettre en place dans les musées !

Piste 21

2.

• **Journaliste** : Au musée d'Orsay, les photos étaient déjà interdites. Charlène, étudiante aux Beaux Arts, trouve que la mesure est justifiée.

◦ **Charlène** : Ici les photos sont interdites depuis 2009. Ça énerve les visiteurs. Malheureusement, il faut répondre aux comportements abusifs de certains par des mesures sévères. C'est la seule solution. Je pense qu'il faut une certaine tolérance, mais seulement dans les espaces offrant des points de vue sur l'architecture du bâtiment.

Piste 22

3.

• **Journaliste** : Enfin, Martine, guide au Parlement européen de Strasbourg, ne comprend pas cette mesure.

- Martine : Je trouve que c'est dommage de devoir interdire. Ici, nous autorisons les photos, que ce soit avec un appareil photo, un smartphone ou une perche à selfie. Mais les enregistrements audio et vidéo ne sont pas autorisés. Il nous arrive d'interdire la prise de photos pendant certaines réunions au Parlement européen. Généralement, autoriser les photos assure à notre établissement une forte publicité. Je crois que nos visiteurs sont heureux de partager leur expérience sur les réseaux sociaux. Il serait dommage de se priver d'une telle communication. »

Piste 23 — EX. 3

1.
- Je suis absolument pour, car cela nous protège !
- Je suis totalement contre, même si ça renforce la protection je déteste me sentir observé, même si je n'ai rien à me reprocher. Ça commence avec des caméras dans les rues, bientôt ce sera quoi ?

2.
- Je pense que la presse doit pouvoir disposer de la liberté d'expression, parce que c'est le seul moyen pour que tous les citoyens soient informés sur ce qui se passe dans le monde.
- Oui, je partage votre opinion. J'admets que le journaliste doit informer, mais il doit appliquer aussi des règles : c'est dans la loi, il doit respecter la vérité et la vie privée.

3.
- Allons-y gaiement ! Taxons, inventons toujours de nouvelles taxes et votons pour ceux qui en inventent !
- Tout à fait d'accord avec vous. Qu'avant tout, nous soient proposés des produits, des équipements, des emballages, des installations qui respectent l'environnement avant de créer des taxes supplémentaires. C'est toujours le consommateur qu'on pénalise !

4.
- De nouvelles thérapies inventées par une personne inspirée sont créées tous les jours. On ne peut pas parler de "médecines douces" avant que ces techniques aient prouvé que ce sont bien des médecines. À côté de cela, des méthodes plus anciennes ont fait leurs preuves.
- Mais pas du tout ! Les médecines naturelles ont fait leurs preuves ! Ce sont des alternatives efficaces qui dans certains cas peuvent réduire la durée d'hospitalisation ! Elles n'ont pas qu'un effet placebo. Comment expliquez-vous le nombre toujours plus important d'adeptes dans ce cas ?

Piste 24 — 9A

- **Journaliste** : Bienvenue dans « Tête à tête, une minute pour convaincre ». Aujourd'hui nous recevons Nadia, consultante spécialisée dans la gestion de l'image des politiciens, et Stéphanie, créatrice de publicité. Que pensez-vous de la récente polémique sur l'utilisation des photos du chef de l'État dans une publicité pour une compagnie low cost ?
- **Stéphanie** : C'est une très bonne campagne publicitaire. Avec très peu de moyens, l'entreprise sait qu'elle va être publiée dans les médias du monde entier... C'est une technique...
- **Nadia** : Excusez-moi, mais il me semble que vous vous...
- **Stéphanie** : Vous permettez ? Je n'ai pas terminé. Je disais donc, c'est une technique très courante. Le prix de l'amende sera moins cher que celui d'une campagne publicitaire.
- **Nadia** : Je ne peux pas vous laisser dire cela...
- **Journaliste** : S'il vous plaît Nadia, vous interviendrez après.
- **Stéphanie** : Ce n'est pas moi qui crée les lois. Le droit à l'image a cette spécificité. Financièrement, c'est donc une très bonne affaire pour cette entreprise. Les médias publient cette photo avec le slogan et le logo de la compagnie aérienne.
- **Journaliste** : Merci Stéphanie. Nadia, je vous laisse maintenant la parole.
- **Nadia** : La publicité utilise des outils créatifs pour créer une histoire et parler aux consommateurs. Je ne crois pas qu'un personnage public puisse apparaître dans ce processus. Il s'agit d'un détournement d'une image informative à des fins commerciales. Je précise que c'est très grave et sanctionné par le Code civil.
- **Journaliste** : Et vous, chers auditeurs, qu'en pensez-vous ? Êtes-vous d'accord avec Nadia ou Stéphanie ? Nous attendons vos commentaires sur le site de l'émission. Je vous remercie de votre attention et vous donne rendez-vous la semaine prochaine pour parler des tests pharmaceutiques. Et maintenant, le journal de Mélanie.

UNITÉ 5

Piste 25 — 3A

- **Journaliste** : M. Rivière, quelle est la première chose à savoir quand on veut faire une réclamation par écrit ?
- **M. Rivière** : La première chose à savoir, c'est qu'il est bien souvent inutile d'écrire des mails. Il est bien plus efficace d'écrire un courrier et de l'envoyer par une lettre recommandée avec accusé de réception. Cela prouve que votre interlocuteur l'a bien lue.
- **Journaliste** : Mais comment l'écrire cette lettre ?
- **M. Rivière** : D'abord, il faut respecter les règles de la lettre formelle. Les noms et adresses de l'expéditeur et du destinataire, la date et l'objet de la plainte doivent figurer sur la lettre. Et puis, utilisez le vouvoiement. Enfin, dans la formule d'adresse, si vous ne connaissez pas le titre de votre interlocuteur, écrivez Madame ou Monsieur. Mais si votre interlocuteur a un titre, il faut le mentionner.
- **Journaliste** : Dans ce cas, on écrira Madame la Directrice, ou Monsieur le Premier Ministre par exemple, n'est-ce pas ?
- **M. Rivière** : C'est ça. Ensuite, il faut expliquer la cause du problème, les conséquences sur votre produit, votre santé etc. Et proposer une solution ou demander un remplacement. Soyez bref, précis et factuel. Enfin, dans la formule de congé, il est recommandé d'écrire que vous attendez une réponse.
- **Journaliste** : Est-ce que je dois alerter une association de consommateurs ?
- **M. Rivière** : Vous pouvez le faire, mais avant cela il est préférable d'écrire dans votre lettre que vous allez alerter une association de consommateurs si vous n'arrivez pas à trouver ensemble une solution.

Piste 26 — 5A

J'étais sur Internet, lorsqu'une fenêtre s'est affichée sur mon écran, indiquant que j'avais gagné un prix de 500 euros. Je n'avais que quelques instants pour répondre et pour bénéficier de cette somme à dépenser dans un grand magasin. J'ai donc répondu aux questions mais une nouvelle fenêtre s'est affichée indiquant que je devais acheter un article bon marché d'une liste pour bénéficier du prix. J'ai donc choisi l'article le moins cher de la liste et j'ai donné les informations de ma carte bancaire. À partir de ce moment, j'ai reçu plusieurs messages d'erreurs : ma carte de crédit a été débitée de 30 euros, soit le montant de l'article que j'avais choisi, mais je n'ai jamais reçu de prix ! Alors j'ai décidé d'alerter une association de défense des consommateurs qui m'a donné d'excellents conseils.

Piste 27— EX.3

- **Journaliste** : M. Bernard, vous avez beaucoup voyagé. De quelles arnaques devons-nous nous méfier en tant que touristes ?
- ○ **M. Bernard** : Dans mes voyages, j'ai souvent remarqué que les bureaux de change pratiquent des taux beaucoup trop élevés.
- **Journaliste** : Que faire dans ces cas-là ?
- ○ **M. Bernard** : Il est préférable de changer votre argent avant de partir et de choisir un bureau de change officiel une fois sur place.
- **Journaliste** : Quelle autre arnaque avez-vous rencontrée ?
- ○ **M. Bernard** : J'ai pu constater que de nombreuses boutiques affichent des prix bien plus chers pour les touristes. Dans ce cas, il est recommandé de se renseigner sur les tarifs avant de partir. Il est souvent très utile de savoir marchander. C'est même une habitude dans certains pays. Mais il faut se renseigner avant sur les coutumes du pays que vous visitez car cela peut aussi être très mal vu.

Piste 28 — LEXIQUE — 3

1.
- À mon âge, je me sens bien seule : vous venez rarement me voir. Cela me chagrine beaucoup.
- ○ Mais, mamie, on est passés te voir la semaine dernière.

2.
Franchement, vous exagérez ! Vous n'avez pas fait vos devoirs et votre chambre est dans un état ! Je ne supporte plus de voir ce désordre !

3.
J'ai fini plus tard que prévu et j'ai failli rater mon train. Je suis vraiment navrée. Excuse-moi !

UNITÉ 6

Piste 29 - 1A

(Sifflement d'oiseaux, des voix en fond sonore)
Bien sûr, viens voir le petit bateau
Le petit bateau ?
Mais si, il va revenir
(rire d'enfant)
1,2,3 soleil
(une sonnette de bicyclette)

Écouter Paris ?
(l'envol des oiseaux)

Faut attendre un petit peu

Monica Fantini : Tout au nord de Paris, du côté du bassin de la Villette, on attend le petit bateau pour aller voir son film. Une navette transporte les spectateurs des cinémas MK2 d'une rive à l'autre. Venez, je vous invite au cinéma au 14 quai de Seine.

(Au guichet du cinéma, plusieurs voix se chevauchent, entrecoupées de bruits de tickets, bruits de caisse, parfois de rires)

Bonsoir
Alors, 19 h *Casse-tête chinois*
Bonne soirée, merci
Bonjour
La 5, c'est à l'étage
Merci
Voilà, bonne soirée
Bonsoir
La 5 à l'étage
Voilà pour vous
Messieurs dames bonsoir
Tout en bas à gauche, la 1
Qu'est-ce que vous venez voir de beau, Monsieur ?
Ça marche
Ouais, deux places ? Alors 21,80 s'il vous plaît
Voilà, bonne séance
Merci
Bonsoir
Merci à vous, bonne soirée
N°4 à l'étage, passez un bon moment
C'est dans 5 minutes, là c'est encore la pub
J'peux prendre une place ?
Bien sûr
Ouais, une place ?
C'est 10,90 s'il vous plaît »

(En salle et au guichet, musique de film, en fond sonore, des voix et des bruits de pas)
On est complet pour *Guillaume et les garçons à table* !
Messieurs, dames.

(Musique de film, en fond sonore, bruits de caisse ponctuels)

Mesdames et Messieurs, MK2 vous invite à laisser éteints vos portables pendant toute la durée de la séance. Cela vous permettra de profiter pleinement du film, et la sécurité routière vous invite à faire de même au volant pour profiter pleinement de la vie.

(Extraits de films et de bande annonce, quelques notes au piano, voix en chinois puis voix d'homme, Romain Duris, acteur français)
La vie pour la plupart des gens, c'est ça : c'est d'aller d'un point A à un point B.

(Julio Iglesias, chanteur espagnol bien connu en France)

Vous les femmes, vous les charmes, vos sourires nous attirent nous désarment.

Piste 30 — 3C

1.
- **Laureen** : On va au ciné en plein-air la semaine prochaine ?
- ○ **Hilaire** : Oui ! T'as regardé les films à l'affiche ?
- **Laureen** : Non, on va le regarder ensemble... alors... Oh *Le petit prince* ! Je voulais trop le voir !
- ○ **Hilaire** :C'est un dessin animé, ça ? On va pas au ciné avec les enfants... Il n'y a pas plutôt un classique du cinéma ?
- **Laureen** : Si... celui-ci... mais franchement on l'a déjà tous vu !
- ○ **Hilaire** : Oui je suis d'accord, en plus un film de science-fiction, c'est pas mon truc...

- **Laureen** : Regarde par contre celui-là ! J'en ai beaucoup entendu parler. En plus on voulait aller en vacances là-bas cet été !
- **Hilaire** : Super ! Et après je t'invite à manger une pizza, comme ça on reste dans le thème !

Piste 31

2.

- **Sophie** : Ça te dirait d'aller voir un film au ciné en plein air ? Les séances sont à 20 h, c'est parfait en sortant du travail !
- **Jamila** : Cool ! Quel est le programme ?
- **Sophie** : Par exemple celui-ci m'intéresserait... J'ai lu ce livre il y a des années et j'avais adoré !
- **Jamila** : De quoi ça parle ?
- **Sophie** : D'un jeune garçon qui est ami avec un arbre...
- **Jamila** : Pffff ça a l'air un peu nul ton truc !
- **Sophie** : T'es bête, c'est parce que je raconte mal mais ça a l'air super ! Mais sinon une autre option... celui-ci aussi est adapté d'un livre ! Toujours une histoire d'amitié mais entre une jeune garçon et un vieux monsieur...
- **Jamila** : C'est déjà mieux qu'avec un arbre... c'est en quelle langue ? Parce que moi les films en V.O. ça me fatigue...
- **Sophie** : quelle râleuse... mais pas de problème c'est en français !

Piste 32 — 5A

1.

- **Journaliste** : Émission spéciale festival de Cannes. Nous sommes partis à la rencontre de nos auditeurs pour recueillir leurs souvenirs cinématographiques : les meilleurs, les pires, les déceptions ou les surprises.
- **David** : Je viens de Calais et je suis bénévole dans une association qui offre des soupes en hiver dans les camps de réfugiés. J'ai assisté au tournage de *Welcome*. Alors, quand j'ai lu dans le journal que Vincent Lindon venait présenter le film en avant-première à Dunkerque, j'y suis allé. C'était la première fois que j'assistais à ce type d'événement. À la fin de la projection, nous nous sommes tous levés pour applaudir. C'était un moment intense pour le public. J'ai adoré le film. Je vous le recommande. Au-delà d'un bon moment de cinéma, c'est un beau geste citoyen.

Piste 33

2.

Marika : J'avais tellement adoré les films des *Bronzés*. Je me souviens très bien avoir vu le premier de la série avec des amis et puis ensuite *Les Bronzés font du ski* pendant des vacances d'hiver avec mes cousins. Ce sont des répliques cultes pour ma génération. Mais alors *Les Bronzés 3*... un navet ! C'est nul, mais vraiment nul nul nul. J'étais allé le voir avec des amis et nous étions tous du même avis. C'est une perte de temps. Le scénario, le jeu des acteurs, les répliques. Je n'ai pas du tout rigolé mais surtout, j'étais très déçue. Je ne me souviens même plus du titre... *Les Bronzés... Les Bronzés... Les Bronzés amis pour la vie*, tiens.

Pista 34

3.

Sabrina : J'ai beaucoup entendu parler du documentaire *Demain*. J'avais même participé au crowdfunding pour financer le film car je trouvais l'initiative vraiment bien. Je pensais trouver des solutions ou des alternatives originales. Mais je dois dire que ça a été une vraie déception. Je me suis un peu ennuyée. 2 heures, c'est long. Rien de nouveau et un peu de solutions locales. J'attendais des exemples concrets qui manquent.

Piste 35

4.

Benoît : *Le Prénom*, c'est le film idéal pour une soirée entre ami. C'est léger, amusant. Un film français autour d'un dîner, dans le huit-clos de la salle à manger, comme je les aime. Cette comédie avec Patrick Bruel qui joue le rôle d'un futur père ne vous changera pas la vie. Mais je me souviens avoir passé un bon moment en le regardant.

Piste 36 — EX. 1

1. C'était stressant quand on avait l'impression qu'il allait la rattraper... Il avait une tête horrible !

2. Ce film donne plein d'idées pour changer le monde. Il y a plein d'initiatives dont je n'avais jamais entendu parler, j'arrête pas d'y penser.

3. Il y avait des scènes très dures et très explicites. Et quand on pense que cela est inspiré d'un fait réel. C'est fou !

4. J'ai pleuré pendant la moitié du film. C'est tellement émouvant quand il retrouve sa fille !

Piste 37 — 10B

- Regarde ce CV, il me semble pas mal pour le rôle principal masculin...
- Je l'ai vu mais je l'avais mis de côté... On veut qu'il sache monter à cheval, non ?
- Oui, mais il peut apprendre ! Tu as vu son regard sur cette photo, c'est parfait !
- Oui, mais j'en ai vu un autre qui a aussi des yeux magnifiques et qui a joué dans plusieurs films d'action où il y a des scènes à cheval, on gagnerait du temps !
- Bon, ok. On va convoquer les deux et on verra... Alors, et la fille ?
- Là, c'est un problème. On a oublié de préciser sur l'annonce qu'on aimerait qu'elle ait un accent chinois... et là on n'a que des candidates qui ne parlent pas chinois !
- Bon, on va remettre l'annonce en la complétant !
- Et pour la femme... J'en ai plusieurs qui me plaisent, et toi ?
- Oui, mais j'aurais voulu que ce soit quelqu'un de plus connu, pour attirer un peu le spectateur...
- Je suis d'accord... L'idéal serait qu'elle ne soit pas débutante. En plus, son personnage est complexe.
- Attends, regarde celle-ci, elle a joué avec Brokiewicz !
- Fais voir... Oui mais regarde ses yeux... Elle a l'air trop gentille !
- Oui mais enfin c'est ça le travail d'un acteur... Allez on lui écrit !

Piste 38 — EX. 3

- J'aimerais ...
- Quoi ? Qu'est-ce que tu veux ?
- Je voudrais ...
- Tu veux quoi à la fin ?
- J'aimerais que ...
- Mais dis-moi !
- Je voudrais que ...

UNITÉ 7

Piste 39 — 1B

- Tu as vu le tableau d'affichage ce matin ?
- Oui ! Très drôle ! Tu sais qui a mis ça ? J'aime beaucoup celui avec la classe surchargée, on dirait mes troisièmes ! Ils sont 37 ! Un peu compliqué pour pratiquer efficacement une langue vivante !
- Ah oui ils sont nombreux dis-donc ! Moi c'est l'idée de supprimer les notes que je préfère ! Elles ne servent à rien. Je milite pour une école sans notes !
- Sans notes peut-être, mais il faut quand même gérer l'hétérogénéité dans les classes. C'est l'objectif de la pédagogie différenciée ! Tu te souviens de ce que nous a expliqué l'inspecteur : « Dans un monde idéal, nous devons être capables de proposer des activités adaptées aux spécificités de chaque élève ». Comme sur ce dessin de la prof parfaite ! (rires)
- Regarde celui du bonnet d'âne, il est super ! À propos des punitions, tu connais Charline de la vie scolaire ? Elle m'a dit que la maîtresse de son fils le mettait au coin tous les jours, tu te rends compte ?! Moi je suis contre les punitions, même en maternelle. Je préfère le dialogue.
- Bon allez, fini la récré, c'est l'heure d'aller travailler !

Piste 40 — 3C

Les gens disent toujours que personne n'échoue dans les pédagogies alternatives, comme si parce qu'une pédagogie était alternative, elle était facile, mais ça n'est pas le cas.
Moi, je fais partie de la minorité d'enfants à qui cette pédagogie ne convenait pas. Malgré tous mes efforts et même si mes parents m'encourageaient beaucoup, j'ai échoué. Oui, je suis un échec de la pédagogie Steiner.
Incapable de dessiner, n'ayant aucune oreille musicale, aucune inventivité artistique, aucune créativité, étant nul en eurythmie (c'est un mode d'apprentissage par le corps), détestant l'autonomie, mes parents ont décidé de m'inscrire dans le système scolaire traditionnel. Il fallait apprendre des règles et faire des exercices rébarbatifs, pourtant, je me suis épanoui.

Piste 41 — EX. 1

Savez-vous qu'en France, plus de 90 % des enfants de trois ans sont scolarisés à l'école maternelle ? Or, selon la moyenne calculée, tous pays de l'OCDE confondus, seulement 79 % des enfants de quatre ans sont scolarisés.
Par ailleurs, les fonds privés représentent plus de 48 % du financement total de l'école maternelle en Australie, en Corée et au Japon, contre seulement 6 % en France.

Piste 42 — EX. 3

1. Je n'aime pas les enfants mal élevés !
2. Vous ne devriez pas donner de fessée, ça ne sert à rien.
3. En plus, il est prouvé que les punitions violentes peuvent favoriser la délinquance
4. Ne faudrait-il pas faire une loi pour interdire la gifle en France ?

Piste 43 — 6B

On pense toujours que scolariser un enfant est la norme. Mais est-ce que c'est la norme par rapport à la façon dont fonctionnent le cerveau humain et l'apprentissage ? Est-ce qu'on a besoin d'être dans une école pour apprendre ? Un jour, j'ai rencontré une directrice d'école qui m'a dit qu'elle comprenait parfaitement mes questionnements. Elle m'a expliqué qu'aujourd'hui en France, on estimait à 20 000 le nombre d'enfants qui étudiaient en famille et que ce chiffre était en constante augmentation. Elle m'a dit aussi que faire l'école à la maison ne serait en aucun cas un obstacle pour l'épanouissement de mes enfants. Cela m'a aidée à prendre ma décision. Un enfant n'arrête pas d'apprendre dans la vie ! Tout seul et avec les autres ! Ce que je préfère dans le film c'est la phrase « les enfants sont des géants ». Eh bien moi je suis d'accord ! Et j'ai déscolarisé mes enfants car j'ai une confiance énorme dans leur génie et dans leur talent ! Je ne reviendrai pas au système scolaire traditionnel. N'hésitez pas et faites comme moi, lancez-vous !

Piste 44 — EX. 2

1.
On appelle ça le « homeschooling » littéralement, « école à domicile ». Ce mouvement vient des États-Unis où il représente plus de 2 millions des enfants en âge scolaire. C'est très simple : un des parents se transforme en professeur (dans notre famille, il s'agit de moi). Ensuite, mon fils choisit le planning de sa journée en fonction de ses envies.

Piste 45

2.
Je pense qu'à l'école, mes filles apprennent bien plus que lire, écrire et calculer. Elles apprennent à vivre avec les autres en intégrant les contraintes propres au groupe, en faisant l'expérience des limites de sa propre liberté face à celle des autres, que ce soit pour prendre la parole en classe ou lorsqu'il faut attendre son tour pour se laver les mains. Pour moi, l'inconvénient majeur de l'instruction en famille est de priver l'enfant de cette expérience.

UNITÉ 8

Piste 46 — 2B

Chers auditeurs, chères auditrices, bonsoir à tous et bienvenue au studio Emile Ajar pour une soirée consacrée à l'actualité littéraire. Commençons par l'événement de ce début d'année 2015. Le prix Nobel de littérature 2014 a été décerné à l'écrivain Patrick Modiano. Rappelons-le, Patrick Modiano est l'auteur d'une trentaine de livres. Son livre *Rue des boutiques obscures* lui a valu le prix Goncourt en 1978. *Villa triste* a été adapté en 1994 au cinéma. *Un pedigree* est son livre autobiographique daté de 2005. Patrick Modiano est le quinzième écrivain français à recevoir le prix Nobel de littérature. Ce prix récompense l'ensemble de son œuvre.

Piste 47

- **Journaliste** : Mesdames, Messieurs, bonsoir. Flash info sport. Nous découvrons en direct la victoire incroyable de l'équipe de France masculine de handball. Ce soir, à Doha, au Qatar, les Français ont remporté le championnat du monde de handball pour la cinquième fois consécutive. Claude Honesta, vous êtes entraîneur de l'équipe de France, que pensez-vous de cette victoire ?
- **M. Honesta** : Je suis ému, bien sûr ! C'est vraiment un plaisir et une fierté de remporter un tel match. J'aime ces finales parce que les émotions fortes sont toujours au rendez-vous. Et puis, nous avons été soutenus par d'excellents supporters pendant tout le match.
- **Journaliste** : Merci, monsieur Honesta. Ce dimanche 1er février 2015 est un jour historique pour le handball français.

Piste 48 — 3B

1.
Le jour où j'ai compris que l'actualité me stressait, j'ai choisi de vivre loin de la pression de l'info. Pour moi, les actualités sont négatives et même toxiques : on ne parle jamais des belles choses de la vie. Moi, je préfère lire, aller à la plage, profiter de ma famille. D'ailleurs, depuis deux ans, je m'en passe très bien vu que je n'ai plus Internet ni téléphone portable. Je me sens aujourd'hui libre et déconnectée !

Piste 49

2.
Je ne lis jamais les journaux et je ne regarde pas la télé, tout ça, c'est trop démodé. Je préfère aller moi-même chercher l'information sur les réseaux sociaux : je suis abonné aux chaînes Youtube qui m'intéressent, je consulte les pages d'actualité en ligne en fonction de mon humeur et je lis tous les matins le blog de deux amis sur l'actualité ciné. Les journalistes ont tous une opinion subjective de toute façon, qu'ils soient connus ou pas. D'ailleurs, avec des amis, nous pensons bientôt animer notre propre chaîne d'info sur Youtube !

Piste 50

3.
Je dévore l'info et je suis tous les jours connectée. J'aime savoir ce qui se passe dans le monde, mais je suis aussi très attentive aux sources : toutes les chaînes de télé, toutes les radios, tous les journaux ne se ressemblent pas. Il faut analyser et traiter l'information reçue, comparer les points de vue des uns et des autres, prendre du recul. D'ailleurs, les nouveaux médias comme Facebook ou Youtube ne me plaisent pas car l'information n'est pas toujours fiable. Dans le journalisme, il faut bien discerner le vrai du faux.

Piste 51

4.
Moi, je n'ai pas le temps de chercher l'information, alors je préfère les médias traditionnels. Je regarde le journal de 20 h à la télévision et j'écoute les flashs info à la radio le matin en me levant. Ah oui, et le dimanche, j'achète le journal. Mes rubriques préférées ? Le sport et la politique internationale.

PHONÉTIQUE

UNITÉ 1

Piste 52 — PHONÉTIQUE — 3

1. J'ai passé plusieurs heures à attendre le dépannage.
2. Je rêvais de visiter Bangkok.
3. Je passais toutes mes vacances en Italie.
4. J'ai rêvé de notre première rencontre à Paris.

Piste 53 — PHONÉTIQUE — 4

1. J'ai fait l'ascension des plus hauts sommets.
2. Je rêvais d'aller en Grèce depuis tout petit et j'ai réalisé ce rêve l'année dernière.
3. Je pensais que tu ne venais pas avec nous.
4. Je visitais l'Afrique du Sud cette année-là.

Piste 54 — PHONÉTIQUE — 5

1. À qui est ce sac de voyage ?
2. À qui est cet appareil photo ?
3. Tu sais à qui appartient cette chaussette ?
4. C'est à qui cette carte d'identité ?
5. À qui est cet équipement de ski ?

Piste 55 — PHONÉTIQUE —6A

1.
- Je n'ai plus de crème solaire ! Je vais attraper un coup de soleil !
- Tiens, tu peux prendre la mienne.

2.
- Il faut que j'achète un parapluie.
- Ce n'est pas la peine, j'ai pris le mien !

3.
- Tu as pris ma brosse à dents ?
- J'ai pris la mienne mais pas la tienne !

UNITÉ 2

Piste 56 — PHONÉTIQUE —2A

1. Si j'avais le temps ...
2. Si je peux ...
3. Si jamais j'oublie ...
4. Si j'habitais en ville ...

Piste 57 — PHONÉTIQUE —2B

1. Si j'avais le temps, j'apprendrais le solfège.
2. Si je peux, je viendrai à ton concert.
3. Si jamais j'oublie, rappelle-moi notre répétition.
4. Si j'habitais en ville, j'irais plus à l'opéra.

Piste 58 — PHONÉTIQUE —3A

1. J'vais
2. Ça m'donne
3. J'suis
4. J'déprime
5. Ça m'rend
6. Je m'sens

Piste 59 — PHONÉTIQUE — 4A

Salut les zicos. Nous sommes un groupe de jeunes musiciens amateurs et débutants : un guitariste / bassiste, un batteur et deux chanteuses. Nous avons quelques compos à nous, mais faisons surtout des reprises de chansons françaises pour les arranger à notre manière.

UNITÉ 3

Piste 60 — PHONÉTIQUE — 2

1. Ba ba ba ba
2. Di di di di
3. Mo mo mo mo

Piste 61 — PHONÉTIQUE — 3A

1. J'ai trouvé un appart.
2. T'as trouvé un appart ?
3. Est-ce que tu as trouvé un appart ?
4. Comment ? Tu as trouvé un appart ?

Piste 62 — PHONÉTIQUE — 4

1. J'ai toujours été actif dans ma vie.
2. J'aurais aimé être plus sportive.
3. Tu as peut-être été trop directif au travail.
4. Nous avons toujours été les plus créatives.
5. Être pensif ne m'a pas toujours apporté de bonnes choses.

Piste 63 — PHONÉTIQUE — 5A

If négatif, maladif, inexpressif et plus vraiment vif, cherche le motif
If trop captif et décoratif
If défensif, à cran, offensif

UNITÉ 4

Piste 64 — PHONÉTIQUE — 2A

Je n'admets pas que tu passes ton temps sur ton portable.

Piste 65 — PHONÉTIQUE — 2B

1. Je n'admets pas que tu passes ton temps sur ton portable.
2. Je ne m'attendais pas à ce que tu t'inscrives sur Facebook.
3. Il est important que vous soyez là avec moi.
4. Je ne trouve pas qu'il soit nécessaire de passer autant de temps sur Twitter.

UNITÉ 5

Piste 66 — PHONÉTIQUE — 2A

1. Bravo ! Tu as obtenu ton augmentation.
2. Oh non, zut ! Tu as encore raté ton train.
3. Bof ! Ce n'est pas très réussi.
4. Ouf ! Je pensais que c'était grave.

Piste 67 — PHONÉTIQUE — 2B

1. Bravo !
2. Bof !
3. Ouf !
4. Zut !

Piste 68 — PHONÉTIQUE — 3

Voici six chasseurs se séchant sachant chasser sans chien

Piste 69 — PHONÉTIQUE — 4B

1. La banque devrait me rembourser en prenant en compte que c'est un vol de carte bancaire.
2. En sachant que je ne peux pas payer, vous devriez m'accorder un délai de paiement.
3. Vous devriez me proposer un bon de réduction en ayant en tête que je suis une bonne cliente.
4. En faisant un peu attention, je n'aurais pas été arnaqué par ce site Internet.

UNITÉ 6

Piste 70 — PHONÉTIQUE — 2A

1. amusant
2. musique
3. émouvant
4. tournage
5. bouleversant

Piste 71 — PHONÉTIQUE — 2B

1. On retrouve une vraie bande de copains qui nous réservent d'inépuisables surprises.
2. Elle est prête à tout pour se créer un manteau en fourrure de petits dalmatiens, qui serait assorti à sa coiffure, blanche et noire.
3. Ce qui me touche le plus dans un film, c'est la qualité de sa musique.

UNITÉ 7

Piste 72 — PHONÉTIQUE — 2

1. deuxième
2. treizième
3. quinzième
4. sixième
5. cinquième

UNITÉ 8

Piste 73 — PHONÉTIQUE — 3

1. Il est arrivé en avance.
2. Nous en distribuons assez.
3. On en parle très peu.
4. Il y en a qui ont de la chance !
5. Vous en avez entendu parler ?

PRÉPARATION AU DELF B1

Piste 74 — EX1

- **Olga** : Salut Manu ! T'es pas venu au flash-mob finalement ?
- **Manu** : Salut Olga ! Oh non, je suis désolé ! Je n'ai pas réussi à me libérer, c'était en plein après-midi ! Je travaillais ! D'ailleurs, comment tu as fait, toi ?
- **Olga** : J'ai pris un jour de congé !
- **Manu** : Ah bon ?
- **Olga** : Oui, c'est une cause qui me tient tellement à cœur que je ne pouvais pas manquer !
- **Manu** : Et alors, raconte !
- **Olga** : C'était absolument génial ! Il y avait un monde sur la place ! On est arrivés chacun de notre côté à 14 h.
- **Manu** : Vous étiez tous habillés pareil ?
- **Olga** : Non, pas du tout ! Tous ceux qui voulaient participer devaient juste amener un livre. Comme ça personne pouvait se douter de rien ! Et là, une musique s'est élevée... *Mourir pour des idées* de Georges Brassens.
- **Manu** : Ah... pas très dynamique !
- **Olga** : Ce n'était pas du tout l'objectif ! Ce sont les paroles qui comptent ! Moi j'adore cette chanson, elle me donne des frissons !
- **Manu** : Et puis ?
- **Olga** : Tout le monde a sorti un livre de sa poche et s'est immobilisé en faisant semblant de lire. Je te jure, on était au moins 200 ! Et plein de gens se sont arrêtés pour nous regarder. Alors on leur a demandé de signer la pétition pour empêcher la fermeture de la librairie Arthus !
- **Manu** : Bon ! J'espère que ça va marcher ! Sinon qu'est-ce qu'on fera les samedis après-midi !
- **Olga** : En tout cas, tu peux encore venir soutenir, on fait un autre flash-mob la semaine prochaine ! Samedi aprem justement !
- **Manu** : Cool !

Piste 75 — EX2

Cette semaine remarquons la sortie de *Montréal la blanche*, un premier film de Bachir Bensaddek qui aborde le sujet de l'intégration avec style et justesse.
Les deux acteurs Rabah Aït Ouyahia et Karina Aktouf incarnent magnifiquement leurs personnages. Ce film a un aspect documentaire pour la manière dont il est filmé. Il est adapté d'un projet théâtral, mais se transforme en road-movie à travers Montréal, la nuit de Noël. Les deux héros, algériens d'origine, se rencontrent par hasard dans un taxi. Amokrane, le chauffeur, ne fête pas Noël. Pour lui c'est Ramadan et Noël c'est la nuit où il peut gagner le plus d'argent. Kahina, ancienne star du pop algérien, veut rejoindre sa fille qui passe Noël avec son ex-mari. La femme s'est parfaitement intégrée au Québec alors que l'homme pense à l'Algérie avec nostalgie. Ils vont traverser la ville tout le long du film et faire ressurgir un passé qu'ils croyaient tous les deux loin derrière eux.
On peut lire dans la presse : « Extraordinaire ! Ce sont des choses qu'on a déjà vues dans le cinéma français, mais qu'on n'a pas vues dans le cinéma québécois depuis longtemps.» Une autre critique, qui elle aussi a beaucoup aimé, parle d'un « vrai, vrai coup de cœur. C'est un regard très juste sur des thèmes comme l'exil et le déracinement ».

Piste 76 — EX3

- **Journaliste** : Bonsoir à vous tous, merci d'être avec nous ! Ce soir nous allons parler de la peur. Pour en parler avec nous, nous recevons le psychologue René Pommel qui vient d'écrire un livre intitulé *Même pas peur* aux éditions Kapito. La liste de nos peurs est interminable : peur de rompre, de l'abandon, de s'engager, du vide, de grossir, de la routine, d'être jugé, etc. Pourtant vous dites que nous créons toutes ces peurs ! Vous pouvez nous expliquer pourquoi ?
- **René Pommel** : Bonsoir... et bien 95 % de nos peurs ne viennent pas d'un danger réel. Elles viennent de l'intérieur. Il y a en fait deux types de peurs. Les peurs naturelles et les peurs inventées. Si un chien nous attaque en public, c'est normal d'avoir peur, mais il n'y a aucune raison d'avoir peur de parler en public ! Et pourtant le signal que nous envoie notre corps est exactement le même.
- **Journaliste** : Donc, si j'ai peur des souris, pour mon corps c'est comme si j'étais attaqué par un fauve !
- **René Pommel** : Oui, c'est cela !
- **Journaliste** : Vous proposez un modèle pour se débarrasser de nos peurs... Une auditrice dit qu'une peur c'est comme une prison qui nous enferme. Alors comment peut-on s'en libérer ?
- **René Pommel** : La peur, il faut la regarder dans les yeux pour la traverser. C'est plus facile de se débarrasser d'une peur quand on en comprend le mécanisme.
- **Journaliste** : Vous aidez les gens qui ont peur, à ouvrir la porte de cette prison avec votre livre !
- **René Pommel** : Mon livre peut aider seulement à comprendre le mécanisme. Mais il faut ensuite faire un travail psychologique. La plupart du temps il faut renvoyer ses peurs à l'envoyeur donc souvent à nos parents. Et puis la peur se trouve dans le futur, donc je conseille de vivre dans le présent !
- **Journaliste** : Merci René Pommel ! Chers auditeurs, vous pouvez maintenant nous appeler au 01 50 45 89 45 pour réagir !

CAHIER D'ACTIVITÉS - UNITÉ 1

Piste 1 — 6A

Marco Polo naît à Venise en 1254, son père est négociant vénitien spécialisé dans le grand commerce oriental.
De par sa fonction, son père voyage beaucoup, et Marco passe sa jeunesse avec son grand-père.
Marco Polo part pour son grand voyage en Extrême-Orient en 1271, il n'a alors que 17 ans.
Après trois ans de voyage, Marco Polo arrive à la cour de l'Empire mongol en 1274. Il y reste plusieurs années pendant lesquelles il travaille comme émissaire de l'empereur dans les territoires d'Asie.
Alors qu'il rentre à Venise 26 ans après son départ, il se retrouve au milieu d'une guerre de territoires et il est fait prisonnier à Gênes.
C'est pendant qu'il est en prison qu'il rédige son célèbre *Livre des merveilles*.
Il y rassemble des connaissances très précieuses sur le monde oriental, qui permettent à d'autres voyageurs comme Christophe Colomb de continuer l'exploration du monde.

Piste 2 — 10

1. Je suis revenu de vacances hier.
2. J'ai fait de la randonnée pendant une semaine.
3. Ils avaient déjà visité cette région l'an dernier.
4. Quand ils étaient petits, ils allaient souvent à la montagne.
5. Nous adorions rester sur la plage tout l'après-midi.
6. Ils n'avaient pas bien vu le prix des billets avant de se décider.

Piste 3 — Compréhension de l'oral

- **Présentateur** : Bonjour Romain, alors, vous venez de faire un petit tour d'Afrique en vous inspirant des voyages d'Antoine de Maximy ?
- **Romain** : Oui c'est ça, je suis parti au Maroc, en Mauritanie, au Mali, au Sénégal, au Congo et au Burkina Faso. Tout un voyage !
- **Présentateur** : Et quelle est la différence entre vos voyages et ceux d'Antoine de Maximy ?
- **Romain** : En fait il y en a plusieurs, deux principalement. D'abord j'ai décidé de ne voyager que dans des pays francophones pour faciliter les rencontres avec les autochtones. Et puis la seule caméra que j'avais c'était mon téléphone portable. Je n'ai pas filmé tout le temps. Je prenais d'abord le temps de rencontrer les gens, de mieux les connaître, et c'est seulement quand une certaine confiance s'était instaurée que je leur demandais si je pouvais faire une petite vidéo.
- **Présentateur** : C'est ces petites vidéos que vous mettez sur Youtube, en fait, ce sont plutôt des portraits non ?
- **Romain** : Oui exactement, je demande aux personnes que je rencontre de se présenter, de parler un peu de leur quotidien. C'est un moyen pour moi de rassembler la francophonie, comme ça, tous les francophones du monde peuvent voir comment des gens qui parlent la même langue qu'eux vivent à l'autre bout du monde.
- **Présentateur** : Oui, c'est un beau projet ! Et quelle sera votre prochaine destination ?
- **Romain** : L'Amérique ! D'abord la Guyane, Haïti et les autres îles francophones des Caraïbes, et je terminerai par le Québec !

UNITÉ 2

Piste 4 — 1

1. La soprano de ce concerto était incroyable, il y a tant de sensibilité dans sa voix, elle m'a vraiment ému.

2. C'était très intéressant, j'aime la douceur de sa voix. Mais les textes sont si tristes...

3. Ouah ! C'était génial ! Un concert super puissant ! J'ai envie de sauter partout.

4. Super ce DJ set, c'était de la bonne techno, j'ai dansé tout le temps et maintenant je me sens reposé !

5. Je savais bien que je n'aimerais pas. Le rap est décidément trop violent pour moi, toute cette violence ça me dérange !

Piste 5 — Compréhension de l'oral

- **Marc** : Salut Santi ! Tu vas bien ? Qu'est-ce que tu es en train d'écouter ?
- **Santi** : Je suis en train de chercher une radio sympa... Je connais pas trop les radios françaises, qu'est-ce que tu écoutes toi ?
- **Marc** : Je change tout le temps, tout dépend de mon humeur et du type de musique que j'ai envie d'écouter... Par exemple si tu aimes les tubes des années 70 et 80 tu peux écouter Nostalgie, cette radio est spécialisée dans la musique qui a marqué la variété française.
- **Santi** : Et pour écouter du rock ? Un peu plus récent ?
- **Marc** : Je ne connais pas trop parce que moi le rock ça m'agresse le matin ! Et j'écoute la radio le matin en me réveillant... Mais c'est sûr que Le Mouv' est la radio qu'il te faut si tu aimes le pop ou le rock, on y passe toutes les chansons rock actuelles. Ma sœur adore !
- **Santi** : Ah cool ! Moi au contraire le rock le matin ça me donne la pêche pour toute la journée ! Et pour entendre un peu plus de chansons françaises ?
- **Marc** : Fip est une radio de très bonne qualité où, en plus, tu trouveras des émissions avec le meilleur de l'actualité musicale française. Et Fun Radio tu connais ?
- **Santi** : Non...
- **Marc** : Si tu aimes le r'n'b et le rap, tu devrais l'écouter. La musique est pas mal, mais par contre les émissions sont surtout destinées à un public adolescent !
- **Santi** : Ah d'accord... mais je ne pense pas que je l'écouterais le rap c'est la seule musique qui m'exaspère !
- **Marc** : Ah bon ? C'est marrant, moi au contraire, ça me met de bonne humeur !

UNITÉ 3

Piste 6 — 7A

- **Fred** : Toi si tu avais vécu à une autre époque, ce serait laquelle ?
- **Léa** : Mhh, je pense que j'aurais aimé vivre dans le Paris des années 20, comme ça je serais devenue une peintre célèbre à Montmartre, et Picasso aurait été mon meilleur ami ! Et toi ?
- **Fred** : Moi... C'est un peu cliché, mais j'aurais voulu vivre dans les années 70 en Amérique, j'aurais été hippy et je serais parti vivre dans une communauté en Californie.

Piste 7 — 10

1. Je dois faire une présentation devant toute ma hiérarchie. C'est la première fois que je fais ça et j'ai peur de ne pas savoir quoi dire ! Comment faire pour dissimuler mon agitation?

2. Je viens juste de m'installer à Strasbourg pour le travail. Je travaille beaucoup et je ne connais personne à part mes collègues. Comment faire pour faire de nouvelles connaissances ?

3. Je suis encore amoureux de mon ex. Mais je sais qu'elle est à nouveau en couple. Qu'est-ce que je pourrais faire pour la reconquérir ?

4. On m'a proposé un poste en Nouvelle-Calédonie. Le poste a l'air super intéressant, mais je me pose plein de questions... Partir si loin, tout quitter... Ma copine est ici en France et elle adore son travail, va-t-elle me suivre ?

5. Je dois travailler en binôme avec un collègue qui est insupportable. Il n'est pas du tout collaboratif, il rejette toutes mes idées, je ne sais pas quoi faire pour sortir de cette situation... Car j'aime quand même mon travail et je n'ai pas envie de démissionner !

Piste 8 — Compréhension de l'oral

Aujourd'hui nous voudrions vous parler de Sebastião Salgado, l'un des photographes dont on entend beaucoup parler dernièrement grâce à la sortie du film *Le Sel de la terre*.
Mais ce n'est pas son travail artistique qui nous intéresse aujourd'hui, c'est l'engagement politique et écologique qu'il a pris avec sa femme depuis quelques années. Après avoir passé plus de trente ans à Paris et avoir voyagé dans le monde entier pour son travail, il a décidé de retourner dans sa terre natale, au nord du Brésil. C'est avec stupeur qu'il a découvert que la forêt amazonienne qui entourait sa maison a été complètement rasée. Avec sa femme, ils ont alors décidé de replanter les arbres et de recréer la forêt telle qu'elle était à l'origine.
Ça a été un travail long et pénible, il leur a fallu lutter contre les entreprises locales qui voulaient continuer à détruire la forêt et apprendre l'écosystème si particulier de la forêt amazonienne et qu'ils ne connaissaient pas du tout. Mais après quinze ans de labeur acharné, le couple Salgado a réussi l'incroyable exploit de replanter plus de 2,5 millions d'arbres et à réintroduire 297 espèces d'animaux qui avaient disparu de cette région.

UNITÉ 4

Piste 9 — 2

- **Présentatrice** : Bonjour à tous, nous allons nous interroger aujourd'hui sur les réseaux sociaux et le respect de la vie privée. Nous avons ici avec nous cinq internautes : Marine, Hugo, Gaëtan, Sonia et Sabri qui vont échanger sur ce thème...
- **Tous** : Bonjour !
- **Présentatrice** : Marine, pensez-vous que les réseaux sociaux respectent la vie privée des gens ?
- **Marine** : La plupart des réseaux sociaux possèdent les informations qu'on y met. Toutes les photos, les conversations, les vidéos, une fois postées, leur appartiennent. C'est fou ! Je ne suis pas du tout d'accord avec ces pratiques. D'ailleurs je ne poste presque rien.
- **Présentatrice** : Hugo, vous voulez intervenir ?
- **Hugo** : Je ne suis pas du tout d'accord avec Marine. À mon avis c'est comme partout, il faut faire attention. Tu ne te promènes pas en sous-vêtements dans la rue, je pense que c'est pareil sur les réseaux sociaux. Il faut être attentif à ce qu'on y met. Selon moi, il faut bien paramétrer son compte pour que seuls les amis voient les contenus.
- **Présentatrice** : Et vous Gaëtan, vous êtes d'accord avec Marine ou Hugo ?
- **Gaëtan** : Je suis un peu d'accord avec les deux. C'est vrai que, comme Hugo, je pense qu'il faut être responsable sur les réseaux sociaux. Par contre je ne trouve pas ça juste qu'ils puissent utiliser nos photos et nos conversations privées.
- **Présentatrice** : Sonia, qu'en pensez-vous ?
- **Sonia** : Moi je suis complètement d'accord avec Marine, c'est scandaleux. Surtout que ces entreprises vendent nos informations à des entreprises de publicité. Selon moi, on devrait faire une pétition pour changer ça.
- **Présentatrice** : Et pour terminer, Sabri, quelle est votre opinion ?
- **Sabri** : Je suis de l'avis d'Hugo, pour moi, si on fait attention, il n'y a pas de raison d'avoir peur. Il faut arrêter de se sentir une victime ! Personne ne nous a obligés à nous inscrire !
- **Sonia** : Mais arrêtez d'être aussi naïfs...

Piste 10 — Compréhension de l'oral

- **Animateur radio** : Bonjour chers auditeurs, aujourd'hui nous allons parler des coups de cœur des internautes au sujet des réseaux sociaux. On connaît tous Facebook ou Twitter, mais il y en a beaucoup d'autres ! Nous allons écouter deux auditeurs qui nous diront leur coup de cœur.
- **Françoise** : Oui, bonjour, c'est Françoise. Moi j'ai découvert il y a peu SoundCloud, c'est une plateforme musicale sur laquelle on peut écouter de la musique et la commenter. C'est incroyable, moi qui aime découvrir de nouvelles choses, sur ce site, des milliers d'artistes mettent leur musique en ligne. Et je trouve génial qu'on puisse commenter directement la musique qu'on écoute, ça permet de connaître d'autres personnes qui partagent vos goûts musicaux.
- **Noémie** : Salut, moi c'est Noémie. J'ai 25 ans et je viens de terminer mes études, alors pour moi, le réseau social que j'utilise le plus en ce moment c'est Linkedin. Bon, je sais que ce n'est pas le plus drôle des réseaux sociaux, mais c'est super utile ! Je dois prendre mon avenir au sérieux, et c'est formidable qu'on ait la possibilité de le faire grâce à Internet. J'ai contacté plein d'entreprises, j'ai ajouté des responsables de recrutement à mes contacts, j'ai bien rempli mon profil, et voilà ! J'ai deux entretiens d'embauche la semaine prochaine. Franchement, vive Linkedin !

UNITÉ 5

Piste 11 — 6

Bonjour, pour notre chronique conso, aujourd'hui nous vous donnons quatre conseils pour éviter la publicité intempestive. Tout d'abord, vous pouvez éviter les publicités par téléphone en inscrivant votre numéro sur liste rouge, ça permet de ne pas le diffuser publiquement. Pour la publicité que vous recevez par courrier, vous l'éviterez en accrochant un panneau sur votre boîte aux lettres indiquant que vous n'acceptez pas la publicité. En ce qui concerne les e-mails, nous vous conseillons d'éviter les pubs sans faire d'effort, en créant une boîte e-mail poubelle que vous utiliseriez seulement pour les e-mails commerciaux. Toujours sur Internet, vous pouvez éviter les pubs pop-ups en installant Ad-block, un bloqueur de publicité. Enfin, la meilleure manière de ne pas recevoir trop de publicité sur Internet c'est d'y aller sans laisser trop de trace.

Piste 12 — Compréhension de l'oral

- **Opérateur** : La Banque Postale bonjour, comment puis-je vous aider ?
- **Client** : Bonjour, Jérémy Gascon à l'appareil. Je vous appelle parce que je voudrais faire une opposition sur un paiement. Je suis en vacances au Congo et je me suis fait arnaquer par une fausse agence touristique.
- **Opérateur** : D'accord, que s'est il passé exactement ?
- **Client** : Et bien j'étais de passage à la ville de Loubomo et je devais prendre l'avion à l'aéroport de Pointe-Noire dans deux jours. Je suis entré dans cette agence de voyage qui m'a dit que c'était très compliqué de voyager entre les deux villes, le vendeur disait que tous les trains étaient complets. Il m'a expliqué que si je voulais prendre mon vol, le seul moyen était de voyager en 1ere classe dans un train de luxe. Je l'ai cru et j'ai acheté le billet. Mais plus tard quand je suis allé à la gare, je me suis renseigné et j'ai découvert qu'il y avait beaucoup de trains qui faisaient le trajet entre les deux gares, et dix fois moins cher ! C'est incroyable de se faire avoir comme ça !
- **Opérateur** : Oui, je comprends monsieur, je regrette sincèrement que ça vous soit arrivé. Il faut toujours rester sur ses gardes dans ces situations-là. Je vous conseille d'aller à la police locale et de porter plainte. Mais il faut avant tout annuler cette transaction, donnez-moi les coordonnées de cette agence pour que nous fassions les démarches nécessaires...

UNITÉ 6

Piste 13 — 1

1. Ouah, c'était génial, j'ai passé un bon moment, ce film m'a fait tellement rire, c'est ce dont j'avais besoin !

2. Mmh, c'était assez intéressant, ce film entend sensibiliser le public à la réalité du système carcéral, il fait réfléchir sur la notion de l'enfermement de l'âme ...

3. Ouais, c'était pas mal pour une suite, le film cherche à nous faire peur, mais avec moi ça marche pas, j'ai pas eu aussi peur que pour le premier.

4. C'était magnifique ! Le film veut nous faire rêver et il y arrive très bien, en tout cas avec moi ! Il nous a fait voyager en Égypte, dans les pyramides, c'était incroyable !

Piste 14 — 10A

1.
a. Tu arrives en retard.
b. Tu arrives en retard.

2.
a. Oui, ce film a l'air sympa.
b. Oui, ce film a l'air sympa.

3.
a. Tu as aimé le film ?
b. Tu as aimé le film ?

4.
a. On a vraiment les mêmes goûts !
b. On a vraiment les mêmes goûts !

Piste 15 — 11

Je suis en train de faire un film sur les problèmes de l'adolescence. Ça sera un film très réaliste et je veux qu'il touche les spectateurs. L'histoire se concentre sur le destin de deux jeunes garçons et j'aimerais que les jeunes Français puissent s'identifier à eux. L'idéal serait que les acteurs soient amateurs, ça permettrait de faire un film plus réaliste.

Piste 16 — Compréhension de l'oral

Bonjour à tous, pour notre rubrique Lundi-cinéma nous vous présentons le programme de la cinémathèque de Toulouse. Elle propose comme d'habitude une programmation éclectique, il y en a pour tout le monde. Les enfants apprécieront le nouveau dessin-animé produit par Jamel Debbouze *Pourquoi j'ai pas mangé mon père*. Les ados s'identifieront avec la comédie romantique *20 ans d'écart*. Enfin, les amoureux de la nature resteront impressionnés devant le merveilleux documentaire de Sebastião Salgado *Le Sel de la Terre*. Nous vous rappelons que, jusqu'au 20 mars, la cinémathèque organise un cycle autour des films de Chantal Akerman, cinéaste belge disparue le 5 octobre 2015 et qui laisse derrière elle une filmographie impressionnante qui va du manifeste politique à la comédie loufoque. La réalisatrice s'est essayée tant au cinéma expérimental qu'aux productions les plus commerciales.

UNITÉ 7

Piste 17 — 5

1.
Le prof de maths : Il a eu des meilleures notes, mais je ne sais pas si ça sera suffisant pour réussir son année.

2.
Le prof de français : Il n'a pas une bonne attitude, il insulte ses collègues. La dernière fois il a traité Pauline de pétasse.

3.
- **La déléguée** : Ce n'est pas la faute de Cédric, c'est Pauline qui a commencé à l'agresser.
- **Le prof de français** : Oui, d'accord, mais ça arrive tout le temps...

4.
La prof de sport : Avec moi tout se passe très bien. D'ailleurs il m'a confié que le sport était sa matière préférée. On pourrait l'encourager à faire des études de sport !

5.
La prof d'anglais : En tout cas, pas des études d'anglais. À la dernière évaluation, il a triché en copiant sur sa voisine. Il ne fait aucun effort.

6.
La prof d'espagnol: Par contre, en espagnol, Cédric est assez motivé et s'il continue comme ça, il pourra rattraper son retard.

Piste 18 — 10A

1. À quel âge avez-vous arrêté vos études ?
2. Qu'est-ce que vous avez fait comme formation professionnelle ?
3. Pourquoi avez-vous choisi ces études ?
4. Êtes-vous satisfait de ce choix ?

Piste 19 — 11

- **Telma** : Alors, tu as reçu un message de Martin. Il te demande si tu as assisté au cours de linguistique et si tu peux lui prêter tes cours.
- **Judith** : Ah, ok, comme d'habitude...
- **Telma** : Ensuite, voyons voir, tu as un message de ta mère qui veut savoir comment s'est passé ton examen d'allemand.
- **Judith** : D'accord, je l'appellerai après. Et sinon, j'ai pas un message de Paolo ?
- **Telma** : Haha, le bel Italien. Si, bien sûr ! Il veut savoir ce que tu fais ce soir et te demande si ça te dit d'aller au cinéma avec lui... Après, il est tout triste et demande pourquoi tu ne réponds pas. Et donc finalement il a décidé de faire autre chose avec ses potes.
- **Judith** : Ah, non ! J'avais tellement envie de le voir !

Piste 20 — Compréhension de l'oral

- **Présentateur** : Laura Trubel nous emmène aujourd'hui dans une nouvelle école qui a ouvert en septembre dernier près de Toulouse. Cette école a été créée pour libérer les enfants de la pression scolaire. Le directeur a eu l'idée de fonder cette école suite à la dépression de sa fille Chloé.
- **Laura Trubel** : Cette école, où les enfants apprennent à être heureux, avant tout, accueille pour l'instant 30 élèves entre 8 et 14 ans. Il s'agit d'une école différente sans punition, ni note. Elle est accessible à tous avec des tarifs qui varient en fonction du revenu des parents. Quand on est dans cette école, on voit des enfants qui respirent le bonheur, qui sont contents de venir. Alina, 10 ans, nous a confié qu'avant elle n'avait jamais envie d'aller à l'école mais que maintenant tout

a changé. Nous avons ici sa maman... Madame, avez-vous remarqué des changements dans le comportement d'Alina depuis la rentrée dans cette nouvelle école ?

- **Maman Alina** : Oui bien sûr ! Avant, dès qu'elle avait un contrôle, la veille, Alina avait mal au ventre, ne pouvait pas dormir ! C'est fou un tel stress si jeune ! Maintenant elle n'est plus du tout angoissée et elle n'a même pas envie d'être en vacances ! Je suis tellement contente de ce choix que nous avons fait
- **Laura Trubel** : Où est le secret ? Des petits groupes, de la musique, du jardinage... On pourrait croire qu'ils ne travaillent pas ! Monsieur Deschamps, vous êtes enseignant dans cette école, comment apprennent les enfants ?
- **Monsieur Deschamps** : Ils apprennent très facilement ! On ne les oblige pas... Quand ils n'arrivent pas à faire quelque chose, ils peuvent réessayer plus tard, et en éliminant le stress de performance, de compétition, ils finissent tous par arriver au résultat !
- **Laura Trubel** : C'est vraiment l'école du bonheur. À la rentrée prochaine, l'école accueillera une cinquantaine de nouveaux inscrits ! À vous au studio !

UNITÉ 8

Piste 21 — 10

1. Bonne nouvelle pour la Grèce : une pétition propose la nomination des îles grecques au prix Nobel de la paix pour leur action face à la crise des migrants. Cette pétition a obtenu ce lundi plus de 635000 signatures.

2. Un groupe de chercheurs japonais auraient inventé des emballages comestibles. Bientôt vous pourriez manger le yaourt et aussi son enveloppe au goût de fraise.

3. Un jeune de 22 ans aurait rendu visite à ses 500 amis de Facebook pour gagner un pari. Il aurait ainsi parcouru 8 pays en une semaine.

4. Une chercheuse italienne serait sur le point de trouver la recette de la jeunesse éternelle.

5. Le dernier gorille albinos de la planète s'est éteint ce matin au zoo de Barcelone.

Piste 22 — Compréhension de l'oral

- **Delphine** : Salut Sylvain !
- **Sylvain** : Salut, Delphine !
- **Delphine** : Tu ne devineras jamais ma nouvelle résolution !
- **Sylvain** : Tu t'es inscrit dans une salle de sport ?
- **Delphine** : Pourquoi ? Tu penses que j'ai grossi ? Mais non ! Tout le contraire d'une inscription justement, je me suis désinscrite à tous mes réseaux sociaux !
- **Sylvain** : Ah bon ? Et pourquoi tu as fait ça ?
- **Delphine** : Et bien j'ai lu un article qui explique que les réseaux sociaux créent une forme d'addiction qui peut te rendre malheureux, et je sentais que je perdais beaucoup de temps sur l'ordinateur.
- **Sylvain** : C'est vrai, moi aussi j'y passe beaucoup de temps, mais pas seulement pour m'amuser, mais aussi pour m'informer ! D'ailleurs, tu fais comment maintenant pour te tenir au courant de l'actualité ?
- **Delphine** : J'écoute la radio, parfois je lis le journal. Et si je ne m'informe pas pendant une journée, tout le monde parle de tout, tout le temps, on finit toujours par être au courant.
- **Sylvain** : Mais tu ne te sens pas coupée du monde ? Tout se fait par les réseaux sociaux...
- **Delphine** : C'est vrai, des fois mes amis me disent en rigolant que je suis un peu asociale, mais ils ne le pensent pas vraiment. Je continue à les voir comme avant.
- **Sylvain** : Dis donc je te trouve bien courageuse !
- **Delphine** : Oh, ce n'est pas si dur, tu devrais essayer, je suis sûr que ça te ferait du bien à toi aussi.

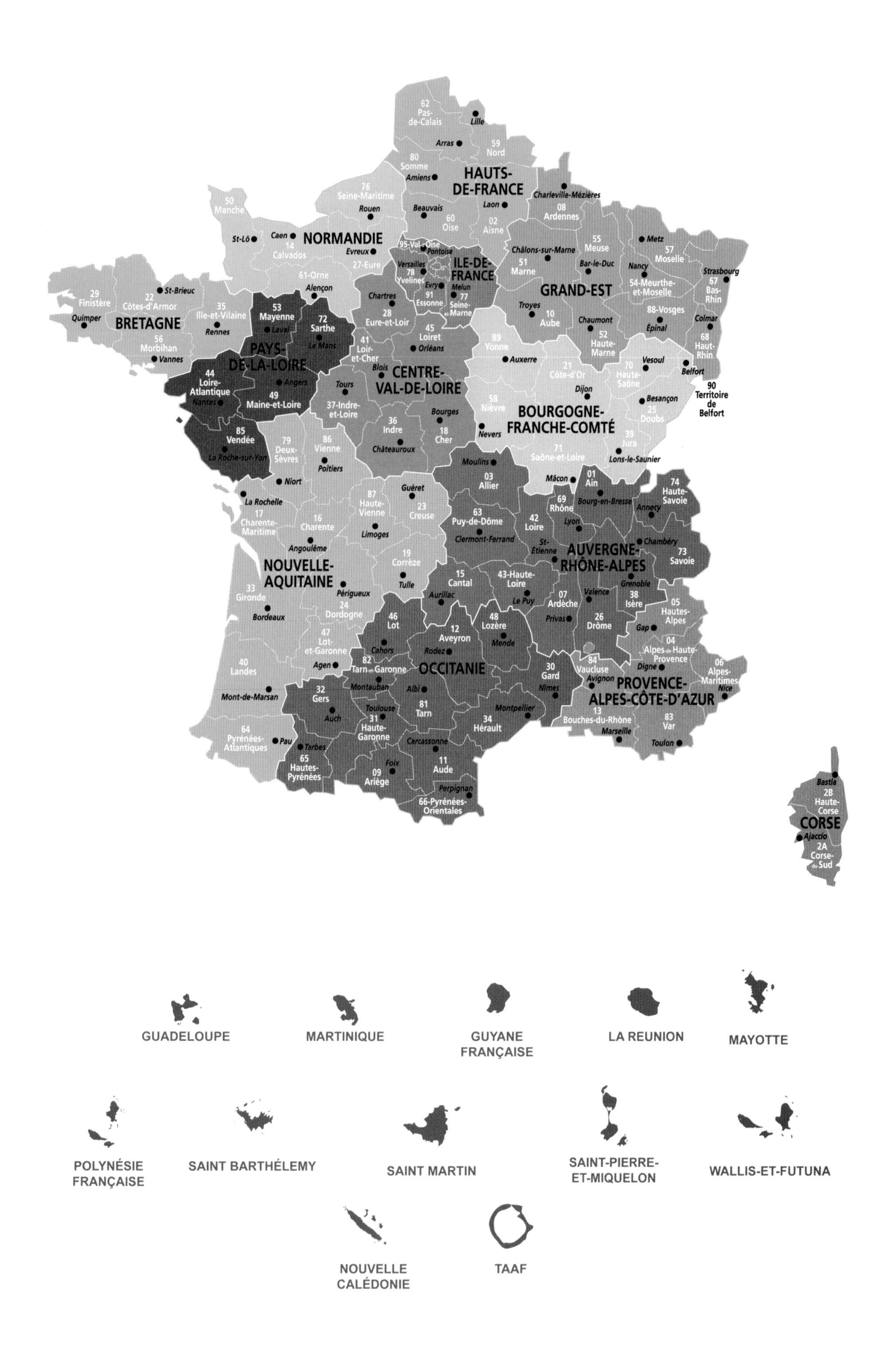

HAUTS-DE-FRANCE
62 Pas-de-Calais
Lille
Arras
59 Nord
80 Somme
Amiens
02 Aisne
Laon
60 Oise
Beauvais
NORMANDIE
76 Seine-Maritime
Rouen
50 Manche
St-Lô
Caen
14 Calvados
Evreux
27-Eure
61-Orne
Alençon
ILE-DE-FRANCE
95-Val-d'Oise
Pontoise
Versailles
78 Yvelines
Evry
91 Essonne
Melun
77 Seine-et-Marne
GRAND-EST
08 Ardennes
Charleville-Mézières
51 Marne
Châlons-sur-Marne
55 Meuse
Bar-le-Duc
Metz
57 Moselle
Nancy
54-Meurthe-et-Moselle
Strasbourg
67 Bas-Rhin
88-Vosges
Épinal
Colmar
68 Haut-Rhin
10 Aube
Troyes
52 Haute-Marne
Chaumont
BRETAGNE
29 Finistère
Quimper
22 Côtes-d'Armor
St-Brieuc
35 Ille-et-Vilaine
Rennes
56 Morbihan
Vannes
PAYS-DE-LA-LOIRE
53 Mayenne
Laval
72 Sarthe
Le Mans
44 Loire-Atlantique
Nantes
49 Maine-et-Loire
Angers
85 Vendée
La Roche-sur-Yon
CENTRE-VAL-DE-LOIRE
28 Eure-et-Loir
Chartres
45 Loiret
Orléans
41 Loir-et-Cher
Blois
37-Indre-et-Loire
Tours
36 Indre
Châteauroux
18 Cher
Bourges
BOURGOGNE-FRANCHE-COMTÉ
89 Yonne
Auxerre
21 Côte-d'Or
Dijon
70 Haute-Saône
Vesoul
Belfort
90 Territoire de Belfort
25 Doubs
Besançon
58 Nièvre
Nevers
39 Jura
Lons-le-Saunier
71 Saône-et-Loire
Mâcon
NOUVELLE-AQUITAINE
79 Deux-Sèvres
Niort
86 Vienne
Poitiers
17 Charente-Maritime
La Rochelle
16 Charente
Angoulême
87 Haute-Vienne
Limoges
23 Creuse
Guéret
19 Corrèze
Tulle
24 Dordogne
Périgueux
33 Gironde
Bordeaux
47 Lot-et-Garonne
Agen
40 Landes
Mont-de-Marsan
64 Pyrénées-Atlantiques
Pau
AUVERGNE-RHÔNE-ALPES
03 Allier
Moulins
63 Puy-de-Dôme
Clermont-Ferrand
42 Loire
St-Étienne
69 Rhône
Lyon
01 Ain
Bourg-en-Bresse
74 Haute-Savoie
Annecy
73 Savoie
Chambéry
38 Isère
Grenoble
15 Cantal
Aurillac
43-Haute-Loire
Le Puy
07 Ardèche
Privas
26 Drôme
Valence
OCCITANIE
46 Lot
Cahors
12 Aveyron
Rodez
48 Lozère
Mende
82 Tarn-et-Garonne
Montauban
81 Tarn
Albi
32 Gers
Auch
31 Haute-Garonne
Toulouse
65 Hautes-Pyrénées
Tarbes
09 Ariège
Foix
11 Aude
Carcassonne
66-Pyrénées-Orientales
Perpignan
34 Hérault
Montpellier
30 Gard
Nîmes
PROVENCE-ALPES-CÔTE-D'AZUR
05 Hautes-Alpes
Gap
04 Alpes-de-Haute-Provence
Digne
06 Alpes-Maritimes
Nice
84 Vaucluse
Avignon
13 Bouches-du-Rhône
Marseille
83 Var
Toulon
CORSE
Bastia
2B Haute-Corse
Ajaccio
2A Corse-du-Sud
GUADELOUPE
MARTINIQUE
GUYANE FRANÇAISE
LA REUNION
MAYOTTE
POLYNÉSIE FRANÇAISE
SAINT BARTHÉLEMY
SAINT MARTIN
SAINT-PIERRE-ET-MIQUELON
WALLIS-ET-FUTUNA
NOUVELLE CALÉDONIE
TAAF

ENTRE NOUS TOUT EN UN - MÉTHODE DE FRANÇAIS

LIVRE DE L'ÉLÈVE + CAHIER D'ACTIVITÉS - NIVEAU B1

AUTEURS

Audrey Avanzi (unités 3 et 8)
Céline Malorey (unités 2 et 7)
Neige Pruvost (unités 1 et 5)
Caroline Venaille (unités 4 et 6)

Thomas Geeraert (partie *Cahier d'activités*)
Virginie Karniewicz (partie *DELF*)
Grégory Miras (partie *Phonétique*)
Sylvie Poisson-Quinton (rubrique *Regards Culturels* et partie *Précis de grammaire*)
Virginie Karniewicz et Núria Murillo (partie *Dossier de l'apprenant*)

ÉDITION ET RÉVISION PÉDAGOGIQUE

Virginie Karniewicz, Núria Murillo, Laetitia Riou, Ginebra Caballero (partie *Précis de grammaire*)

CORRECTION

Sarah Billecocq (Livre de l'élève et parties *Phonétique*, *DELF* et *Précis de grammaire*), Laetitia Riou (partie *Cahier d'activités*)

DOCUMENTATION

Aurélie Buatois, Virginie Karniewicz, Núria Murillo

CONCEPTION GRAPHIQUE ET COUVERTURE

Guillermo Bejarano

MISE EN PAGE

Guillermo Bejarano (unités 1, 2, 3, 4, 6 et 7)
Laurianne López (unités 5, 8 et parties *Dossier de l'apprenant, Dossier culturel, Phonétique, Delf, Précis de grammaire, Cahier d'activités et Transcriptions*)

ILLUSTRATIONS

Laurianne López

ENREGISTREMENTS

Studio d'enregistrement : Blind Records

REMERCIEMENTS

Nous tenons à remercier toutes les personnes qui ont participé de près ou de loin à la concrétisation de ce projet : Hilaire Besse, David Bocian, Aurélie Buatois, Mateo Caballero, Katia Coppola, Jamila Evans-Evans, Estelle Foullon, Serge Frenoy, Sarah Ghazali, Johanna Karniewicz, Lilian Karniewicz, Sophie Kasser, Charlène Lecuyer, Yoram Malka, Laureen Martin, Charline Menu, Christian Renault, Laetitia Riou, Marie Rivière, Caroline Venaille.

Unité 2 : Ben Hung/istock ; PeopleImages/istock ; Luis Abrantes/istock ; Ljupcoi/istock ; pirankai/istock ; Wavebreaki/istock ; manley099/istock ; LDProdiStock/istock ; UmkehreriStock/istock ; Virgin/wikipedia ; ARTQUiStock/istock ; Dron/Fotolia ; magann/Fotolia ; Marie Rivière ; ALAIN ; JOCARD/Getty ; pixarno/Fotolia ; LU0810/ Fotolia ; Albachiaraa/Fotolia , yuratosno/Fotolia ; chones/Fotolia ; Michael Bodmanni/istock ; Furtseffi/istock ; FrankRamspotti/istock ; Sissih292/Wikipedia ; RAMI AL-SAYED/Getty ; Harry Horstmann/Wikipedia ; kreizihorse/Fotolia ; stmool/Fotolia

Unité 3 : Michelle Milliman/Dreamstime ; New York Daily News Archive/Getty ; Claude TRUONG-NGOC/Wiki commons ; yaruta/istock ; Audrey Avanzi ; JPC-PROD/ Fotolia ; goodluz/Fotolia ; Aviahuismanphotography/Dreamstime ; pathdoc/Fotolia ; victorptorres/Fotolia ; tagstiles.com/Fotolia ; whitelook/Fotolia ; Silvano Rebai/ Fotolia ; william87/Fotolia ; Gioco/Fotolia , Mr.X/Fotolia ; Gianfranco Bella/Fotolia ; SergiyN/Fotolia ; Frank Boston/Fotolia ; Juice Images/Fotolia ; Osoznaniejizni/ Dreamstime ; Monkey Business/Fotolia ; andreas130/Fotolia ; adrenalinapura/Fotolia ; Andrey Kuzmin/Fotolia ; Mimagephotography/Dreamstime ; Axel Bueckert/ Dreamstime ; Photographerlondon/Dreamstime ; Melinda Nagy/Dreamstime ; Christos Georghiou/Dreamstime ; Pedro Turrini Neto ; Radim Štrobl/Dreamstime ; weseetheworld/Fotolia ; Patrick Heagney/istock ; Iakov ; Filimonov/Dreamstime

Unité 4 : Timmary/istock ; olly/Fotolia ; Stefano Armaroli/Dreamstime ; Antoniodiaz/Dreamstime ; 3Dmask/Fotolia ; Ekaterina Pokrovsky/Dreamstime ; Xavier Arnau/istock ; id-work/istock ; stanok/Fotolia ; bit24/Fotolia ; alashi/istock ; benignocom/istock ; brett lamb/istock ; retrorocket/istock ; mixov/istock ; OlgaLIS/ Fotolia ; franckreporter/istock ; pololia/Fotolia ; dubova/Fotolia ; ParkerDeen/istock ; PhotographicDelight ; Jr Casas/Fotolia ; DiversityStudio/Fotolia ; nacroba/ Fotolia ; whiteshoes91/Fotolia ; Naty Strawberry/Fotolia ; b44022101/Fotolia ; Gstudio Group/Fotolia ; Jürgen Fälchle/Fotolia ; radub85/Fotolia ; markobe/ Fotolia ; Matthew Yohe/Wikipedia ; anonyme/Wikipedia ; James Duncan Davidson ; Janet Rhodes/istock ; Buenaventuramariano/istock ; Pavel Losevsky/Fotolia , Erik Khalitov/istock ; tsuneomp/Fotolia ; Cecil W. Stoughon/Wikipedia ; Photographerlondon/Dreamstime ; Difusión ; Tim Mosenfelder/Getty ; Groenning/ Fotolia ; stevezmina1/istock ; MorePixels/istock

Dossier culturel : Diliff/wikimmedia commons ; Vvoevale/Dreamstime ; Alan Wacquier/Fotolia ; fanatykk/Fotolia ; Philippehalle/Dreamstime ; Leonid Andronov/ Fotolia ; Gustave Doré/wikimmedia commons ; ellenm1/Wikimedia commons ; Evgeniy/Dreamstime ; Robert Lerich/Dreamstime ; Yana Kabangu/Dreamstime ; Lestertairpolling/Dreamstime ; Lotharingia/Fotolia ; Daniel M. Cisilino/Dreamstime ; Stefaanh/Dreamstime ; Danilo Mongiello/Dreamstime ; Phil_Good/Fotolia ; J.delanoy/Wikipedia ; lesniewski/Fotolia ; JOOZLy/Wikimmedia commons ; ReinerausH/Wikimmedia commons ; Le Cœur de Voh/Wikimmedia commons ; Delphotostock/Fotolia ; Satit Srihin /Dreamstime ; pierre foto/Fotolia ; Roman.b/Wikimmedia commons ; Bananaflo/Wikimmedia commons ; fred34560/Fotolia ; alainfinger/Istockphoto ; SOLLUB/Fotolia ; Anibal Trejo/Dreamstime ; Brad Pict/Fotolia ; Ératosthène de cyrène/Wikimmedia commons ; MOSSOT/Wikimmedia commons ; Pär Henning/Wikipedia ; Jac. de Nijs/Anefo/wikimedia commons ; Clara Palardy/wikimedia commons ; Magritte/wikiart ; Matisse/wikiart ; ROME-PARIS/DE LAURENTIIS/BEAUREGARD / Album ; Smdl/Wikimmedia commons ; Jérôme/Wikimmedia commons ; Play On/Wikimmedia commons ; Toutaitanous 2

Unité 5 : HomePixel/istock ; studioworkstock/Fotolia ; selensergen/Fotolia ; hankimage9/Fotolia ; dacianlogan/Fotolia ; Style-Photography ; Bet_Noire/istock ; Piumadaquila/Fotolia ; phive2015/Fotolia ; nungning20/Fotolia ; DigiClack/Fotolia ; PeopleImages/istock ; treenabeena/Fotolia ; Creativa Images/Fotolia ; Massimiliano Marino/Fotolia ; highwaystarz/Fotolia ; Richard Villalon/Fotolia ; weerapat1003/Fotolia ; Eléonore H/Fotolia ; glopphy/Fotolia ; Alessandro De Leo/ Dreamstime ; Trezvuy/Fotolia ; Kaspars Grinvalds/Fotolia ; Jérémy-Günther-Heinz Jähnick/Wikicommons ; Geigerni/Wikicommons ; simenon/Wikicommons ; Xavier Caré / Wikimedia Commons / CC-BY-SA-4.0 ; Aynur Shauerman/Dreamstime ; Shannon Fagan/Dreamstime ; Patryssia/Fotolia ; Johanna Karniewicz ; samjonah/Fotolia ; yumid/Fotolia ; Agence DER/Fotolia ; Blend Images/Fotolia ; Alexey Fursov/istock ; kristian sekulic/istock ; Ludovic Courtès/Wikipedia ; laflor/ istock ; Ekinklik/Wikipedia ; PeopleImages/istock ; Tom Craig/Dreamstime ; EdStock/istock ; Nastasia Froloff/Fotolia ; Leonid Andronov/Fotolia

Unité 6 : mollicart/Fotolia ; FIDELITE PRODUCTIONS / Album ; NORD-OUEST PRODUCTIONS / Album ; LE PETITE REINE / Album ; Per Björkdahl/ Dreamstime ; JackF/Fotolia ; SurkovDimitri/istock ; kristian sekulici/istock ; FrankRamspott/istock ; WALT DISNEY PRODUCTIONS/Album ; WALT DISNEY PRODUCTIONS/Album ; WALT DISNEY PRODUCTIONS/Album ; 20TH CENTURY FOX/ ; WETCHER, BARRY/Album ; SEE SAW FILMS/Album ; LEGENDE/TF1 INTERNATIONAL/TF1 FILMS PRODUCTIONS/SONGBIRD PIC/Album ; WHY NOT PRODUCTIONS/RPAJOU, ROGER/Album ; LES FILMS DU FLEUVE/Album ; Francois Durand/Getty ; MrPlumo/istock ; Kursatunsal/Dreamstime ; WALT DISNEY PICTURES/Album ; 20TH CENTURY FOX / ADLER, SUE / Album ; GRAVIER PRODUCTIONS/MEDIAPRO / Album ; Jesús Eloy Ramos Lara ; Richard Gunion ; Arturo Osorno ; MrPlumo/stock

Unité 7 : ulamarin/Fotolia ; Christopher Futcher/istock ; anzeletti/istock ; anonyme/wikipedia ; Abbildung übernommen aus Wolfgang G. Vögele, Der andere Rudolf Steiner - Augenzeugenbrichte, Interviews, Karikaturen, 2005, S. 116 ; Atholpady/Dreamstime ; topor/Fotolia ; bubutu/Fotolia ; fotostorm/istock ; paul prescott/Fotolia ; chrisberic/Fotolia ; whitetag/istock ; JackF/istock ; 4x6/istock ; vera7388/Fotolia ; martinwimmer/istock ; piovesempre/istock ; Andrew Rich/istock ; Juanmonino/istock

Unité 8 : imaginima/istock ; topvectors/Fotolia ; bitontawan/Fotolia ; Idey/Fotolia ; macrovector/Fotolia ; raven/Fotolia ; sdp_creations/Fotolia ; topvectors/Fotolia ; keangs/Fotolia ; DigiClack / Fotolia ; Jane Kelly / Fotolia ; Gstudio Group/Fotolia ; Seraphim Vector/Fotolia ; kulyk/Fotolia ; Maximo Sanz/Fotolia ; dacianlogan/Fotolia ; DigiClack/Fotolia ; Frankie Fouganthin/Wikipedia ; Simon_Watkinson/istock ; Joel Carillet/istock ; Maciej Gillert/Dreamstime ; chetverikov/Fotolia ; Daniel Sroga/ Dreamstime ; Eugenio Marongiu/Fotolia ; lulu/Fotolia ; laflor/istock ; Markus Seidel/istock ; Elaine Chan and Priscilla Chan/Wikipedia; spiritofamerica/Fotolia ; Helinek/ istock ; kariochi/Fotolia ; EdStock/istock ; Claude Truong-Ngoc / Wikimedia Commons ; Pete Souza/Wikipedia ; cirodelia/Fotolia ; Schorle/Wikipedia ; Nicholas Wang, derivative work by Poke200/Wikipedia ; PointImages/Fotolia ; iko/Fotolia ; Delphotostock/Fotolia ; weseetheworld/Fotolia ; Sergii Mostovyi/Fotolia ; determined/ Fotolia ; BillionPhotos.com/Fotolia ; Laura Poitras / Praxis Films/Wikipedia ; Espen Moe/Wikipedia ; Alfonsodetomas/Dreamstime ; mayrum/Fotolia ; ajr_images/ Fotolia ; alex.pin/Fotolia ; Jérôme Rommé/Fotolia ; EnginKorkmaz/istock ; Luis Fernández García/Wikipedia ; Philafrenzy/Wikipedia ; Isaac Ribeiro/Wikipedia ; avivi/ Wikipedia ; Copyleft/Wikipedia ; room_the_agency/Fotolia ; avirid/Fotolia

Phonétique : bloomua/Fotolia ; Clicknique/istock ; noche/Fotolia

Delf: bloomua/Fotolia ; mediaphotos/istock ; manstock007/Fotolia

Cahier d'activités : curlymary/Fotolia ; SunnyS/Fotolia ; fotoherkules/Fotolia ; kantver/Fotolia ; Nlshop/Fotolia ; Sapientisat/Dreamstime ; Guillaume Besnard/Fotolia ; Ariane Citron/Fotolia ; Pymouss/Wikipedia ; AntPun/Fotolia ; Ariane Citron/Fotolia ; attiarndt/Fotolia ; pauli197/Fotolia ; DigiClack/ Fotolia ; Zerophoto/Fotolia ; Alexander Yakovlev/Fotolia ; Louise Rivard/Dreamstime ; Miriam Dörr/Fotolia ; Photo Passion/Fotolia ; Melinda Nagy/ Fotolia ; Thesupermat/Wikipedia ; AntonioDiaz/Fotolia ; iceteaimages/Fotolia ; Syda Productions/Fotolia ; JackF/Fotolia ; Zdenka Darula/Fotolia ; firstflight/Fotolia ; Fabio Venni/Wikipedia ; Atlantis/Fotolia ; INFINITY/Fotolia ; FotoliaXIV/Fotolia ; Claude TRUONG-NGOC/Wikipedia ; Anonyme/ Gandhi ; Harvey Milk in 1978 at Mayor Moscone's Desk.jpg: Daniel Nicoletta/Wikipedia ; South Africa The Good News/Wikipedia ; Surizar, cropped by Jen/Wikipedia ; Viacheslav Iakobchuk/Fotolia ; SolStock/istock ; Westend6/Fotolia ; Neil Palmer/CIAT/Wikipedia ; rtguest/Fotolia ; Petr /Dreamstime ; manouila/Fotolia ; Mimagephotography/Dreamstime ; Filipe Frazao/Dreamstime ; PeopleImages/istock ; Sebastian Czapnik/Dreamstime ; danymena88/ Fotolia ; Ani_Ka/istock ; corund/Fotolia ; vachom/Fotolia ; Antonio Guillem /Dreamstime ; Katkov/Dreamstime ; darkbird/Fotolia ; Grigoriy ; Lukyanov/ Fotolia ; kotoyamagami/Fotolia ; Tom Wangtonda55/Fotolia ; Robert Kneschke/Fotolia ; bajinda/Fotolia ; Steve Young/Fotolia ; oliviahappyland/Fotolia ; retrostar/Fotolia ; BillionPhotos/Fotolia ; shock/Fotolia ; SIA/Fotolia ; Kadmy/Fotolia ; thomasschwerdt/Fotolia ; olly/Fotolia ; Rama/Wikipedia ; Nikolai Titov/Fotolia ; Lilian Karniewicz ; karandaev/Fotolia ; First National Studios/Wikipedia ; lenkaserbina/Fotolia ; António Duarte/Fotolia ; Bradley Hebdon/ istock ; magdal3na/Fotolia ; betyarlaca/istock ; Patryssia/Fotolia ; BillionPhotos.com/Fotolia ; Andres Rodriguez/Fotolia ; Petr Novák/Wikipedia ; Xavier Ganachaud/Wikipedia ; Johnny Freak/Wikipedia ;

METAFILMS/SODEC/SONS OF MANUAL/SUPER ECRAN/TELEFILM CANADA / LAVERDIERE, SHAYNE / Album ; ivook/Fotolia ; Patryssia/Fotolia ; blackpencil/Fotolia ; SolStock/istock ; Markus Bormann/Fotolia ; Bits and Splits/Fotolia ; Nastasia Froloff/Fotolia ; robert cicchetti/Fotolia ; Ivonne Wierink/Fotolia ; AVAVA/Fotolia ; DURIS Guillaume/Fotolia ; Givaga/Fotolia ; BillionPhotos.com/Fotolia ; hikdaigaku86/Fotolia ; lovegtr35/Fotolia ; david_franklin/Fotolia ; ArtFamily/Fotolia ; imacture/Fotolia ; pathdoc/Fotolia ; Perfect Vectors/Fotolia ; Iva Villi/Fotolia ; MargaritaSh/Fotolia ; Kaspars Grinvalds/Fotolia

Précis de grammaire : freehandz/Fotolia

Toutes les photographies sont issues de Fotolia.com, Dreamstime.com, iStockphoto.com., Getty et Album online
Toutes les photographies provenant de www.flickr.com et Wikipedia sont soumises à une licence de Creative Commons (Paternité 2.0 et 3.0).

Iconovox : p. 124-125 (©Deligne ; ©Lécroart ; ©Françoise Ménager ; ©Deligne ; ©Chalvin ; ©Soulcié ; ©Deligne)

D.R. p. 26 « L'Hiver aux trousses », Cédric Gras © Editions Stock, 2015 (extrait et couverture) ; p. 27 www.stephanie-ledoux.com ; p. 37 « MISTRAL GAGNANT » Paroles et Musique de Renaud Séchan © Warner Chappell Music France – 1985 ; « BIEN MERITÉ » Paroles de Claire Keszei et Jean-Jacques Nyssen Musique de Jean-Jacques Nyssen © EMMA Productions – 2008 ; p. 43 Nawel Ben Kraiem © Cyrille Choupas ; p. 47 Fédération musique espérance ; p. 50 Mike Horn ; p. 50 Archives Reinhold Messner ; p. 58 Beaurepaire, agence conseil en communication ; p. 58 Yannick Noah ; p. 67 Chompoo Baritone ; p. 68 http://www.le-tigre.net ©RAPHAËL MELTZ ; p. 78 « CARMEN » Paroles et Musique de Stromae © Stromae – 2015 ; p. 90 « DORA BRUDER », Patrick Modiano, Collection Folio, © Gallimard ; p. 90 Festival BD francophone du Québec : Alex A ; p. 90 Festival du Film Francophone d'Angoulème ; p. 90 « RUE DARWIN », Boualem Sansal, Collection Folio, © Gallimard ; p. 90 D'après la conception graphique de l'atelier Pentagon / caractère typographique : Infini, Sandrine Nugue / CNAP ; p. 98 Flash mob organisé par les jeunes du lycée Hilaire de Chardonnet à Chalon sur Saône ; p. 104 « Pas si fous ces français ! » Jean-Benoît Nadeau, Julie Barlow, ©Éditions du Seuil, 2005 ; p. 109 « Écouter Paris au cinéma » de Monica Fantini, disponible intégralement sur le site rfi.fr ; p. 108 HUMAN Fondation GoodPlanet ; Ce qui me meut ; « LES TRIPLETTES DE BELLEVILLE », UN FILM DE SYLVAIN CHOMET ©2002 LES ARMATEURS / PRODUCTION CHAMPION / VIVI FILM / FRANCE 3 CINÉMA / RGP FRANCE / SYLVAIN CHOMET VISA 96.346 ; p. 116 L' Avant-Scène Cinéma, www.avantscenecinema.com ; p. 132 « MOTS D'EXCUSE ILLUSTRÉS LES PARENTS ÉCRIVENT AUX ENSEIGNANTS », Patrice Romain © Pocket, un département d'Univers Poche, 2012 pour la présente édition ; p. 136 C. Hélie/© Gallimard ; p. 137 « Chagrin d'école » Daniel Pennac, (Collection «Folio»), © Gallimard ; p. 190 « Indignez-vous ! », Stéphane Hessel, © Indigène éditions, octobre 2010, Montpellier, France ; p. 198 René Goscinny et Jean-Jacques Sempé, extrait de « Un souvenir qu'on va chérir », « Le petit Nicolas », © IMAV éditions, 2013

Nous tenons à remercier RFI pour son aimable collaboration.

ISBN édition internationale : 978-84-16273-24-9
ISBN édition Alliance Française Mexique : 978-84-16943-09-8
ISBN édition Premium : 978-84-17249-75-5
Réimpression : août 2019
Imprimé dans l'UE

www.emdl.fr/fle